O PACIFISTA

CB124584

Obras de John Boyne publicadas pela Companhia das Letras

O garoto no convés
O menino do pijama listrado
Noah foge de casa
O pacifista
O palácio de inverno

JOHN BOYNE

O PACIFISTA

Tradução:
LUIZ ANTÔNIO DE ARAÚJO

Companhia Das Letras

Copyright © 2011 by John Boyne

Grafia atualizada segundo o Acordo Ortográfico da Língua Portuguesa de 1990, que entrou em vigor no Brasil em 2009.

Título original
The Absolutist

Capa
warrakloureiro

Foto de capa
© General Photographic Agency/ Getty Images

Preparação
Julia de Souza

Revisão
Renata Lopes Del Nero
Luciana Baraldi

Dados Internacionais de Catalogação na Publicação (CIP)
(Câmara Brasileira do Livro, SP, Brasil)

Boyne, John

O pacifista / John Boyne ; tradução Luiz Antônio de Araújo. — 1ª ed. — São Paulo : Companhia das Letras, 2012.

Título original: The absolutist.
ISBN 978-85-359-2193-9

1. Ficção irlandesa I. Título.

12-12491 CDD-ir823.9

Índice para catálogo sistemático:
1. Ficção : Literatura irlandesa ir823.9

2012

Todos os direitos desta edição reservados à
EDITORA SCHWARCZ S.A.
Rua Bandeira Paulista, 702, cj. 32
04532-002 — São Paulo — SP
Telefone (11) 3707-3500
Fax (11) 3707-3501
www.companhiadasletras.com.br
www.blogdacompanhia.com.br

Para Con

TOMBLAND

NORWICH, 15-16 DE SETEMBRO DE 1919

Sentada à minha frente no vagão, a senhora idosa de estola de pele de raposa recordava alguns homicídios que havia cometido ao longo dos anos.

"Houve o vigário de Leeds", ela disse, sorrindo um pouco enquanto batia o indicador no lábio inferior. "E a solteirona de Hartlepool, cujo trágico segredo provaria a sua perdição. A atriz de Londres, é claro, que se juntou com o marido da irmã logo depois que ele voltou da Crimeia. Era uma figurinha leviana, ninguém pode me incriminar por isso. Mas a empregada doméstica da Connaught Square, eu cheguei a lamentar tê-la matado. Uma moça trabalhadora de boa cepa nortista, que talvez não merecesse um fim tão violento."

"Essa é uma das minhas prediletas", eu disse. "Se a senhora me perguntar, ela teve o que merecia. Lia cartas que não lhe pertenciam."

"Eu o conheço, não?", ela perguntou, inclinando o corpo, estreitando os olhos em busca de traços familiares no meu rosto. Uma penetrante combinação de lavanda com creme facial, a boca viscosa de batom vermelho. "Eu já o vi em algum lugar."

"Eu trabalho para o sr. Pynton na Whisby Press. Meu nome é Tristan Sadler. Nós nos conhecemos num almoço literário há alguns meses." Estendi a mão e ela a olhou um instante, como se não soubesse o que esperar dela, antes de apertá-la com cautela, sem envolver totalmente seus dedos nos meus. "A senhora deu uma palestra sobre venenos indetectáveis", acrescentei.

Ela assentiu rapidamente: "Sim, agora me lembro. O senhor estava com cinco livros e queria todos autografados. Fiquei admirada com o seu entusiasmo".

Eu sorri, lisonjeado por ela se lembrar. "Sou um fã declarado", confessei, e a mulher inclinou graciosamente a cabeça, um gesto que devia ter aperfeiçoado durante os trinta anos que passara recebendo elogios dos leitores. "Assim como o sr. Pynton. Ele falou várias vezes em tentar atraí-la para a nossa editora."

"É, eu conheço Pynton." Ela deu de ombros. "Sujeitinho asqueroso. Uma halitose terrível. Não sei como o senhor aguenta ficar perto dele. Mas entendo porque ele o empregou."

Confuso, eu enruguei a testa, e ela me endereçou um leve sorriso.

"Pynton gosta de viver cercado de coisas bonitas", ela explicou. "O senhor deve ter percebido isso no seu gosto por obras de arte e aqueles sofás ornamentais que parecem saídos do ateliê de um modista parisiense. O senhor me lembra o seu último assistente, aquele escandaloso. Mas não, não há a menor chance, lamento. Estou há mais de trinta anos com o meu editor e me sinto muito satisfeita."

Ela reclinou-se com expressão glacial, e eu compreendi que havia me colocado em situação embaraçosa ao transformar aquela conversa agradável em uma possível transação comercial. Olhei pela janela, constrangido. Consultando o relógio, vi que estávamos quase uma hora atrasados, e agora o trem acabava de parar outra vez sem nenhuma explicação.

"É justamente por isso que eu não vou mais à cidade", ela declarou abruptamente enquanto se esforçava para abrir a janela, pois o vagão estava começando a ficar abafado. "A gente simplesmente não pode confiar nas estradas de ferro para voltar para casa."

"Espere, eu a ajudo, senhora", disse o rapaz sentado junto a ela, que vinha namorando aos sussurros a garota ao meu lado desde que partimos da Liverpool Street. Levantou-se, inclinou-se, exalou uma brisa de suor, e puxou a janela com força. Esta se abriu com um tranco, deixando entrar uma torrente de ar quente e vapor de locomotiva.

"O meu Bill tem muito jeito com coisas mecânicas", riu a garota, cheia de orgulho.

"Deixe disso, Margie", disse o rapaz com um sorriso apagado, ao sentar-se.

"Ele consertava motores durante a guerra, não é, Bill?"

"Já mandei parar com isso, Margie", repetiu ele com mais frieza e, ao que nossos olhos se encontraram, nós nos examinamos por um momento, mas logo desviamos a vista.

"É só uma janela, meu bem", grunhiu a escritora com um *timing* impecável.

Admirou-me que os nossos três companheiros tivessem demorado mais de uma hora para tomar conhecimento da presença uns dos outros. Isso me trouxe à memória a história dos dois ingleses que, após um naufrágio, passaram cinco anos sozinhos numa ilha deserta e nunca trocaram uma palavra, pois não tinham sido devidamente apresentados.

Passados vinte minutos, o trem se pôs em movimento e nós seguimos viagem, chegando finalmente a Norwich com mais de uma hora e meia de atraso. O jovem casal desembarcou primeiro, num alvoroço de impaciência histérica e risadinhas de "vamos correndo para o nosso quarto", e eu ajudei a romancista com a mala.

"O senhor é muito gentil", observou ela distraidamente, correndo os olhos pela plataforma. "O meu motorista deve estar aqui para me ajudar no resto do caminho."

"Foi um prazer encontrar com a senhora", eu disse, sem arriscar outro aperto de mão, mas oferecendo-lhe um desajeitado aceno de cabeça, como se ela fosse a rainha e eu, um súdito leal. "Não tive intenção de constrangê-la na viagem. Só queria dizer que o sr. Pynton desejaria ter escritores do seu calibre na nossa lista."

Ela sorriu — *eu sou relevante*, disse sua expressão, *eu tenho importância* — e se foi, seguida pelo motorista uniformizado. Mas eu fiquei onde estava, em meio ao apressado vaivém nas plataformas, perdido entre as pessoas, totalmente só na movimentada estação ferroviária.

Emergi das enormes paredes de pedra da Estação Thorpe, me deparei com uma tarde inesperadamente clara e descobri que a rua em que iria me hospedar, a Recorder Road, ficava a poucos passos dali. No entanto, ao chegar, fiquei decepcionado, pois o meu quarto ainda não estava arrumado.

"Puxa vida", disse a proprietária, uma mulher magra de tez pálida e áspera. Ela tremia, eu reparei, embora não estivesse fazendo frio, e retorcia nervosamente as mãos. Era bem alta. O tipo da mulher que se destaca na multidão por sua estatura inesperada. "Acho que lhe devo um pedido de desculpas, senhor Sadler. Aqui houve uma grande confusão o dia todo. Nem sei explicar o que aconteceu."

"Eu escrevi, senhora Cantwell", retruquei, tentando suavizar o tom de irritação que se revelava em minha voz. "Disse que ia chegar pouco depois das cinco. Já passam das seis." Apontei com a cabeça para o antigo relógio que estava no canto, atrás do balcão. "Não quero ser desagradável, mas..."

"O senhor não está sendo desagradável", ela se apressou em responder. "O quarto deveria estar pronto para o senhor há horas, só que...". Sua voz sumiu e, enquanto mordia o lábio e desviava a vista, enrugou a testa numa série de vincos fundos. Parecia incapaz de me olhar nos olhos. "Tivemos um bocado de atribulações esta manhã, senhor Sadler, essa é a verdade. No seu quarto. Ou melhor, no que ia ser o seu quarto. É provável que agora o senhor não o queira mais. Eu não iria querer. Só não sei o que fazer, sinceramente, não sei. Não posso me dar ao luxo de deixá-lo vago."

A sua agitação era evidente e, embora eu estivesse com a mente mais ou menos focada nos meus planos para o dia seguinte, fiquei preocupado com a mulher. Já estava a ponto de perguntar se podia fazer alguma coisa para ajudar quando uma porta se abriu às suas costas e ela se virou. Apareceu um rapaz de uns dezessete anos, que eu tomei por seu filho: tinha olhos e lábios parecidos com os dela, mas sua pele era bem pior, marcada pela acne típica da idade. Ele hesitou, me examinou um instante antes de se voltar, frustrado, para a mãe.

"Eu disse para você me chamar quando o cavalheiro chegasse, não disse?", ele disse, encarando-a.

"Mas ele acabou de chegar, David, neste minuto", ela protestou.

"É verdade", confirmei, sentindo uma curiosa necessidade de defendê-la. "Eu acabei de chegar."

"Mas você não me chamou", insistiu o garoto com a mãe. "O que você contou a ele, afinal?"

"Ainda não contei nada", respondeu, voltando-se para mim com uma expressão que indicava que ela poderia chorar se continuasse sendo maltratada. "Eu não soube o que dizer."

"Peço desculpas, senhor Sadler", disse o rapaz, virando-se para mim com um sorriso de cumplicidade, como se insinuasse que ele e eu éramos o tipo de pessoa que sabia que nós, homens, devíamos cuidar dos problemas pessoalmente, e que nada neste mundo podia dar certo se estivesse nas mãos das mulheres. "Eu queria estar aqui para recebê-lo. Pedi para a minha mãe me avisar assim que o senhor chegasse. Achávamos que o senhor chegaria mais cedo."

"Sim", concordei, explicando o atraso do trem. "Mas, palavra, eu estou cansado e gostaria de ir para o quarto imediatamente."

"Claro, senhor", disse ele, engolindo em seco e olhando para o balcão de recepção como se todo o seu futuro estivesse estampado na madeira; ali no veio se achava a garota com que iria se casar; mais além, os filhos que eles teriam; aqui as brigas e o sofrimento que um infligiria ao outro. A mãe tocou-lhe o braço de leve e cochichou algo em seu ouvido, e ele sacudiu rapidamente a cabeça, dizendo-lhe entre os dentes que ficasse quieta. "É tudo uma confusão", explicou, erguendo subitamente a voz para dirigir-se a mim. "O senhor deveria ficar no número quatro, entende? Mas infelizmente agora o número quatro não está disponível."

"Neste caso, eu não posso ficar em outro quarto?"

Ele sacudiu a cabeça. "Oh, não, senhor. Não, todos estão ocupados, infelizmente. O senhor iria ficar no número quatro. Mas ele não está pronto, esse é o problema. Se o senhor nos pudesse dar algum tempo a mais para arrumá-lo..."

Ele saiu de trás do balcão e eu pude vê-lo melhor. Embora fosse apenas alguns anos mais moço que eu, sua aparência sugeria um menino fingindo ser adulto. Usava uma calça masculina um pouco comprida para ele — cuja barra estava enrolada e presa com alfinete — e uma combinação de camisa, gravata e colete que pareceria menos esquisita num homem bem mais velho. Os primórdios de um bigode, desfiados, formavam uma tímida linha sobre o lábio superior, e eu hesitei por um momento em decidir se aquilo se tratava mesmo de um bigode ou se não passava de sujeira, de uma mancha que escapara à higiene matinal. Apesar de seus esforços para parecer mais velho, sua juventude e inexperiência eram óbvias. Ele certamente não conhecia o mundo como nós.

"David Cantwell", disse depois de algum tempo, estendendo a mão.

"Isso não está certo, David", atalhou a sra. Cantwell, ruborizando furiosamente. "O cavalheiro vai ter de passar a noite em outro lugar."

"Então me diga onde", perguntou o rapaz, virando-se para ela, com a voz elevada, um senso de injustiça marcando-lhe o tom. "Você sabe que está tudo lotado. Portanto, aonde eu devo mandá-lo, isso eu não sei. Para o Wilson? Lotado! Para o Dempsey? Lotado! Para o Rutherford? Lotado! Nós temos um dever, mamãe. Temos um dever para com o senhor Sadler e precisamos cumpri-lo, do contrário vamos passar vergonha, e será que já não passamos vergonha suficiente por hoje?"

Admirado com o rompante agressivo, imaginei como devia ser a vida daquelas duas almas tão desencontradas. Um garoto e a mãe, compartilhando a solidão da pensão desde que ele era criança, pois seu marido, decidi, tinha morrido anos antes num acidente com uma debulhadora. O menino era muito pequeno para se lembrar do pai, é claro, mas o venerava mesmo assim, e nunca perdoara inteiramente a mãe por obrigar o pobre homem a trabalhar de sol a sol. Então estourou a guerra e ele era muito novo para combater. Tentou se alistar e caçoaram dele. Chamaram-no de garotinho valentão e o mandaram voltar dali a alguns anos, quando já tivesse algum pelo no peito; caso aquele inferno ainda não houvesse acabado, então pensariam no seu caso. E David voltou-se para a mãe e sentiu desprezo por sua expressão de alívio quando soube que ele não ia a lugar nenhum, pelo menos por ora.

Na época, eu vivia imaginando histórias assim, sempre à procura de circunstâncias emaranhadas no matagal dos meus enredos.

"Senhor Sadler, faça o favor de desculpar o meu filho", pediu a sra. Cantwell, inclinando-se, com as mãos espalmadas no balcão. "Ele é meio irritável, como o senhor pode ver."

"Não é nada disso, mãe", teimou David. "Nós temos um dever", repetiu.

"E gostaríamos de cumprir o nosso dever, é claro, mas..."

Não ouvi suas últimas palavras, pois o jovem me agarrou pelo cotovelo, surpreendendo-me com a intimidade do gesto, e eu me afastei quando ele mordeu o lábio, olhando com nervosismo à sua volta antes de me dizer em voz baixa:

"Senhor Sadler, podemos conversar em particular? Garanto que não é assim que eu costumo lidar com as coisas aqui. O senhor deve ter tido uma péssima impressão. Mas vamos para o salão. No momento, está vazio e...".

"Está bem", eu disse, pondo minha mala no chão em frente ao balcão da sra. Cantwell. "Posso deixar isto aqui?", perguntei, e ela fez que sim, engolindo em seco, esfregando uma vez mais aquelas mãos abençoadas e dando a impressão de que preferia morrer dolorosamente naquele mesmo instante a continuar conversando comigo. Acompanhei seu filho até o salão, em parte curioso pelo excesso de preocupação que se ostentava, em parte ofendido com isso. Estava cansado da viagem e tão cheio de emoções conflitantes a respeito do motivo que me levara a Norwich que queria apenas ir para o meu quarto, fechar a porta e ficar sozinho com os meus pensamentos.

A verdade é que não sabia nem se conseguiria levar a cabo meus planos para o dia seguinte. Sabia que, a partir de seis e dez, saíam trens para Londres de duas em duas horas, de modo que havia quatro à minha disposição antes da hora do meu encontro.

"Que confusão", disse David Cantwell, assobiando um pouco entre os dentes ao fechar a porta. "E mamãe não facilita nada as coisas, não acha, senhor Sadler?"

"Olhe, que tal o senhor simplesmente me explicar o problema?", propus. "Eu mandei um vale postal com a minha carta a fim de reservar o quarto."

"Claro que mandou, claro que sim. Eu mesmo fiz a reserva. Nós íamos hospedá-lo no número quatro, entende? A decisão foi minha. O número quatro é o quarto mais tranquilo e, embora o colchão esteja um pouco grumoso, a cama tem boas molas e muitos hóspedes comentam que é muito confortável. Eu li a sua carta, e o tomei por um homem do exército. Acertei, senhor?"

Eu vacilei um instante, depois assenti secamente. "Fui. Não sou mais, é claro. Desde que terminou."

"O senhor viu muita ação?", perguntou ele com os olhos brilhando, e eu senti que minha paciência estava começando a se esgotar.

"O quarto. Vou ficar com ele ou não?"

"Ora, senhor", disse David, desapontado com a minha resposta. "Depende do senhor."

"Como assim?"

"No momento, a nossa menina, Mary, está lá em cima

desinfetando tudo. Ela reclamou, não vou esconder, mas eu disse que é o meu nome que está ali na porta, não o dela, e ela vai fazer o que eu mandei se quiser continuar no emprego."

"Eu pensei que fosse o nome da sua mãe", disse eu, provocando-o um pouco.

"Bom, é meu também", disparou David com indignação, seus olhos saltando das órbitas quando me encarou. "Em todo caso, vai estar praticamente novo quando ela terminar, isso eu garanto. Mamãe não quis lhe contar nada, mas como o senhor é militar..."

"*Ex*-militar", corrigi.

"Sim, senhor. Bem, eu creio que seria falta de respeito da minha parte não lhe contar o que aconteceu lá antes que o senhor decida."

Isso me deixou intrigado, e uma variedade de possibilidades me veio à mente. Um assassinato talvez. Um suicídio. Um marido fujão surpreendido por um detetive particular nos braços de outra mulher. Ou algo menos dramático: um cigarro aceso ateando fogo a um cesto de papel. Um hóspede fugindo de madrugada sem pagar a conta. Mais emaranhamentos. Mais terra inculta.

"Eu quero decidir, mas se eu pudesse..."

"Ele já tinha se hospedado aqui, é claro", interrompeu-me o rapaz com voz mais animada, preparando-se para me contar tudo do começo ao fim. "O senhor Charters, esse é o nome dele. Edward Charters. Sempre me pareceu um sujeito muito distinto. Trabalha num banco em Londres, mas sua mãe vive num lugar qualquer no caminho de Ipswich e, geralmente, quando a visita, passa uma ou duas noites em Norwich antes de voltar para a capital. Nessas ocasiões, sempre se hospeda aqui. Nós nunca tivemos problemas com ele, senhor. Um perfeito cavalheiro, muito reservado. Bem vestido. Sempre pedia o número quatro porque sabia como o quarto era bom, e eu ficava feliz em agradá-lo. Sou eu que distribuo os quartos, senhor Sadler, não a minha mãe. Ela confunde os números e..."

"E o tal senhor Charters se recusou a sair do quarto mais cedo?"

David sacudiu a cabeça, "Não, senhor".

"Então houve um acidente ou coisa assim? Ele adoeceu?"

"Não, nada disso. Nós lhe demos uma chave, entende? Caso ele voltasse tarde. Nós costumamos dar uma chave aos clientes especiais. Isso eu autorizo. Seria perfeitamente normal dar uma ao senhor, é claro, um ex-militar. Eu também queria me alistar, mas não me deixaram por causa da..."

"Por favor", atalhei. "Será que não podemos nos limitar a..."

"Sim, desculpe, senhor. É uma coisa um pouco desagradável, só isso. Nós dois somos homens do mundo, não somos, senhor Sadler? Posso falar abertamente?"

Dei de ombros. Eu supunha que era. Mas, sinceramente, não sabia ao certo o que significava a expressão "homem do mundo".

"Acontece que houve uma espécie de comoção de manhã cedo", prosseguiu ele, baixando a voz e se inclinando de modo conspirativo. "Acordou a casa inteira, ah, se acordou! Desculpe-me", ele disse, sacudindo a cabeça. "Descobrimos que o senhor Charters, que nós considerávamos um cavalheiro tranquilo e decente, não era nada disso. Saiu ontem à noite, mas não voltou sozinho. E nós somos rigorosos com essas coisas, é claro."

Não pude deixar de sorrir. Que bobagem! Então era por isso que tínhamos passado os últimos quatro anos nos esbodegando? "Isso é tudo?", perguntei, imaginando um homem solitário, atencioso com a mãe que vivia em Ipswich, que acabou arranjando companhia feminina naquela noite, talvez inesperadamente, e se deixou levar pelos instintos mais primários. Não era motivo de tanto estardalhaço.

"Não, senhor", respondeu David. "Porque a... digamos, a pessoa que veio com o senhor Charter era nada menos que assaltante. Roubou-o e, quando ele protestou, encostou uma faca na sua garganta, e assim armou-se a grande confusão. Mamãe acordou, eu acordei, os outros hóspedes saíram ao corredor de pijama. Nós batemos na porta e, quando a abrimos..." Ele parecia não saber se devia continuar ou não. "Chamamos a polícia, é claro", acrescentou. "E os dois foram presos. Mas mamãe ficou arrasada com o episódio. Acha que agora o estabelecimento está arruinado. Anda falando em vendê-lo, o senhor acredita? Em voltar para o vilarejo dela no West Country."

"Tenho certeza de que o senhor Charters também ficou arrasado", disse eu, sentindo uma ponta de simpatia pelo homem. "Coitado. Entendo que a moça tenha sido presa, é claro, já que foi violenta, mas ele por quê? Decerto não se trata de uma questão de moralidade."

"Como não, senhor?", disse David, aprumando o corpo e mostrando-se decididamente ofendido. "Claro que é uma questão de moralidade."

"Mas, pelo que pude entender, ele não transgrediu nenhuma lei. Não vejo motivo para que seja incriminado pelo que, afinal de contas, não passa de uma indiscrição pessoal."

"Senhor Sadler", disse David calmamente. "Vou dizê-lo com todas as letras, pois parece que o senhor não me compreendeu bem. A pessoa que o senhor Charters trouxe para cá não era uma moça, eu temo dizer. Era um homem." Ele balançou a cabeça, endereçando-me um olhar de cumplicidade, e eu corei e desviei a vista.

"Ah", eu disse, assentindo lentamente. "Sei, sei. Entendo."

"Então o senhor compreende que a minha mãe esteja tão aflita. Se a notícia se espalhar..." Ele ergueu os olhos de pronto, como se acabasse de se dar conta de algo importante. "Eu confio na sua discrição com relação a isso. Nós precisamos ganhar a vida."

"O quê?", perguntei, encarando-o em imediata concordância. "Ah, sim, claro. Isso não é da minha... bom, isso não é da conta de ninguém, só de vocês."

"Mas resta a questão do quarto", disse ele com delicadeza. "Se o senhor quer ficar nele ou não. Como eu já disse, está sendo cuidadosamente desinfetado."

Pensei um pouco e não vi o menor problema. "Isso não me incomoda, senhor Cantwell", respondi. "Lamento as suas dificuldades e a aflição da sua mãe, mas, se o quarto ainda estiver vago para esta noite, eu continuo precisando de uma cama."

"Então está tudo resolvido", alegrou-se o rapaz, abrindo a porta e tornando a sair. Eu o segui, um tanto surpreso com a rapidez com que nossa conversa terminara, e encontrei a mãe ainda atrás do balcão, seus olhos apontando alternadamente para mim e para David.

"O senhor Sadler compreende tudo perfeitamente", anunciou o filho. "E se dispõe a usar o quarto, apesar de tudo. Eu disse que fica pronto dentro de uma hora. É isso mesmo, não?". Falou com a mãe como se já fosse o dono da casa e ela, sua empregada.

"Claro, David", concordou a mulher com alívio na voz. "E é muita bondade sua, cavalheiro, se o senhor me permite dizer. Tenha a gentileza de assinar o registro."

Eu fiz que sim e, debruçando-me sobre o balcão, escrevi cuidadosamente meu nome e endereço no livro; um pouco de tinta espirrou no papel enquanto eu lutava para controlar a caneta com a mão direita, que tremia.

"Pode esperar no salão, se quiser", disse David, encarando admirado o meu indicador tremelicante. "Mas há uma taberna muito respeitável aqui perto, caso o senhor prefira beber alguma coisa para descansar da viagem."

"É, acho que sim", eu disse, devolvendo cautelosamente a caneta ao balcão, ciente da bagunça que havia feito e encabulado por isso. "Posso deixar a mala aqui, por enquanto?"

"Claro que pode."

Inclinei-me, tirei o meu livro da mala, tornei a fechá-la e consultei o relógio ao me levantar.

"Se eu voltar às sete e meia?"

"O quarto estará pronto, senhor", garantiu David, acompanhando-me até a porta e abrindo-a para mim. "E, uma vez mais, aceite minhas desculpas. O mundo é esquisitíssimo, não acha? A gente nunca sabe com que tipo de pervertido está lidando."

"Realmente", eu disse, saindo ao ar livre, aliviado pela brisa que me obrigou a apertar mais o casaco no corpo e lamentar ter esquecido de trazer minhas luvas. Mas elas estavam lá dentro, na mala, em frente à sra. Cantwell, e eu não sentia a menor vontade de me envolver em qualquer conversa, fosse com a mãe, fosse com o filho.

Para minha surpresa, finalmente me dei conta de que aquele era o dia do meu vigésimo primeiro aniversário. Havia esquecido disso completamente.

Segui caminho pela rua, mas, antes de entrar na taberna Carpenter's Arms, meu olhos foram atraídos pela vistosa placa de latão pregada acima da porta, na qual as palavras PROPRIETÁRIO: J. T. CLAYTON, LICENCIADO PARA A VENDA DE CERVEJAS E AGUARDENTES estavam gravadas em escrita preta e fosca. Parei subitamente e olhei para ela. Contive a respiração, e uma sensação de medo percorreu minhas veias. Ansiando por um cigarro, apalpei os bolsos na esperança de achar o maço de Gold Flakes que havia comprado na Liverpool Street naquela manhã, embora já soubesse que o perdera, que o tinha largado no banco do trem ao erguer os braços para ajudar a romancista com a mala antes de desembarcar; era provável que ele ainda estivesse lá ou, quem sabe, havia se alojado no bolso de outrem.

PROPRIETÁRIO: J. T. CLAYTON.

Só podia ser coincidência. Até onde eu sabia, o sargento Clayton era de Newcastle. Seu sotaque o traía. Mas seu pai teria uma cervejaria? Ou será que eu o estava confundindo com outra pessoa? Não, que ridículo, decidi, sacudindo a cabeça. Deve haver milhares de Claytons espalhados pela Inglaterra. Dezenas de milhares. Não podia ser o mesmo. Recusando-me a sucumbir à dolorosa especulação, abri a porta e entrei.

O bar estava um tanto lotado de operários que se voltaram, me olharam e logo me esqueceram, retomando suas conversas. Apesar de ser um forasteiro, me senti à vontade ali, uma satisfação oriunda de um senso de camaradagem solitária. Ao longo dos anos, eu havia passado horas demais em pubs, debruçado sobre mesas instáveis, manchadas de cerveja, lendo e escrevendo, rasgando bolachas de chope enquanto alçava meus personagens da pobreza à glória e arrastava outros da mansão para a sarjeta. Sozinho, sempre sozinho. Sem me exceder na bebida mas, em todo caso, bebendo. Um cigarro na mão direita, uma ou duas marcas de queimadura no punho esquerdo da camisa. Essa caricatura minha, escrevendo meus livros nos cantos dos botequins de Londres, essa que tanto me irrita e chegou a me revoltar, fazendo com que me empinasse e relinchasse nas entrevistas feito um cavalo enfurecido, na verdade, nada tem de errado. Afinal de contas, o clamor das tabernas lotadas é infinitamente mais acolhedor que o silêncio da casa vazia.

"Pois não, senhor?", disse um homem de ar simpático atrás do balcão, em mangas de camisa, esfregando um pano no tampo para enxugar as gotas de cerveja derramada. "O que posso lhe servir?"

Corri os olhos pela fileira de torneiras diante dele, algumas com nomes desconhecidos para mim, cervejarias locais talvez, e escolhi uma ao acaso.

"Caneco, senhor?"

"Sim, por favor", eu disse, e o vi escolher um caneco na prateleira às suas costas e então, num gesto instintivo, segurando-o pela base, erguê-lo à luz à procura de impressões digitais ou marcas de poeira antes de, satisfeito, incliná-lo num ângulo preciso junto à torneira e começar a enchê-lo. Estava com restos de algum doce no bigode, e eu fiquei olhando para ele com nojo e ao mesmo tempo fascinado.

"O senhor é o proprietário?", perguntei logo depois.

"Isso mesmo, senhor", ele disse, sorrindo. "John Clayton. Nós já nos conhecemos?"

"Não, não", disse eu, sacudindo a cabeça e tirando umas moedas do bolso. Agora podia relaxar.

"Muito bem, senhor." Ele colocou o caneco na minha frente, aparentemente alheio à minha pergunta. Eu agradeci e atravessei o salão em direção a um canto quase vazio, onde tirei o casaco e me sentei exalando um fundo suspiro. Talvez tenha sido melhor que meu quarto ainda não estivesse arrumado, decidi, enquanto observava a cerveja de um marrom escuro assentar no caneco à minha frente, a crista espumosa a borbulhar, antecipando a grande satisfação que eu teria ao primeiro gole depois da viagem de trem. *Podia passar a noite inteira sentado aqui*, pensei. *Podia me embebedar e fazer um escândalo. A polícia que me prendesse, trancafiasse numa cela e me mandasse de volta a Londres no primeiro trem amanhã de manhã. Pelo menos, eu não teria de levar isso adiante. Podia largar mão de tudo.*

Suspirei profundamente e, afastando de mim a ideia, tirei o livro do bolso e olhei para a capa com a sensação de segurança que qualquer punhado de páginas encadernadas sempre me proporcionava. Naquela segunda-feira de setembro de 1919, eu estava lendo *Caninos Brancos,* de Jack London. Fixei os olhos na imagem da sobrecapa: a silhueta de um cachorrinho farejava o ar entre algumas árvores, a sombra dos ramos sugeria uma vereda aberta bem no seio das montanhas adiante, a lua cheia iluminava o seu caminho. Abri-o no lugar em que estava o marcador, mas, antes de ler, tornei a examinar a página de rosto e as palavras nela inscritas a tinta preta: *Ao meu velho amigo Richard,* diziam os caracteres elegantes e bem traçados. *Um cachorro tão velho e sarnento quanto o próprio Caninos Brancos, Jack.* Dias antes, eu tinha encontrado o livro numa caixa à porta de uma das livrarias da Charing Cross Road, e só reparei na dedicatória quando o levei para casa e o abri. O vendedor me cobrara apenas meio *penny* pelo volume de segunda mão, de modo que não devia ter visto as palavras nele escritas, presumi, e considerei isso uma grande vantagem, embora não tivesse como saber se o Jack que assinara "Jack" era o próprio autor do romance ou um Jack qualquer, completamente diferente, mas preferi acreditar que era o próprio. Passei o indicador direito pelas letras — aquele cujo tremor inesperado sempre me causou transtornos —, imaginando a caneta do grande escritor deixando o seu rastro de tinta no papel; mas, longe de ser curado pela literatura, coisa que eu, na minha fantasia juvenil, esperava que acontecesse, o meu dedo tremeu ainda mais que de costume e eu, enojado, me apressei em afastá-lo.

"O que você está lendo afinal?", perguntou uma voz vinda de uma das mesas; eu me virei e dei com um homem de meia-idade olhando para mim. Surpreso por ter sido abordado, em vez de simplesmente responder, eu lhe mostrei a capa do livro para que ele lesse o título. "Nunca ouvi falar", disse ele, sacudindo os ombros. "É bom?"

"Muito bom", respondi. "Ótimo, aliás."

"Ótimo?", repetiu o homem, sorrindo de leve, a palavra soando estranha em sua boca. "Então vou ter de ir atrás dele, já que é ótimo. Eu sempre fui um leitor. Posso me sentar aí? Ou está esperando alguém?"

Eu hesitei. Achei que queria ficar sozinho, mas, quando ele me ofereceu companhia, descobri que não me incomodava muito.

"Faça o favor", disse-lhe, apontando para a cadeira em frente, e ele veio e colocou entre nós o seu caneco pela metade. Estava bebendo uma cerveja mais escura que a minha e exalava um ranço de suor que sugeria um longo dia de trabalho árduo. Curiosamente, não era desagradável.

"Meu nome é Miller", apresentou-se. "William Miller."

Eu apertei-lhe a mão. "Tristan Sadler. Muito prazer."

"E você...", disse ele. Tinha uns quarenta e cinco anos, pensei. A idade do meu pai. Ainda que não se parecesse nada com o meu pai, pois era esguio, com um jeito gentil, amável, e o meu pai era exatamente o contrário. "Você é de Londres, não?", perguntou, avaliando-me.

"Isso mesmo", eu sorri. "É tão óbvio?"

Ele piscou. "De sotaques eu entendo bem. Consigo situar a maioria das pessoas num raio de trinta quilômetros do lugar em que foram criadas. A minha mulher diz que esse é o meu número de salão, mas eu não penso assim. Em minha opinião, é mais que um truque social."

"E onde eu fui criado, senhor Miller?", perguntei, ávido por distração. "Sabe me dizer?"

Ele me encarou com os olhos semicerrados, permanecendo quase um minuto em silêncio, a não ser pelo ruído de sua pesada respiração nasal, então abriu a boca e falou com cuidado. "Eu arriscaria Chiswick. Kew Bridge. Por ali. Acertei?"

Eu ri de surpresa e satisfação. "Chiswick High Street", confirmei. "O meu pai tem um açougue. Nós somos de lá."

"Nós?"

"Minha irmã caçula e eu."

"Mas você mora aqui? Em Norwich?"

"Não", respondi, sacudindo a cabeça. "Não, agora eu moro em Londres. Highgate."

"Bem longe da sua família."

"É verdade, eu sei."

Junto ao balcão, o barulho de um copo se espatifando no chão em mil cacos me sobressaltou. Eu levantei os olhos, agarrei instintivamente a borda da mesa e só voltei a relaxar quando vi o proprietário encolher os ombros e se agachar com a pá e a escova para limpar o chão, e ouvi a alegre zombaria dos homens sentados perto dele.

"Foi só um copo", observou o meu companheiro, notando o quanto aquilo me inquietara.

"É", eu disse, tentando rir, mas em vão. "Levei um susto, só isso."

"Ficou lá até o fim, não é?", perguntou ele. Eu o encarei, e meu sorriso se desfez quando ele suspirou. "Desculpe, moço. Eu não devia ter perguntado."

"Não faz mal", respondi em voz baixa.

"Eu tive dois meninos lá, sabe? Bons garotos os dois. Um era um bocado rebelde, o outro mais ou menos como você e eu. Um leitor. Um pouco mais velho que você, creio. Quantos anos você tem, dezenove?"

"Vinte e um", respondi, pela primeira vez um pouco surpreso com o inusitado da minha nova idade.

"Bem, hoje o nosso Billy teria vinte e três e o nosso Sam uns vinte e dois." Ele sorriu ao dizer seus nomes, depois engoliu em seco e desviou o olhar. O uso do futuro do pretérito havia se tornado uma doença muito difundida quando se discutia a idade dos filhos, e não era preciso dizer mais nada. Ficamos algum tempo em silêncio, então ele tornou a olhar para mim com um sorriso nervoso. "Você tem o olhar do nosso Sam, aliás", disse.

"Tenho?", perguntei, estranhamente satisfeito com a comparação. Voltei a entrar no matagal da minha imaginação e enveredei pelo urzal e o emaranhado de urtigas para figurar Sam, um garoto que gostava de livros e achava que um dia gostaria de escrever um. Vi-o na noite em que anunciou aos pais que iria se alistar antes que o viessem recrutar, iria se juntar a Billy. Imaginei os irmãos encontrando solidariedade no campo de treinamento, bravura no campo de batalha, heroísmo na morte. Esse era Sam, decidi. Esse era o Sam de William Miller. Eu o conhecia bem.

"Ele era um bom menino, o nosso Sam", cochichou o meu companheiro pouco depois, então bateu três vezes a palma da mão na mesa entre nós, como se dissesse: Chega disso. "Quer tomar mais um trago, garoto?", perguntou, apontando para a minha cerveja pela metade, e eu sacudi a cabeça.

"Ainda não. Mas obrigado. Por acaso o senhor tem um cigarro?"

"Claro", respondeu ele, tirando do bolso uma caixinha de lata que parecia estar com ele desde a infância. Abriu-a e me entregou um cigarro muito bem enrolado de uma coleção de aproximadamente uma dúzia. Seus dedos estavam sujos, as rugas do polegar acentuadamente definidas e escurecidas pelo que decidi ser um trabalho braçal. "Você não acha coisa melhor numa tabacaria", sorriu ele, apontando para a precisão cilíndrica da fumaça.

"Não mesmo", concordei. "Você tem boa mão."

"Eu não. É a patroa que os enrola para mim. De manhã cedo, quando ainda estou tomando o café, ela se senta no canto da cozinha com um rolo de papel e um pacote de fumo. Demora só alguns minutos. Enche a caixa para mim e me põe na rua. O que você acha? Não é qualquer mulher que faz isso."

Eu ri, satisfeito com a acolhedora domesticidade daquilo. "Você é um homem de sorte", disse.

"E eu não sei disso?", perguntou ele, fingindo indignação. "E você, Tristan Sadler?". Usou o meu nome completo, pois eu era muito velho para que se dirigisse a mim com a familiaridade de "Tristan", mas muito jovem para ser chamado de "senhor". "É casado?"

Eu sacudi a cabeça. "Não."

"Tem uma namorada em Londres, imagino?"

"Nenhuma em especial", respondi, sem disposição para admitir que tampouco havia alguém que não fosse especial.

"Espalhando suas sementes por Londres, eu imagino", ele disse com um sorriso, mas sem a vulgaridade lasciva com que certos homens mais velhos fazem tais comentários. "Eu não os condeno, a nenhum de vocês, é claro, depois de tudo o que passaram. Vai haver tempo de sobra para casar e ter filhos quando forem um pouco mais velhos. Mas, meu Deus, as garotas devem ter ficado assanhadíssimas quando vocês voltaram, não é verdade?"

Eu ri. "Sim, espero que sim. Não sei bem." Estava começando a ficar cansado, a combinação da viagem com a bebida e o estômago vazio fazia com que me sentisse um pouco sonolento e atordoado. Mais uma cerveja, eu sabia, seria a minha ruína.

"Você tem parentes em Norwich?", quis saber o sr. Miller instantes depois.

"Não."

"Primeira vez aqui?"

"É."

"Veio espairecer? Descansar da cidade grande?"

Pensei um pouco antes de responder. Resolvi mentir: "É. Uns dias de descanso, só isso".

"Pois não poderia ter escolhido lugar melhor, isso eu garanto. Nascido e criado em Norwich, moro aqui desde menino. Nunca quis morar em nenhum outro lugar e nunca consegui entender quem quisesse."

"No entanto, conhece os sotaques", eu ressaltei. "O senhor deve ter viajado muito."

"Só quando era menino. Mas eu escuto as pessoas: esse é o segredo. A maioria das pessoas não escuta ninguém. E, às vezes", acrescentou, inclinando-se para a frente, "sou capaz até de adivinhar o que estão pensando."

Eu o encarei e senti minha expressão começar a endurecer. Nossos olhares se encontraram e houve um momento de tensão, de desafio, em que nenhum dos dois piscou ou desviou o olhar. "Então é isso?", disse enfim. "Quer dizer que sabe o que eu estou pensado, senhor Miller, sabe mesmo?"

"O que você está pensando não, garoto, isso não", disse ele sem tirar os olhos dos meus. "Mas o que está sentindo? Sim, isso eu acredito que sei. Mas para isso não é preciso ler os pensamentos. Bastou dar uma olhada, quando você passou pela porta, para saber."

Ele não pareceu disposto a se estender sobre o assunto, de modo que não me restou alternativa senão perguntar, muito embora a intuição me aconselhasse a deixar a coisa do jeito que estava. "Então o que é, senhor Miller", perguntei, tentando manter a expressão neutra. "O que eu estou sentindo?"

"Duas coisas, eu diria. A primeira é culpa."

Permaneci calado, mas sem deixar de fitá-lo. "E a segunda?"

"Ora, você se detesta."

Eu ia retrucar — cheguei a abrir a boca para isso —, mas dizer o quê? Não sei. De qualquer maneira, nem tive a oportunidade, pois naquele momento ele tornou a bater na mesa, quebrando a tensão que crescera entre nós, e consultou o relógio na parede. "Não!", ele lamentou. "Não é possível que já seja tão tarde. Melhor eu ir para casa, senão a patroa me esfola vivo. Aproveite suas férias, Tristan Sadler", ele disse, sorrindo ao levantar-se. "Ou o que quer que você tenha vindo fazer aqui. E faça uma boa viagem a Londres, quando terminar."

Eu inclinei a cabeça, mas não me levantei. Limitei-me a observá-lo quando foi até a porta, voltou-se por um momento e, erguendo a mão, despediu-se de J. T. Clayton: proprietário licenciado para a venda de cervejas e aguardentes. Depois saiu do bar, sem dizer mais nenhuma palavra.

Tornei a olhar para o exemplar de *Caninos Brancos* jogado na mesa, mas acabei optando pela bebida. Quando terminei, sabia que o quarto da pensão estaria pronto enfim. Mas eu ainda não estava pronto para voltar, então acenei para o balcão e, um instante depois, estava com um caneco novo à minha frente: o último daquela noite, prometi a mim mesmo.

O meu quarto na pensão da sra. Cantwell, o famigerado número quatro, era o lúgubre cenário dos acontecimentos aparentemente dramáticos da madrugada anterior. O papel de parede, uma desbotada estampa de jacintos pendentes e flores de açafrão, lembrava tempos melhores e mais alegres. O sol empalidecera a estampa no quadrado em frente à janela, e o tapete sob os meus pés tinha trechos puídos. Uma escrivaninha se comprimia contra a parede; no canto, havia um lavatório com um sabonete novo na borda de porcelana. Eu olhei à minha volta, satisfeito como a eficiência da modéstia inglesa no julgamento do quarto, sua funcionalidade enérgica. Decerto era superior ao quarto da minha infância, imagem que me apressei em apartar, porém menos nobre do que o que eu havia mobiliado com uma mescla de economia e cuidado no meu pequeno apartamento de Highgate.

Sentei-me na cama, tentando imaginar o drama ali encenado nas primeiras horas da madrugada: o pobre sr. Charters, tão empenhado em conquistar o afeto do seu rapaz, depois lutando para conservar a dignidade ao se tornar vítima de assalto e tentativa de homicídio, e então a prisão, tudo no espaço de uma hora. Senti simpatia por ele e me perguntei se ao menos tinha garantido o seu ansiado prazer antes que o terror se iniciasse. Acaso fora envolvido em uma terrível armadilha ou se tornara apenas uma vítima infeliz da circunstância? Talvez não fosse tão bem-comportado como David Cantwell o imaginava e tivesse cobrado uma satisfação que não lhe ofereciam.

Levantando-me devagar, com os pés cansados da viagem, tirei os sapatos e as meias, pendurei a camisa no braço da cadeira e, só de calça e camiseta, fiquei de pé no centro do quarto. Quando a sra. Cantwell bateu na porta e me chamou, pensei em tornar a me vestir em nome do decoro, mas não tive energia para tanto e, em todo caso, decidi, eu não chegava a estar indecente diante da mulher. Abri e dei com ela parada do lado de fora, carregando uma bandeja nas mãos.

"Desculpe-me importuná-lo, senhor Sadler", disse ela com aquele sorriso nervoso, aprimorado, sem dúvida, por anos e anos de servidão. "Achei que estava com fome. E que nós estamos em dívida com o senhor depois do contratempo de há pouco."

Eu olhei para a bandeja, que continha um bule de chá, um sanduíche de rosbife e um pedacinho de torta de maçã, e senti uma gratidão instantânea. Não tinha percebido como estava faminto até pôr os olhos na comida. Claro que tomara café da manhã antes de partir de Londres, mas não costumava comer muito ao acordar, só chá e uma torrada. No trem, quando tive fome, fui ao vagão-restaurante miseravelmente abastecido e só comi a metade de uma torta de frango morna antes de afastá-la com repugnância. A falta de alimentação combinada com os dois canecos de cerveja no Carpenter's Arms me havia deixado esfomeado, e eu abri mais a porta para que a mulher entrasse.

"Obrigada, senhor", disse ela, hesitante, olhando ao seu redor como se quisesse ter certeza de que não restava nenhum sinal do escândalo da véspera. "Vou colocá-la aqui na escrivaninha, se o senhor concordar."

"É muito gentil da sua parte, senhora Cantwell. Nem me passou pela cabeça incomodá-la pedindo comida a esta hora."

"Nenhum incômodo", sorriu ela, virando-se para medir--me de cima a baixo, demorando tanto a atenção nos meus pés descalços que eu comecei a ficar constrangido e me perguntei o que eles tinham de tão interessante. "Almoça conosco amanhã, senhor Sadler?", perguntou, erguendo os olhos outra vez, e eu tive a sensação de que queria conversar sobre algo comigo, mas estava ansiosa demais para encontrar as palavras adequadas. A comida, posto que bem-vinda, era evidentemente um subterfúgio.

"Não. Tenho um encontro à uma hora, de modo que vou sair no final da manhã. Se acordar cedo, quero dar uma volta pela cidade. Posso deixar minhas coisas aqui e vir buscá-las antes de tomar o trem noturno?"

"Naturalmente." A sra. Cantwell ficou ali, sem esboçar nenhum movimento para sair do quarto; eu continuei calado, esperando que ela falasse. "Quanto a David", disse enfim, "espero que ele não o tenha incomodado..."

"De modo algum. Foi muito discreto ao me contar o caso. Por favor, não pense que eu..."

Ela sacudiu a cabeça rapidamente. "Não, não. Não, não é isso que eu quero dizer. Essa história é coisa do passado, espero, e não voltaremos a falar nela. Não, é que ele às vezes faz perguntas demais aos militares. Quer dizer, aos que estiveram lá. Eu sei que a maioria de vocês não gosta de conversar sobre o que aconteceu, mas ele insiste. Já tentei dissuadi-lo disso, mas é difícil." Encolheu os ombros e desviou a vista, como que derrotada. "*Ele* é difícil", corrigiu-se. "Não é fácil para uma mulher sozinha com um garoto como ele."

Constrangido com a familiaridade do seu modo de falar, só me restou desviar brevemente o olhar para a janela. Lá fora, um sicômoro alto encobria a vista da rua e eu me vi contemplando seus galhos mais grossos, outra lembrança da infância a me surpreender pela brusquidão com que aparecia. Minha irmãzinha Laura e eu colhendo as castanhas-da-índia das árvores enfileiradas nas avenidas próximas de Kew Gardens, tirando-lhes a casca espinhosa, levando-as para casa e enfileirando-as para transformá-las em armas; recordação que afastei com a mesma rapidez com que ela chegara.

"Isso não me incomoda tanto", disse, voltando-me para a sra. Cantwell. "Os rapazes da idade dele se interessam, eu sei. Ele tem quantos... dezessete?"

"Acaba de completar, sim. Ficou chateado no ano passado quando a guerra terminou."

"Chateado?", perguntei, enrugando a testa.

"Parece ridículo, eu sei. Mas ele passou tanto tempo planejando ir. Lia diariamente as notícias no jornal, acompanhando os rapazes daqui que foram para a França. Inclusive tentou se alistar mais de uma vez, fingindo ser mais velho do que era, mas riram dele e o mandaram de volta para casa, coisa que, no meu modo de pensar, senhor, estava errada. Muito errada. Afinal, David só queria dar a sua contribuição, não precisavam zombar dele por causa disso. E, quando acabou, ora, a verdade é que ele achou que tinha perdido uma oportunidade."

"De que lhe arrebentassem a cabeça, muito provavelmente", observei, as palavras ricocheteando nas paredes, atingindo-nos com seus estilhaços. A sra. Cantwell estremeceu, mas não afastou o olhar.

"Ele não via a coisa assim, senhor Sadler", respondeu em voz baixa. "O pai dele esteve lá, sabe? Foi morto logo no começo."

"Sinto muito", eu disse. Então o acidente com a debulhadora era mesmo ficção.

"Sim, bem, David tinha apenas treze anos na época, e não havia um menino que amasse tanto o pai como ele. Sinceramente, acho que ele nunca superou essa perda. Prejudicou-o muito. Ora, o senhor percebe pela sua atitude. Passa o tempo todo tão irritado. É difícil conversar com ele. Culpa-me por tudo, é claro."

"É o que costumam fazer os garotos dessa idade", eu disse sorrindo, admirado com minha aparente maturidade, embora, na verdade, fosse apenas quatro anos mais velho que o filho dela.

"Obviamente, *eu* queria que a guerra terminasse. Rezava para que terminasse. Não o queria lá, sofrendo como vocês todos sofreram. Nem posso imaginar como deve ter sido para o senhor. A sua pobre mãe deve ter ficado transtornada."

Eu dei de ombros, mas logo transformei o movimento num gesto afirmativo; não tinha nada a dizer sobre isso.

"Mas um pedaço de mim, um pedaço muito pequeno", disse ela, "tinha esperança de que ele conseguisse ir. Ainda que só por uma ou duas semanas. Não queria que participasse de nenhuma batalha, é claro. Não queria que se machucasse. Mas uma semana com os outros rapazes teria feito bem a ele. E então, a paz."

Não entendi se estava se referindo à paz na Europa ou à paz no seu cantinho da Inglaterra, mas preferi não dizer nada.

"Enfim, eu só vim pedir desculpas por ele", sorriu a mulher. "E agora vou deixá-lo com o seu chá."

"Obrigado, senhora Cantwell", disse eu, vendo-a sair e

observando-a um momento enquanto percorria apressadamente o corredor, olhando para a esquerda e para a direita como se não soubesse que direção tomar, muito embora fosse provável que tivesse passado a maior parte da sua vida adulta naquele lugar.

De volta ao quarto, a porta novamente fechada, comi o sanduíche devagar, sabendo que a pressa podia romper o frágil equilíbrio do meu estômago, bebi o chá, que estava quente, doce e forte, e então comecei a me sentir um pouco mais parecido comigo mesmo. Podia ouvir a movimentação ocasional lá fora, no corredor — as paredes do quarto eram finíssimas —, de modo que resolvi dormir antes que os vizinhos dos quartos três e cinco voltassem para pernoitar. Não podia arriscar ficar acordado: precisava estar bem descansado para enfrentar o dia que me aguardava.

Livrei-me da bandeja, tirei a camiseta e lavei o rosto e o corpo na água fria do lavabo. Esta não tardou a respingar na minha calça, então fechei a cortina, apaguei a luz e me despi, lavando da melhor maneira que pude o resto do meu corpo. Havia uma toalha limpa na cama, mas era feita de um material que parecia encharcar muito depressa. Eu a esfreguei em meu corpo agressivamente, como nos tinham ensinado no primeiro dia em Aldershot, e então pendurei-a na borda da pia para que secasse. Asseio, higiene, atenção ao detalhe, as marcas do bom soldado: tais coisas agora me vinham instintivamente.

Um espelho alto estava posicionado num canto do quarto e eu me pus diante dele, examinando o meu corpo com olho crítico. O peito, que fora bem torneado e musculoso no fim da adolescência, recentemente perdera boa parte da definição; estava pálido. As cicatrizes se sobressaíam, vermelhas e roxas nas pernas; no abdômen, estendia-se um hematoma escuro que se recusava a desaparecer, eu me senti desesperadamente feio.

Sabia que não era tão feio antigamente. Quando era menino, as pessoas achavam agradável olhar para mim. Diziam-me isso com frequência.

Pensar nisso trouxe-me Peter Wallis à memória. Peter e eu éramos melhores amigos na infância e, pensando nele, não tardei a evocar Sylvia Carter, cuja chegada à nossa rua, quando os dois tínhamos quinze anos, foi o catalisador do meu fim. Peter e eu éramos inseparáveis, ele com seus cachos pretíssimos, eu com este inútil esfregão amarelo que me caía nos olhos por mais que o meu pai me obrigasse a sentar na cadeira da sala de jantar e o cortasse rapidamente com a enorme tesoura de açougueiro, a mesma que usava para cortar a cartilagem das costeletas no estabelecimento lá embaixo.

A mãe de Sylvia ficava observando a Peter e a mim quando corríamos pela rua com a sua filha, os três unidos numa conspiração juvenil, e se preocupava com a encrenca em que Sylvia arriscava se meter, e não era uma preocupação injustificada, pois Peter e eu estávamos numa idade em que não falávamos de nada além de sexo: no quanto o queríamos, em onde poderíamos procurá-lo e nas coisas terríveis que íamos fazer com a infeliz criatura que o oferecesse.

Naquele verão, nós três nos dávamos conta das mudanças no corpo de cada um quando íamos nadar, e Peter e eu, já mais velhos e autoconfiantes, atraíamos os olhares provocantes e as insinuações de Sylvia. Certa vez, estando a sós comigo, ela disse que eu era o garoto mais bonito que já tinha visto e que a fazia estremecer quando saía da piscina, com meu corpo molhado brilhando, o calção preto a gotejar feito a pele de uma lontra. O comentário me entusiasmou e repugnou ao mesmo tempo e, quando nós nos beijamos, meus lábios secos, minha língua incerta, os dela nem uma coisa nem outra, passou-me pela cabeça que, se uma garota como Sylvia, que era linda, chegava a me achar bonito, talvez eu não fosse tão feio. A ideia me empolgou, mas, à noite, quando estava na cama excitando-me com umas fantasias rápidas e dramáticas que se dissipavam com igual rapidez, imaginei os cenários mais obscenos, nenhum dos quais envolvia Sylvia, e depois, exausto e sentindo-me nojento, enrolei-me nos lençóis encharcados de suor e engoli as lágrimas, perguntando-me o que havia de errado comigo, que diabo eu tinha de errado afinal.

Aquele foi o único beijo que trocamos, pois uma semana depois ela e Peter declararam-se apaixonados e decididos a dedicar a vida um ao outro. Iam se casar quando chegassem à idade, anunciaram. Eu fiquei louco de ciúme, torturado pela humilhação, porque, sem perceber, havia me apaixonado desesperadamente; aquilo tomara conta de mim sem que eu o notasse, e ver os dois juntos, imaginar as coisas que faziam quando estavam sozinhos, longe de mim, me deixava à mercê das mais amargas contorções de angústia, sentindo unicamente ódio dos dois.

Em todo caso, Sylvia é que me tinha dito, quando eu era um menino inexperiente, que meu corpo lhe causava arrepios, e agora, olhando para ele, estropiado e maltratado por mais de dois anos de luta — meu cabelo, outrora loiro, transformado num castanho-claro lamacento que escorria pela testa, minhas costelas visíveis sob a pele, a mão esquerda cheia de veias e pálida em certos lugares, a direita sujeita aos mais imperdoáveis tremores e sacudidas, minhas pernas finas, o sexo mortificado até a mudez — imaginei que, se eu ainda chegasse a fazê-la estremecer, provavelmente seria de asco. O fato de minha companheira de viagem no trem ter me achado bonito era uma piada; eu era horrendo, uma coisa gasta.

Tornei a vestir a cueca e a camiseta, não queria dormir nu. Não queria sentir no corpo as desgastadas cobertas da sra. Cantwell. Não suportava qualquer contato que sugerisse intimidade. Tinha vinte e um anos e decidira que parte da minha vida estava encerrada. Que burrice a minha. Duas vezes apaixonado, pensei ao fechar os olhos e reclinar a cabeça no fino travesseiro, que a erguia não mais que cinco ou seis centímetros acima do colchão. Duas vezes apaixonado e duas vezes destruído por isso.

Pensar naquele segundo amor revirou-me violentamente o estômago, eu saltei da cama, de olhos subitamente arregalados, sabendo que não tinha mais que alguns segundos para chegar ao lavabo onde, em dois precipitados arrancos, vomitei a cerveja, o sanduíche e a torta de maçã, a carne indigerida e o pão esponjoso formando um quadro profundamente desagradável na porcelana, uma imundície que me apressei a lavar com um jarro de água.

Transpirando, desmoronei no chão, com os joelhos colados no queixo. Envolvi-os nos braços, encolhendo o corpo e me comprimindo com força entre a parede e a base do lavabo, cerrando os olhos quando as imagens terríveis retornaram.

Por que eu vim parar aqui?, indaguei. Para quê? Se era redenção o que eu procurava, não havia nenhuma. Se era compreensão, não havia ninguém capaz de oferecê-la. Se era perdão, eu não o merecia.

Acordei cedo na manhã seguinte, depois de um sono surpreendentemente tranquilo, e fui o primeiro a usar o banheiro que atendia às necessidades dos seis quartos do estabelecimento da sra. Cantwell. A água estava, na melhor das hipóteses, morna, mas serviu ao seu propósito e eu esfreguei o corpo com o sabonete que fora deixado no quarto para mim. Depois de fazer a barba e me pentear no espelhinho pendurado sobre a pia, senti-me um pouco mais confiante para enfrentar o que me aguardava, pois o sono e o banho tinham me reanimado e eu já não me sentia doente como na noite anterior. Estendi a mão direita e a observei, desafiando o dedo espasmódico a tremer, mas ele permaneceu imóvel e eu relaxei, procurando não pensar em quantas vezes ele seria capaz de me trair no decorrer do dia.

Sem vontade de conversar, preferi não tomar o café da manhã na pensão; arrastei-me escada abaixo e saí à rua pouco antes das nove horas sem dizer uma palavra aos meus anfitriões, que pude ouvir trabalhando na sala de jantar e brigando feito um casal idoso. Tinha deixado a porta do quarto entreaberta e a mala em cima da cama.

A manhã estava clara e cheia de vida; não havia nuvens no céu ou prenúncio de chuva, o que me encheu de gratidão. Nunca havia estado em Norwich e comprei um mapinha num quiosque, pensando que poderia passar uma ou duas horas caminhando pela cidade. Meu compromisso estava marcado para uma da tarde, de modo que não me faltava tempo para ver um pouco da paisagem local, voltar à pensão e refrescar-me antes de seguir para o lugar do nosso encontro.

Atravessei a ponte da Prince of Wales Road e me detive um momento, olhando para o Yare lá embaixo, que corria velozmente, e me lembrei de um soldado com quem havia treinado em Aldershot e junto ao qual lutara na França: chamava-se Sparks. Uma noite, quando estávamos juntos de plantão, ele me contou uma história extraordinária. Parece que quatro ou cinco anos antes, em uma tarde, ele estava atravessando a ponte Tower Bridge, em Londres e, bem no meio da travessia, foi repentinamente acometido pela convicção irresistível de que, naquele momento preciso, havia chegado à metade da vida.

"Eu olhei para a esquerda", disse. "Olhei para a direita. Olhei os rostos das pessoas que passavam por mim. E tive certeza, Sadler. De que era isso. E, naquele instante, surgiu uma data em minha mente: 11 de junho de 1932."

"Então você não passaria dos quarenta?"

"Mas não é só isso. Quando eu voltei para casa, peguei um pedaço de papel e calculei qual seria a meu último dia, caso eu estivesse realmente na metade da minha vida. E você não vai acreditar no resultado."

"Não vou mesmo!", disse eu, assombrado.

"Não, não era a data certa", riu-se ele. "Embora fosse bem próxima. A minha morte seria em agosto de 1932. Seja como for, eu não teria uma vida muito longa."

Não chegou a tanto. A guerra lhe arrancou as duas pernas antes do Natal de 1917 e ele sucumbiu aos ferimentos.

Tirei Sparks da cabeça e segui para o norte, subindo a rua íngreme, e avancei ao longo dos muros de pedra do castelo de Norwich. Cogitei chegar até o topo do morro e examinar os tesouros lá expostos, mas perdi subitamente o interesse e desisti. Castelos como aquele, afinal, não passavam de restos de bases militares em que os soldados passavam a noite acampados à espera do inimigo. Eu não precisava rever aquele tipo de coisa. Virei à direita, passei por um lugar identificado pelo mórbido nome de Tombland, e fui em direção à torre altíssima da Catedral de Norwich.

Um pequeno café me chamou a atenção, lembrando-me que eu ainda estava em jejum. Em vez de continuar, decidi parar e comer alguma coisa; esperei apenas alguns instantes em uma mesa de canto junto à janela até que uma senhora de bochechas coradas e cabeleira ruiva, volumosa e densa, viesse perguntar o que eu desejava.

"Só chá e torradas", pedi, contente em poder ficar alguns minutos sentado.

"Dois ovos para acompanhar, senhor?", sugeriu ela, e eu me apressei a balançar a cabeça.

"Sim, obrigado. Mexidos, se possível."

"Claro", assentiu a mulher afavelmente, desaparecendo atrás do balcão enquanto eu voltava a atenção para a rua. Lamentei não ter trazido *Caninos Brancos*, pois aquela me pareceu uma boa oportunidade de relaxar, aproveitar o café da manhã e ler um pouco, mas o tinha deixado dentro da mala, na pensão da sra. Cantwell. Só me restou observar os transeuntes a caminho do trabalho.

A rua estava povoada principalmente de mulheres, que carregavam as compras matinais em sacolas de pano. Pensei na minha mãe, em como ela arrumava as camas e limpava o apartamento toda manhã a essa hora, quando eu era menino, enquanto o meu pai se enfiava no avental branco e se posicionava atrás do balcão lá embaixo no açougue, cortando a carne fresca para os fregueses regulares que viriam nas oito horas seguintes.

Eu tinha horror a tudo que se associava à profissão do meu pai — as facas de desossar, as carcaças de animais, as serras de osso e os puxadores de costela, os aventais manchados de sangue —, e minha hipersensibilidade não me ajudava muito a conquistar o seu afeto. Mais tarde, ele me ensinou a usar corretamente as facas, a separar as juntas dos porcos, carneiros ou bois que ficavam pendurados no frigorífico nos fundos e eram entregues com grande cerimônia toda terça-feira de manhã. Nunca me cortei e, embora tenha me tornado razoavelmente competente na arte da carniçaria, nunca me senti à vontade em tal função, ao contrário do meu pai, que nasceu para aquilo naquele mesmo açougue; ou o pai dele, que veio da Irlanda durante a Grande Fome e, de alguma forma, conseguiu juntar dinheiro suficiente para ingressar no ofício.

O meu pai esperava que eu o sucedesse no negócio da família, é claro. O açougue já se chamava Sadler & Filho, e ele queria que a nossa fachada dissesse a verdade. Mas isso não aconteceu. Fui expulso de casa pouco antes de completar dezesseis anos e só voltei lá uma vez, mais de um ano e meio depois, na véspera da minha partida para a França.

"A verdade, Tristan", disse o meu pai naquele dia, quando me conduziu cuidadosamente até a rua, seus dedos grossos apertando com força minhas omoplatas, "é que seria melhor para todos nós se os alemães matassem você de cara."

Foi a última coisa que me disse.

Sacudi a cabeça e pestanejei algumas vezes, sem saber por que eu deixava aquelas lembranças arruinarem a minha manhã. Logo o chá, os ovos e a torrada estavam diante de mim, e eu percebi que a garçonete continuava ali, suas mãos unidas como as de uma suplicante a rezar, um sorriso congelado nos lábios, e eu levantei os olhos, o garfo suspenso no ar entre o prato e a boca, perguntando-me o que ela queria de mim.

"Tudo em ordem, senhor?", perguntou-me alegremente.

"Sim, obrigado", respondi, e, aparentemente, foi o que bastou para satisfazê-la, pois ela voltou correndo ao balcão para se ocupar da tarefa seguinte. Eu ainda não me acostumara a poder comer quando me desse vontade, pois tinha passado quase três anos no exército, engolindo qualquer coisa que pusessem na minha frente, sempre que podia, em meio às cotoveladas dos outros soldados que enchiam a boca e mastigavam feito porcos no cio no quintal de um fazendeiro, e não um grupo de ingleses educados por suas mães. Até mesmo a qualidade e a recente abundância de comida chegavam a me surpreender, ainda que estivesse longe de ser boa como antes da guerra. Mas entrar num café como aquele, sentar-me, estudar o cardápio e dizer "Sabe, acho que vou querer omelete de *champignon*", ou "Vou experimentar a torta de peixe", ou "Por favor, uma porção de salsichão com purê e molho de cebola" — era uma sensação extraordinária, cuja novidade é quase impossível exprimir. Prazeres simples, o resultado das privações desumanas.

Paguei alguns *pence*, agradeci à mulher, saí do café, segui pela Queen Street em direção ao campanário da catedral, e olhei para a magnífica edificação monástica, quando ela revelou-se à minha vista, e para o muro e o portão do adro que a cercavam. Gosto de igrejas e catedrais. Nem tanto pelo aspecto religioso — o agnosticismo é a minha convicção declarada —, mas pela paz e tranquilidade de seu interior. Meus contraditórios lugares de ócio: o bar e a capela. Um tão movimentado e cheio de vida, o outro um silencioso prenúncio da morte. No entanto, não deixa de ser um consolo para o espírito passar algum tempo descansando no banco de uma igreja grande, respirando o frio ar perfumado por séculos de incensos e velas acesas, os tetos extraordinariamente altos que nos fazem sentir insignificantes no plano maior do design natural, as obras de arte, os frisos, os altares entalhados, as estátuas de braços estendidos como para abraçar seu observador, o momento inesperado em que um coro, lá em cima, ensaiando matinas, se põe a cantar e afasta do espírito o eventual desespero que nos levou até lá.

Certa vez, nos arredores de Compiègne, o nosso regimento parou para descansar uma hora a aproximadamente um quilômetro e meio de uma pequena *église* e, embora eu tivesse marchado toda a manhã, decidi andar até lá, mais para passar alguns minutos longe dos outros soldados que pelo anseio de um despertar espiritual. Não era nada especial, uma construção bem rudimentar tanto por fora como por dentro, mas seu abandono me deixou tristíssimo: a congregação dispersa em busca de segurança, as valas ou o cemitério, a atmosfera vazia da atenciosa cordialidade dos fiéis. Quando saí, disposto a me deitar na relva até que me chamassem de volta à fila, talvez a fechar os olhos ao sol do meio-dia e imaginar-me em tempos mais felizes, dei com um sujeito do meu regimento, um tal Potter, apoiado no lado oposto da igreja, meio inclinado, a mão encostada na parede enquanto se aliviava ruidosamente na cantaria secular; sem pensar, avancei correndo e lhe dei um empurrão, ao que ele caiu, surpreso, totalmente exposto, seu jato de urina inesperadamente interrompido, mas não sem antes lhe empapar a calça e a camisa. Levantou-se rapidamente, se recompôs, praguejando aos berros, e me esmurrou pedindo satisfação pela humilhação. Fomos separados por um punhado de soldados. Eu o acusei de profanação e ele me acusou de coisa pior — fanatismo religioso —, e, embora a acusação fosse falsa, eu não a neguei. Quando começamos a nos acalmar, paramos de trocar insultos: nos encaramos, trocamos um aperto de mão, nos declaramos amigos outra vez e fomos, enfim, soltos, antes de tornarmos a descer o morro. Mesmo assim, o sacrilégio me abalou.

Atravessei então a nave da catedral, olhando veladamente para as dez ou doze pessoas dispersas na igreja em silenciosa oração e me perguntei para que sofrimentos procuravam alívio e de que pecados pediam absolvição. No cruzeiro, virei-me e ergui os olhos para o lugar em que ficaria o coro nas manhãs de domingo, venerando. Dali caminhei para o sul e uma porta aberta me levou para fora, a um labirinto no qual algumas crianças jogavam bola na claridade da manhã, e segui ao longo do muro em direção à extremidade leste da catedral, onde, deparando-me com uma sepultura, parei. Chamava a atenção. Sua força me surpreendeu: uma simples cruz de pedra fixada numa base disposta em degraus. Inclinando-me, descobri que se tratava do túmulo de Edith Cavell, a nossa grande enfermeira patriota que ajudou centenas de prisioneiros de guerra britânicos a fugirem da Bélgica por uma passagem subterrânea e, por isso, foi fuzilada no outono de 1915.

Endireitei o corpo e lhe ofereci não uma prece, pois isso não teria utilidade para ninguém, mas um momento de contemplação. A enfermeira Cavell havia sido proclamada heroína, é claro. Uma mártir. E era mulher. Pelo menos uma vez na história, o povo da Inglaterra parecia celebrar esse fato, e eu tive um sentimento de grande alegria ao descobrir o seu túmulo de modo tão inesperado.

Um ruído no cascalho avisou-me que alguém se aproximava, duas pessoas, aliás, que vinham andando no mesmo passo, como uma patrulha noturna ao fazer a ronda do quartel. Avancei alguns metros, passando pela sepultura, fingindo estar ocupado em examinar os vitrais no alto.

"Nós precisamos da lista definitiva lá pelas três horas", disse o jovem — que tinha aparência de um sacristão — ao companheiro mais velho. "Supondo que consigamos terminar a tempo o trabalho matinal."

"Demore quanto demorar", respondeu o outro homem com firmeza, "eu darei a minha opinião, isso eu prometo."

"Claro, reverendo Bancroft. É uma situação difícil, nós sabemos. Mas todos lá compreendem a sua dor e o seu pesar."

"Absurdo", disparou o homem. "Eles não entendem nada e nunca vão entender. Vou dar a minha opinião, não tenha dúvida quanto a isso. Mas depois preciso voltar logo para casa. A minha filha inventou uma coisa. Um... bem, é difícil de explicar."

"É um rapaz?", perguntou o sacristão em tom petulante, e o olhar que recebeu como resposta impediu qualquer outra indagação daquele tipo.

"Não faz mal se eu me atrasar", disse o reverendo, sua voz denunciando grande incerteza. "A nossa reunião é muito mais importante. Em todo caso, ainda não me decidi sobre a sensatez dos planos da minha filha. Ela tem ideias, sabe? E nem sempre muito sensatas."

Eles se voltaram para reiniciar a caminhada e, naquele momento, o reverendo reparou em mim e sorriu. "Bom dia, meu jovem", disse, e eu o encarei, o coração batendo mais depressa dentro do peito. "Bom dia", repetiu ele, avançando em minha direção, sorrindo de modo paternal; mas, parecendo mudar de ideia, como se tivesse sentido uma ameaça potencial, recuou. "O senhor está passando bem? Parece que viu uma assombração."

Eu abri a boca, sem saber o que responder, e devo ter chocado muito os dois quando girei sobre os calcanhares e saí correndo em direção ao portão pelo qual tinha entrado, quase tropeçando numa sebe à esquerda, numa criança à direita e no pavimento de pedra à minha frente, até me achar novamente no interior da catedral, que agora parecia monstruosa, mas também claustrofóbica, prestes a deter-me em suas garras e prender-me para sempre. Olhei para aquele espaço confuso, procurando desesperadamente uma saída e, quando a encontrei, atravessei correndo a nave da igreja, minhas botas parecendo pesadas, martelando ruidosamente o ladrilho e fazendo com que o seu ritmo de tambor ecoasse em todos os cantos do edifício enquanto eu me acercava da porta, certo de que todos os fiéis tinham virado a cabeça na minha direção, agora com um misto de receio e censura.

Do lado de fora, respirei rapidamente, ansioso por encher os pulmões, e senti uma horrível viscosidade brotar na minha pele, cobrindo-me o corpo, e substituindo meu anterior estado de relaxamento pelo pavor e o remorso. A serenidade transmitida pela catedral me abandonara e eu era novamente um homem solitário; ali, nas imediações desconhecidas de Norwich, com uma missão a cumprir.

Mas como pude ser tão burro? Como não me lembrei? Foi tudo tão inesperado, no entanto; o nome — reverendo Bancroft — e depois a expressão em seu rosto. A semelhança era assombrosa. Foi como voltar para o campo de treinamento de Aldershot ou às trincheiras de Picardia. Como reviver a manhã atroz em que saí do calabouço com uma terrível fúria vingativa.

Estava na hora de retornar à pensão e me arrumar para o encontro. Afastei-me da catedral e tomei outro caminho, virando à esquerda e à direita nas ruas entrecruzadas.

Tinha sido minha a iniciativa de corresponder-me com Marian Bancroft. Embora não a conhecesse, Will falava tanto nela que me levou a invejar a sua extraordinária proximidade. Eu também tinha uma irmã, é claro, mas ela mal completara onze anos quando saí de casa, e, embora lhe tivesse escrito pouco tempo depois, minhas cartas não receberam resposta; desconfiei que o meu pai as interceptasse antes que chegassem a ela. Mas ele as lia?, eu me perguntava amiúde. Surrupiava-as e abria os envelopes, decifrando os meus garranchos para saber onde eu estava e como ganhava a vida? Pelo menos uma parte dele se perguntava se as minhas cartas podiam parar de chegar, não por eu ter desistido de escrever, mas por já não estar vivo, tendo sido engolido pelas ruas de Londres? Impossível saber.

Quase nove meses depois do fim da guerra, eu finalmente reuni coragem para escrever a Marian. Passara muito tempo com aquilo na cabeça, um senso de responsabilidade que me mantinha desperto noite após noite enquanto eu tentava decidir qual era a melhor coisa a fazer. Um pedaço de mim queria removê-la inteiramente do meu pensamento, fingir que ela e a sua família não existiam. Afinal, o que eu podia fazer por eles? Que consolo lhes podia oferecer? Mas a ideia persistiu e, um dia, atormentado pela culpa, comprei um bloco de papel de carta que me pareceu elegante e uma caneta-tinteiro nova — queria que Marian tivesse boa impressão de mim — e escrevi uma carta.

Cara senhorita Bancroft,

A senhora não me conhece, ou talvez sim, talvez tenha ouvido o meu nome, mas eu era amigo do seu irmão Will. Nós dois treinamos juntos antes de sermos mandados para lá. Éramos do mesmo regimento, de modo que nos conhecíamos bem. Ficamos amigos.

Peço desculpas por lhe escrever assim, de uma hora para outra. Não sei o que a senhora tem passado nos últimos anos, não posso imaginar, mas sei que nunca deixo de pensar no seu irmão porque, independentemente do que dizem, ele era o homem mais valente e gentil que conheci, e lá não faltavam homens valentes, isso eu posso jurar, mas nem tantos homens gentis.

Em todo caso, escrevo-lhe agora porque estou com algo pertencente a Will que acho que devo devolver. As cartas que a senhora lhe escreveu quando ele estava lá. Will as guardou todas, sabe, e elas acabaram ficando comigo. Quer dizer: depois. Por conta da nossa amizade. Garanto que não li nenhuma. Só pensei que a senhora talvez as queira de volta.

Eu devia ter escrito antes, naturalmente, mas a verdade é que não ando bem desde que voltei e precisei reservar um pouco de tempo para mim. Espero que a senhora entenda. Agora tudo acabou, eu acho. Não sei. Não tenho certeza de nada quando penso no futuro. Não sei se a senhora tem; só sei que eu não tenho.

Eu realmente não pretendia escrever tanto, só queria me apresentar e dizer que, se a senhora me permitir visitá-la um dia, eu o farei com muito prazer e, assim, poderia devolver-lhe as cartas, pois me pergunto se isso não lhe servirá de conforto quando estiver pensando no seu irmão.

É possível que a senhora venha a Londres de vez em quando. Não sei se vem ou não, mas, em caso negativo, eu posso perfeitamente ir a Norwich. Espero que esta carta chegue a suas mãos; é provável que a senhora tenha se mudado. Dizem que, nesses casos, às vezes as pessoas se mudam por causa dos muitos problemas que surgem.

Se a senhora me escrever, eu gostaria de resolver essa questão. Ou, se preferir não se encontrar comigo, posso pôr as cartas numa caixa e enviá-las ao seu endereço. Mas espero que concorde em se encontrar comigo. São muitas as coisas que gostaria de lhe contar.

O seu irmão era o meu melhor amigo, isso eu já disse, não? Enfim, sei muito bem que ele não era covarde, senhorita Bancroft, não tinha nada de covarde. Era muito mais corajoso do que eu chegarei a ser um dia.

Não pretendia escrever tanto. Mas tenho muito a dizer, acho.

Atenciosamente,
Tristan Sadler

Sem o perceber, eu tinha passado pela esquina da Recorder Road e agora estava no Riverside, olhando para o outro lado, onde os pilares de pedra da Thorpe se erguiam para me cumprimentar. Senti os pés me levarem para a outra margem do rio e para dentro da estação e parei tranquilamente, observando as pessoas comprarem passagem e se dirigirem às plataformas. Passava um pouco do meio-dia, e o trem de Londres estava bem à minha frente, pronto para partir em cinco minutos. Um funcionário ia de um lado para outro gritando: "Todos a bordo!", e eu enfiei a mão no bolso para pegar a carteira, à procura da passagem que havia comprado para voltar naquela noite. O meu coração disparou quando vi que era válida para o dia todo. Eu podia simplesmente embarcar e voltar para casa, esquecer aquela história horrenda. Perderia a mala, é óbvio, mas não havia muita coisa nela, só a roupa do dia anterior e o livro de Jack London. Podia enviar à sra. Cantwell o que lhe devia e pedir desculpas por ter ido embora sem me despedir.

Ainda estava hesitando quando um homem se acercou com a mão estendida e perguntou se eu tinha uns trocados. Sacudi a cabeça, recuando um passo, visto que ele fedia a suor e bebida barata; andava de muletas, pois lhe faltava a perna esquerda, ao passo que seu olho direito estava tapado como se ele tivesse participado de uma briga recentemente. Não passava dos vinte e cinco anos.

"Só alguns *pennies*", rosnou. "Eu lutei pelo meu país, não lutei? E olhe como me deixaram. Você pode me dar uns trocados, não pode? Vamos, seu bastardo de merda!", gritou, chocando-me com a vulgaridade inesperada. "Não custa nada dar alguns *pennies* para quem lhe deu a liberdade."

Uma senhora que estava passando com um menino tapou-lhe os ouvidos imediatamente, e eu notei que ele olhava fascinado para o homem. Antes que eu dissesse alguma coisa, este lançou-se contra mim e eu tornei a recuar no preciso momento em que apareceu um policial e o segurou — com delicadeza, afinal —, dizendo: "Vamos, isso não adianta nada, adianta?". E, com esse lugar-comum, o homem pareceu murchar por dentro e se afastou, arrastando-se até a parede e sentando-se no chão, onde ficou quase catatônico, com uma mão estendida no ar, sem esperar que o ajudassem.

"Desculpe por isso, senhor", disse o policial. "Ele não costuma criar problemas, por isso o deixamos ficar aqui, onde geralmente recebe alguns xelins. Ex-soldado, como eu. Mas não foi fácil para ele."

"Não se preocupe", murmurei, saindo da estação, completamente alheio à ideia de voltar para Londres. Eu estava lá para executar uma tarefa, era importante que a concluísse. E não tinha nada a ver com a devolução de um maço de cartas.

Quase quinze dias antes, havia recebido resposta de Marian Bancroft e, desde então, não pensava em outra coisa. Seu silêncio levou-me a perguntar se ela recebera a minha carta, se a sua família fora obrigada a se mudar para outra parte do país, se ela simplesmente não queria nada comigo. Era impossível saber, e eu fiquei dividido entre o arrependimento por lhe haver escrito e a sensação de que estava sendo punido pela sua recusa a responder.

E eis que certa noite, ao chegar tarde em casa depois de um dia inteiro lendo manuscritos aborrecidos que haviam sido enviados espontaneamente à Whisby Press, achei uma carta à minha espera debaixo da porta do apartamento. Peguei-a com assombro — nunca tinha recebido correspondência — e examinei a caligrafia elegante, sabendo prontamente de quem devia ser; entrei e, enquanto preparava uma xícara de chá, encarei nervosamente o envelope, imaginando os possíveis traumas que poderia conter. Enfim instalado, abri-o com cuidado, tirei a única folha de papel e fiquei imediatamente impressionado com o leve cheiro de lavanda que a acompanhava. Perguntei-me se aquele era o seu perfume particular ou se ela era uma moça de hábitos antiquados que costumava pôr uma gota de perfume nos seus envelopes, independentemente de estar escrevendo uma carta de amor, pagando uma conta ou respondendo a uma correspondência inesperada como a minha.

Caro sr. Sadler,

Em primeiro lugar, gostaria de lhe agradecer a carta que me escreveu e pedir desculpas por demorar tanto a respondê-la. Compreendo que o meu silêncio pode ter parecido grosseiro, mas acho que o senhor vai entender se eu lhe disser que a sua carta me afetou e comoveu de um modo inesperado, deixando-me sem saber o que responder. Não queria escrever enquanto não tivesse certeza do que queria dizer. Creio que as pessoas geralmente precipitam as respostas, não acha? E eu não queria fazer isso.

O senhor fala no meu irmão com muita bondade, o que me afetou tremendamente. Alegra-me saber que ele tinha um amigo "lá", como o senhor diz. (Por quê, sr. Sadler? Tem medo de dizer o nome do lugar?) Creio que os meus sentimentos pelos nossos soldados são muito contraditórios. Eu os respeito, é claro, e também tenho pena deles por haverem lutado por tanto tempo em condições tão terríveis. Estou certa de que foram imensamente corajosos. Mas, quando penso no que fizeram com o meu irmão, no que esses mesmos soldados fizeram com ele, ora, tenho certeza de que o senhor é capaz de entender que, nessas ocasiões, os meus sentimentos não sejam tão generosos.

Se eu tentar explicar tudo isso, duvido que haja tinta suficiente no mundo para exprimir meus pensamentos, ou papel suficiente para escrevê-los, e ouso dizer que teria dificuldade para encontrar um carteiro disposto a entregar um documento tão longo quanto o que eu precisaria compor.

As cartas — mal posso acreditar que elas estejam com o senhor. Acho muito gentil da sua parte querer devolvê-las a mim.

Sr. Sadler, espero que o senhor não se importe, mas não posso ir a Londres no momento, por motivos pessoais. Gostaria de me encontrar com o senhor, mas teria sentido dizer que prefiro que seja aqui, nas ruas que conheço, nos lugares em que Will e eu fomos criados? Sua proposta de vir até aqui é generosa. Será que posso sugerir terça-feira, dia 16 deste mês, como uma data possível? Ou o senhor trabalha? Espero que sim. Todo mundo precisa trabalhar atualmente, isso é deveras extraordinário.

Olhe, o senhor me escreveria avisando?

Cordialmente,
Marian Bancroft

Eu esperava encontrar a passagem livre quando entrasse na pensão, mas David Cantwell estava ali, pondo flores frescas em dois vasos nas mesinhas laterais. Corou um pouco ao ver-me e eu tive certeza de que ficou constrangido.

"A minha mãe saiu", explicou. "Por isso tenho de fazer isto. Trabalho de mulher, não é? Flores. E eu aqui, parecendo um maricas."

Sorriu para mim, tentando ganhar a minha cumplicidade com o comentário, mas eu não fiz caso da sua frágil tentativa de ser engraçado e lhe contei minhas intenções.

"Só vou até o quarto. O senhor prefere que eu deixe a mala no seu escritório ou posso deixá-la lá em cima mesmo?"

"Melhor no escritório, senhor", respondeu ele com certo azedume, talvez decepcionado com a minha relutância em tratá-lo como se fosse um velho amigo. "Outro hóspede reservou o quarto e deve chegar às duas da tarde. A que horas o senhor pretende vir buscá-la?"

"Não muito depois das duas", disse eu, embora não soubesse ao certo. Era possível que o meu encontro não durasse mais que dez minutos. "Venho buscá-la antes de tomar o trem."

"Ótimo, senhor", ele assentiu, voltando a se ocupar das flores. Reparei que não estava tão comunicativo como na noite anterior e, ainda que eu não estivesse disposto a puxar conversa, não pude deixar de me perguntar qual o motivo disso. Talvez a mãe tivesse conversado com ele e explicado que não era muito educado falar sobre o que aconteceu lá com uma pessoa que tinha vivenciado tudo aquilo. Alguns soldados viviam de suas histórias, é claro, como se tivessem adorado a guerra, mas outros, inclusive eu, não eram assim.

Subi, escovei os dentes, lavei o rosto e, quando estava diante do espelho, penteando-me uma vez mais, achei que, apesar de pálido, eu não estava propriamente horrendo. Senti-me mais disposto do que nunca a enfrentar aquele compromisso.

E assim, não mais que vinte minutos depois, estava instalado num agradável café perto da Cattle Market Street, de olho no relógio na parede, que avançava implacavelmente os ponteiros rumo à uma da tarde, e nos outros clientes à minha volta. Pareceu-me um café tradicional, que talvez tivesse passado por várias gerações da mesma família. Atrás do balcão estavam um homem de cinquenta e poucos anos e uma garota da minha idade — a filha, presumi, pois se parecia com ele. Não eram muitos os outros fregueses, não mais que meia dúzia, e isso me agradou, pois sentia que seria bem difícil conversarmos em um salão lotado e barulhento e igualmente difícil se estivesse vazio e pudessem ouvir a nossa conversa.

Cara senhorita Bancroft,

Agradeço-lhe a resposta e as palavras amáveis. A senhora não precisa pedir desculpas pela demora. Fiquei contente em recebê-la, e isso basta.

O dia 16 me convém. Sim, eu trabalho, mas tenho férias acumuladas e posso aproveitá-las. Estou ansioso pelo nosso encontro. Talvez a senhora possa sugerir, ao responder, onde e quando lhe parece conveniente.

Cordialmente,
Tristan Sadler

A porta se abriu e eu ergui os olhos, assombrado com o susto que o barulho me pregou. Estava com o estômago embrulhado de ansiedade e, de repente, senti medo daquele encontro. Mas quem entrou foi um homem, que olhou à sua volta, os olhos dardejando de um lado para outro de modo quase feroz, e então foi se sentar num canto afastado, onde ficou escondido atrás de um pilar. Achei que olhou para mim com desconfiança antes de desaparecer do meu campo visual, e é possível que eu tivesse pensado mais nisso se já não estivesse tão preocupado.

Caro sr. Sadler,

Posso propor à uma hora? Há um bom café perto da Cattle Market Street, chama-se Winchall's. Qualquer transeunte é capaz de indicar-lhe o lugar.

Marian B.

Peguei o porta-guardanapos só para ter o que fazer. No mesmo instante, a minha mão direita sofreu um novo espasmo e deixei a caixa escapar, espalhando os guardanapos na mesa e no chão. Eu praguejei baixinho e me inclinei para apanhá-los, motivo pelo qual não notei quando a porta se abriu outra vez, uma moça entrou e se aproximou da minha mesa.

"Senhor Sadler?", ela disse, ofegante. Eu ergui os olhos, com o rosto corado devido à posição inclinada, então me levantei de pronto e a encarei, e naquele momento faltaram-me palavras, faltaram-me palavras.

NÓS SOMOS DIFERENTES, ACHO

ALDERSHOT, ABRIL-JUNHO DE 1916

Só falo com Will Bancroft no nosso segundo dia na Base Militar de Aldershot, mas reparo nele já no primeiro.

Chegamos no fim da tarde do último dia de abril, somos uns quarenta, uma turma de rapazes desarrumados, ruidosos e vulgares, fedendo a suor e falso heroísmo. Os que já se conhecem sentam juntos no trem, conversando incessantemente, com medo do silêncio, cada voz empenhada em abafar as demais. Os que não conhecem ninguém se escondem nos assentos à janela com a cabeça colada à vidraça, fingindo dormir ou olhando para a paisagem veloz que passa lá fora. Alguns falam nervosamente sobre as coisas que deixaram para trás, a família, a namorada de que terão saudade, mas ninguém discute a guerra. A julgar pela nossa calma, poderíamos estar fazendo uma excursão dominical.

Ficamos esperando em grupos enquanto o trem se esvazia, e ao meu lado há um garoto de cerca de dezenove anos que, irritado, olha para os lados, percebe a minha existência e, em seguida, me ignora. Tem uma expressão cuidadosamente coordenada, um misto de resignação e ressentimento; está com as bochechas inchadas e em carne viva, como se tivesse feito a barba com água fria e navalha sem corte, mas mantém o corpo aprumado, olhando à sua volta como se não acreditasse no bom humor dos outros rapazes.

"Olhe só para eles", diz com frieza. "Um bando de idiotas, todos eles."

Eu me viro e o examino mais detidamente. É mais alto que eu, de cabelo bem aparado e ar comportado. Seus olhos são um pouco unidos e ele usa um simples par de óculos de aro redondo, que tira de vez em quando para massagear o dorso do nariz, onde se vê claramente uma pequena depressão avermelhada. Lembra um professor que eu tive, só que é mais moço e provavelmente menos inclinado a surtos de violência gratuita.

"É um absurdo, não acha?", prossegue, tragando profundamente o cigarro, como se quisesse inalar toda a nicotina de uma vez.

"O quê?", pergunto.

"Isso", diz ele, apontando com a cabeça para os outros recrutas, que continuam conversando e rindo como se aquilo fosse uma grande farra. "Isso tudo. Esses idiotas. Este lugar. Nós não devíamos estar aqui. Nenhum de nós."

"Eu queria estar aqui desde que começou."

Ele me encara, pensa que já tem a medida de quem sou e bufa com desprezo, sacudindo a cabeça e desviando o olhar. Esmaga a bituca com o calcanhar, abre uma cigarreira de prata e exala um suspiro ao descobrir que está vazia.

"Tristan Sadler", eu digo, estendendo a mão, evitando começar mal a minha carreira militar. Ele passa cinco segundos ou mais olhando para ela, e eu me pergunto se terei de recolhê-la, humilhado, mas enfim a aperta e balança a cabeça abruptamente.

"Arthur Wolf."

"Você é de Londres?"

"Essex. Bom, de Chelmsford. E você?"

"Chiswick."

"Lugar simpático. Tenho uma tia que mora em Chiswick. Elsie Tyler. Por acaso você a conhece?"

"Não", respondo, sacudindo a cabeça.

"Ela tem uma floricultura no Turnham Green."

"Eu sou do Sadler & Filho, o açougue da rua principal."

"Presumivelmente, você é o filho."

"Era."

"Aposto que se apresentou como voluntário, não foi?",

pergunta ele, com ainda mais desprezo na voz. "Acaba de completar dezoito anos?"

"Sim", eu minto. Na verdade, ainda faltam cinco meses para o meu aniversário de dezoito anos, mas não tenho a menor intenção de admitir isso agora, não quero voltar para casa antes que a semana chegue ao fim.

"Aposto que você mal podia esperar, acertei? Aposto que foi o presente que deu a si mesmo: marchar até o sargento-mor, sim senhor, não senhor, como quiser senhor, e oferecer-se para que o preguem na cruz."

"Eu teria me alistado antes. Mas não deixaram por causa da minha idade."

Ele ri, mas não insiste no assunto, limita-se a sacudir a cabeça como se não valesse a pena perder tempo comigo. Esse Wolf é um camarada singular.

Pouco depois, sinto uma comoção nas fileiras. Viro-me e vejo três homens de farda pesada, engomada, saírem de um alojamento próximo e virem em nossa direção. Tudo neles exala autoridade e eu sinto um arroubo de algo inesperado. Apreensão, por certo. Desejo, talvez.

"Boa tarde, cavalheiros", diz o homem do centro, o mais velho dos três, o mais baixo, o mais gordo, o que está no comando. Fala em tom amistoso, o que me surpreende. "Venham comigo, sim? Não é bem aqui que devíamos estar."

Nós nos aglomeramos e o seguimos com passos arrastados, eu aproveito a oportunidade para dar uma olhada nos outros homens, a maioria dos quais está fumando e continua conversando em voz baixa. Tiro minha cigarreira do bolso e ofereço um cigarro a Wolf, que não hesita.

"Obrigado", diz e, para a minha irritação, pede mais um para depois. Eu dou de ombros, aborrecido, mas digo que sim, e ele tira mais um e o prende sobre a orelha. "Parece que é ele que está no comando", diz, referindo-se ao sargento. "Preciso falar com esse sujeito. Não que ele se disponha a me ouvir, é claro. Mas vou dizer o que tenho para dizer, juro que vou."

"O que você tem para dizer?"

"Olhe isso aí, Sadler. Só um punhado desses coitados estarão vivos daqui a seis meses. O que você acha disso?"

Eu não acho nada. Achar o quê? Sei que os homens morrem — os jornais noticiam os números diariamente. Mas são apenas nomes, fileiras de letras impressas no noticiário. Não conheço nenhum. Eles não significam muito para mim.

"Siga o meu conselho", diz ele. "Siga o meu exemplo e dê o fora daqui, se puder."

Agora paramos no centro do campo de manobras e o sargento e os dois cabos ficam de frente para o grupo de recém-chegados. Não estamos propriamente organizados, mas ele apenas nos olha fixamente e continua em silêncio até que, sem trocarmos uma palavra, nós nos separamos, formando um retângulo, dez homens de comprimento e quatro de profundidade, cada qual a não mais que um braço de distância do outro.

"Muito bem", diz o sargento, balançando a cabeça. "É um bom começo, cavalheiros. Antes de mais nada, quero dar-lhes as boas-vindas a Aldershot. Alguns de vocês querem estar aqui, eu sei, alguns não. Nós que servimos há muitos anos compartilhamos das suas emoções e nos solidarizamos com vocês. Mas elas já não têm a menor importância. O que vocês pensam, o que sentem, nada disso importa. Vocês estão aqui para serem treinados e virarem soldados, e é isso o que vai acontecer."

Fala com calma, desmentindo a imagem convencional do sargento de quartel, talvez para nos deixar à vontade. Talvez para nos pegar de surpresa com a rapidez com que será capaz de nos atacar depois.

"Eu sou o sargento James Clayton", anuncia. "E, nos próximos meses, enquanto estiverem aqui, tenho a responsabilidade de transformá-los em soldados, trabalho que requer da parte de vocês tanto intelecto quanto força e energia." Olha para nós, a língua dilatando sua bochecha enquanto avalia os homens — meninos — enfileirados à sua frente.

"Você, senhor", diz, apontando com o bastão para um rapaz no centro da primeira fila, que ficou popular no trem devido à agilidade mental e ao efervescente senso de humor. "O seu nome, por favor?"

"Mickey Rich", responde ele com segurança.

"Mickey Rich, *senhor*!", grita o cabo postado à esquerda do sargento, mas este se volta para ele e sacode a cabeça.

"Tudo bem, cabo Wells", diz alegremente. O nosso Rich ainda não entende os seus modos. É extremamente ignorante, não é, Rich?"

"Sim, senhor", responde o garoto, agora com menos segurança na voz, o "senhor" pronunciado com força deliberada.

"E está contente de ter vindo para cá, Rich?", pergunta o sargento Clayton.

"Oh, sim, senhor. Contente como um porco na merda."

Toda a tropa cai na gargalhada, e eu também rio, com nervosismo.

O sargento espera que o riso esmoreça, com uma expressão que sugere um misto de diversão e desprezo, mas não diz nada antes de voltar a examinar as fileiras e dirigir-se a outro homem. "E você?", pergunta. "Quem é você?"

"William Tell", é a resposta, e ouvem-se novas risadinhas difíceis de conter.

"William Tell", pergunta o sargento, arqueando a sobrancelha. "Ora, um nome e tanto. Trouxe o arco e flecha, não? De onde você é, Tell?"

"Hounslow', diz o rapaz, e o sargento balança a cabeça, satisfeito.

"E você?", pergunta, olhando para o rapaz ao lado.

"Shields, senhor. Eddie Shields."

"Muito bem, Shields. E você?"

"John Robinson."

"Robinson", repete o sargento com um ligeiro aceno. "E você?"

"Philip Unsworth."

"Você?"

"George Parks"

"Você?"

"Will Bancroft."

E assim por diante. Uma ladainha de nomes, alguns ficam gravados na minha mente, mas nenhum chega a motivar-me a olhar diretamente para quem quer que seja.

"E você?", pergunta o sargento, voltando-se para mim.

"Tristan Sadler, senhor", digo.

"Quantos anos você tem, Sadler?"

"Dezoito, senhor", respondo, repetindo minha mentira.

"Contente em estar aqui, não?"

Não digo nada. Não consigo imaginar a resposta correta. Felizmente, ele não insiste, mesmo porque já seguiu adiante.

"Arthur Wolf, senhor", diz o meu vizinho.

"Wolf?", pergunta o sargento, olhando mais demoradamente para ele; é óbvio que já sabe algo a respeito do homem.

"Isso mesmo, senhor."

"Ora." Ele o mede da cabeça aos pés. "Eu o imaginava mais baixo."

"Um metro e oitenta, senhor."

"Pois é", diz o sargento Clayton, torcendo lentamente a boca num esboço de sorriso. "Então você é o sujeito que não quer ficar aqui, não é?"

"Isso mesmo, senhor."

"Tem medo de lutar?"

"Não, senhor."

"Não, senhor, claro que não, senhor, que calúnia, senhor! Mas eu pergunto: você é capaz de imaginar quantos homens valentes que estão lá também não querem lutar?". Cala-se, e seu sorriso começa a desaparecer. "Mas estão lá. Lutando todo santo dia. Arriscando a própria pele."

Ouço um leve murmúrio nas fileiras e alguns viram-se e olham para Wolf.

"Eu não vou mandá-lo para casa, se é isso que você espera", diz o sargento com naturalidade.

"Não, senhor", diz Wolf. "Não, eu não esperava que o fizesse. Pelo menos por ora."

"E você também não vai para o xadrez. A menos que eu receba ordens nesse sentido. Nós vamos treiná-lo, isso é o que vamos fazer."

"Sim, senhor."

O sargento Clayton encara Wolf com maxilar um pouco mais tenso. "Muito bem, Wolf", diz tranquilamente. "Vamos ver como isso tudo acaba, não é mesmo?"

"Espero ser informado logo, senhor", anuncia Wolf sem tremor audível na voz, embora, estando ao seu lado, eu sinta certa tensão no seu corpo, uma ansiedade que ele se esforça para dissimular. "Quer dizer, pelo tribunal. Espero que eles entrem em contato para me informar da decisão que tomaram, senhor."

"Na verdade, *eu* serei informado, Wolf", dispara o sargento, perdendo pelo menos um pouco da serenidade. "Qualquer comunicado será transmitido por meu intermédio."

"Talvez o senhor tenha a bondade de me avisar assim que souber, senhor", responde Wolf, e o sargento Clayton sorri outra vez.

"Talvez", diz, um momento depois. "Tenho certeza de que vocês todos se orgulham de estar aqui, homens", prossegue, erguendo a voz e dirigindo-se ao grupo. "Mas provavelmente sabem que alguns homens da sua geração não sentem a obrigação de defender a pátria. Opositores, se autodenominam. Sujeitinhos que examinam a consciência e nela não acham nada que satisfaça o chamado do dever. Parecem-se com os outros homens, é claro. Têm dois olhos e duas orelhas, dois braços e duas pernas. Mas lhes faltam colhões, essa é a verdade. Mas, a não ser que alguém lhes arrie as calças e faça-lhes os exames necessários, é muito difícil distingui-los dos homens de verdade. Mas eles estão aí. Cercam-nos. E nos trairiam se pudessem. Eles apoiam o inimigo."

O sargento sorri, um sorriso amargo, feroz, e os homens na fila resmungam e murmuram entre si, virando-se para olhar para Wolf com desprezo nos olhos, cada qual tratando comunicar ao sargento Clayton que está longe de ter semelhantes convicções. Wolf, convém reconhecer, mantém a firmeza e não faz caso das vaias e assobios que lhe endereçam, insultos que nem o sargento nem seus dois cabos se dispõem a reprimir.

"Vergonha", diz uma voz atrás de mim.

"Covarde de merda", diz outra.

"Galinha-branca."

Eu procuro observar como ele reage ao abuso e é nesse momento que ponho os olhos em Will Bancroft pela primeira vez. Está a quatro homens de mim e olha fixamente para Wolf com ar interessado. Não parece aprovar inteiramente o que o homem está fazendo, mas tampouco participa do coro de reprovação. É como se quisesse entender a particularidade de um colega que se diz um opositor de consciência, como se já tivesse ouvido falar nessas criaturas míticas e, desde sempre, quisesse saber como eram em carne e osso. Fico olhando diretamente para ele — quer dizer, para Bancroft, não para Wolf —, incapaz de desviar a vista, e ele chega a sentir o meu interesse, pois se volta e me olha nos olhos um instante, depois inclina um pouco a cabeça para o lado e sorri. É estranho: sinto que já o conheço, que já nos conhecemos. Confuso, mordo o lábio e afasto o olhar, esperando o máximo possível para me virar e olhá-lo novamente, mas agora ele está aprumadíssimo, olhando para a frente, e é quase como se o momento de conexão nunca tivesse existido.

"Agora chega, homens", diz o sargento Clayton, e a cacofonia diminui enquanto cinquenta cabeças se voltam uma vez mais para a frente. "Venha cá, Wolf", acrescenta, e o meu companheiro hesita um pouco antes de se adiantar. "Você também, senhor Rich", acrescenta, apontando para o primeiro entrevistado. "O nosso porco que mora na merda. Façam o favor de vir aqui, os dois."

Ambos avançam até ficar a uns dois metros do sargento e mais ou menos à mesma distância da fila às suas costas. Silêncio absoluto entre nós.

"Cavalheiros", diz o sargento Clayton, olhando para os homens perfilados. "Neste exército, vocês serão treinados, como eu fui, para honrarem sua farda. Para lutarem, manejarem um fuzil, serem fortes e irem a campo matar todos os inimigos filhos da puta que encontrarem." Ergue a voz rápida e ferozmente ao proferir a última frase, e eu penso: *Aí está, esse é o homem que ele é.* "Mas às vezes", prossegue, "vocês acabam descobrindo que se meteram numa situação em que tanto vocês como seus adversários não possuem mais nenhuma arma. Talvez estejam em plena Terra de Ninguém, com o Fritz parado na sua frente, e pode ser que o seu fuzil tenha sumido e a sua baioneta tenha desaparecido e a única coisa que têm para se defender são os punhos. Uma situação terrível, cavalheiros, não é? E se tal coisa vier a acontecer, Shields", diz ele, dirigindo-se a um dos recrutas, "o que você acha que faria?"

"Não há muita escolha, senhor", responde Shields. "Eu luto."

"Exatamente", diz o sargento. "Muito bem, Shields. Tem de lutar. Agora, vocês dois", e aponta para Wolf e Rich. "Imaginem-se na mesmíssima situação."

"Senhor?", pergunta Rich.

"Lute, rapaz", diz o sargento alegremente. "Vamos chamá-lo de inglês, já que você pelo menos mostrou um pouco de vitalidade. Wolf, você é o inimigo. Lute. Vamos ver do que você é capaz."

Rich e Wolf se voltam um para o outro, este com uma expressão de incredulidade, mas Rich sabe muito bem em que terreno está pisando e, sem vacilar, cerra o punho direito e esmurra Wolf diretamente no nariz, um forte golpe para a frente e para trás, como um pugilista, surpreendendo Wolf tão depressa que ele recua alguns passos, cambaleante, levando as mãos ao rosto. Quando se recompõe, olha chocado para os dedos sujos do sangue que lhe escorre das narinas. Rich é um sujeito grandalhão, de braços fortes e capaz de um belo gancho de direita.

"Você quebrou o meu nariz", diz Wolf, olhando para todos nós como se não acreditasse no que acabara de acontecer. "Porra, você simplesmente veio e quebrou o meu nariz."

"Então quebre o dele também", propõe o sargento Clayton com naturalidade.

Wolf olha para as mãos; o sangue diminuiu um pouco, mas ainda há bastante acumulado em grossas espirais sobre as palmas. Seu nariz não está quebrado, na verdade; Rich apenas rompeu alguns vasos sanguíneos, nada mais.

"Não, senhor", diz Wolf.

"Acerte-o de novo, Rich", ordena Clayton, e Rich desfere mais um golpe, dessa vez no lado direito do rosto, e Wolf oscila novamente para trás, mas consegue ficar de pé. Movimenta o maxilar, soltando um gemido de dor, e leva a mão à bochecha, massageando a contusão.

"Lute com ele, Wolf", diz Clayton muito calmamente, muito devagar, pronunciando com clareza cada sílaba, e alguma coisa na expressão de Wolf sugere que ele o obedecerá, mas espera vinte, trinta segundos, ofegante, controlando-se, e então sacode a cabeça.

"Eu não vou lutar, senhor", insiste, e volta a ser esmurrado, no estômago, e a seguir no plexo solar, e cai, encolhendo-se um pouco, sem dúvida esperando que o castigo termine logo. Os homens observam, sem saber o que sentir diante daquilo. Até mesmo Rich recua um passo, sabendo que não há lealdade numa luta em que o adversário não se defende.

"Minha nossa", diz o sargento Clayton, sacudindo a cabeça com desdém, percebendo que não haverá a peleja que esperava, aquela que causaria um sério estrago a Wolf. "Está bem, Rich, entre em forma outra vez. E você", diz, acenando a cabeça para o prostrado Wolf, "levante-se, pelo amor de Deus. Seja homem. Ele mal encostou a mão em você."

Ele tarda um minuto ou dois, mas enfim se levanta sem ajuda e, com passos arrastados, volta para o seu lugar ao meu lado. Olha para mim; talvez veja a preocupação nos meus olhos, mas desvia os seus. Não quer compaixão.

"É um ótimo dia para recomeçar", anuncia o sargento Clayton, estendendo os braços à sua frente e estalando os dedos. "Um ótimo dia para aprender disciplina e entender que eu não vou tolerar graça nem covardia neste regimento. São as duas atitudes que me provocam engulhos. Entendam bem. Vocês estão aqui para treinar. E daqui sairão treinados."

Dá meia-volta e caminha em direção ao alojamento, deixando-nos nas mãos de seus dois apóstolos, cujos nomes são Wells e Moody. Eles se aproximam para ticar nossos nomes na lista que têm nas mãos, percorrem a fila, dispensando cada homem registrado e, obviamente, deixando Wolf para o fim.

Tenho o meu primeiro contato verdadeiro com Will Bancroft na manhã seguinte, às cinco horas, quando Wells e Moody vêm nos acordar.

Estamos divididos em alojamentos de vinte homens, dez camas ao longo de uma parede voltada para o centro, dez em frente, no lado oposto, uma disposição, observa Unsworth, que corresponde exatamente à sua ideia de como deve ser um hospital militar.

"Tomara que você não precise conferir isso tão cedo", diz Yates.

Como não tenho irmãos, não estou habituado a dividir quarto com ninguém, muito menos com dezenove rapazes que respiram, roncam, mexem-se e se reviram a noite toda, e me convenço de que será simplesmente impossível dormir. No entanto, para minha surpresa, bastou-me reclinar a cabeça no travesseiro para que se iniciasse uma série de sonhos confusos — devo estar exausto tanto da viagem de trem como da emoção de enfim estar aqui —, e eis que volta a amanhecer e os nossos dois cabos se põem a berrar para que tiremos nossas malditas bundas da cama, do contrário eles mesmos se encarregam de fazê-lo com o bico de suas botas.

Eu estou no penúltimo leito junto à parede esquerda, o lado em que, se o sol entrar pela janelinha perto do teto, a luz vem bater diretamente no meu rosto. Will foi um dos primeiros a entrar no alojamento e pegou a cama junto à minha, o melhor lugar, pois de um lado fica a parede e do outro o seu único vizinho, eu. Do outro lado, a três camas de distância à direita, encontra-se Wolf, que desde a noite anterior vem recebendo uma grande quantidade de empurrões e safanões dos outros homens. Para minha surpresa, Rich escolheu o leito perto do dele, e eu me pergunto se isso foi um pedido de desculpas ou uma espécie de ameaça.

Will e eu nos limitamos a um breve aceno antes de cair na cama; mas, quando dela tornamos a saltar, eu virando-me para a direita, ele, para a esquerda, nos colidimos e caímos para trás, esfregando a cabeça dolorida. Rimos e pedimos desculpas rapidamente, antes de nos alinharmos ao pé da cama para receber a ordem de Moody para irmos correndo fazer exame na barraca médica — outro exame, pois já passei por um em Brentford quando me alistei —, onde se decidirá se nós temos condições de lutar pelo império de Sua Majestade.

"O que, aliás, é improvável", acrescenta ele, "porque eu nunca vi um bando de marginais tão degenerados. Se esta guerra depender de gente como vocês, é melhor aprendermos logo a dizer *Guten Morgen* e *Gute Nacht*, porque vamos precisar e muito."

Saindo rumo ao fim da fila, só de cueca e camiseta, os pés descalços contra o cascalho áspero, Will e eu entramos em formação juntos e ele estende a mão para mim.

"Will Bancroft."

"Tristan Sadler", digo.

"Pelo jeito, nós vamos ser vizinhos nos próximos meses. Por acaso você ronca?"

"Não sei", respondo, já que isso nunca me passou pela cabeça. "Ninguém nunca reclamou. E você?"

"Dizem que, quando durmo de costas, eu sou capaz de sacudir o telhado, mas parece que me treinei para ficar de lado."

"Se você começar, eu o empurro", eu digo sorrindo, e ele ri um pouco e eu logo sinto uma camaradagem entre nós.

"Isso não me incomoda", diz em voz baixa um momento depois

"Quantos irmãos você tem?", pergunto, imaginando que tenha alguns, já que lhe falaram dos seus hábitos noturnos.

"Nenhum. Só uma irmã mais velha. Você é filho único?"

Eu hesito, sentindo um nó na garganta, sem saber se convém dizer a verdade ou não. "Minha irmã, Laura", respondo, sem acrescentar mais nada.

"Eu sempre gostei da minha irmã", sorri Will. "É alguns anos mais velha, mas nós cuidamos um do outro, se é que você me entende. Ela me fez prometer lhe escrever regularmente quando eu estiver lá. Vou cumprir a promessa."

Eu aceno com a cabeça, examinando-o com mais atenção. É um garoto de boa aparência, com cabelo escuro todo emaranhado, uns olhos azuis muito brilhantes que parecem dados à aventura e bochechas redondas onde se formam covinhas quando ele sorri. Não é musculoso, mas tem braços bem torneados que ficam bem com a camiseta. Imagino que nunca teve dificuldade para arranjar companhia que o empurrasse na cama quando ele roncava alto.

"Que houve, Tristan?", pergunta Will, encarando-me. "Você está vermelho feito um pimentão."

"É que é muito cedo", explico, desviando a vista. "Eu saí da cama muito depressa, só isso. O sangue subiu."

Will balança a cabeça e nós avançamos, acompanhando a retaguarda da tropa, que, a esta hora da manhã, não se mostra tão entusiasmada ou viva como quando desembarcamos do trem ontem à tarde. A maioria dos homens está ensimesmada e marcha em silêncio, os olhos mais interessados no chão sob os seus pés que na barraca médica à frente. Wells marca o ritmo gritando "Um-dois-três-quatro!" com voz esganiçada, e nós fazemos o possível para manter um mínimo de ordem, mas a verdade é que é inútil.

"Escute", diz Will instantes depois, olhando-me nos olhos, a expressão cada vez mais perturbada. "O que você achou do amigo Wolf? Muita valentia da parte dele, hein?"

"Muita burrice", retruco. "Irritar o sargento logo no primeiro dia. Tampouco foi a melhor maneira de fazer amizade com os homens, foi?"

"Provavelmente não. Mesmo assim, você tem de admirar a sua coragem. Peitar o velho como ele peitou, sabendo que possivelmente levaria uma surra por conta disso. Você já tinha visto um desses caras? Desses... como se diz... opositores de consciência?"

Eu sacudo a cabeça. "Nunca. Você já?"

"Conheci um. O irmão mais velho de um colega de escola. Chamava-se Larson. Não lembro seu nome de batismo. Mark, Martin ou coisa que o valha. Recusou-se a pegar em armas. Dizia que era por motivo religioso e que os velhos Derby e Kitchener deviam ler um pouco mais a Bíblia e um pouco menos as regras de recrutamento e que, independentemente do que lhe fizessem, ele não ia apontar o fuzil para outras criaturas de Deus, mesmo que o trancassem na cadeia por isso."

Eu bufo, sacudindo a cabeça com asco, supondo que ele, como eu, acha o homem um covarde. Não tenho nada contra quem se opõe à guerra por princípio ou deseja que ela termine logo — isso é natural —, mas estou convencido de que, enquanto ela continuar, todos nós temos a responsabilidade de nos alistar e fazer a nossa parte. Eu sou jovem, é claro. Sou burro.

"O que aconteceu com ele?", pergunto. "Com o tal Larson. Mandaram-no para Strangeways?"

"Não, não", ele responde, sacudindo a cabeça. "Mandaram-no para a frente de batalha para ser padioleiro. Eles fazem isso, sabe? Se você se recusar a combater, dizem que o mínimo que pode fazer é ser útil para aqueles que estão dispostos a lutar. Alguns vão trabalhar nas fazendas — trabalho de importância nacional, dizem —, esses têm sorte. Outros vão para a prisão, não têm tanta sorte assim. Mas a maioria, ora, a maioria acaba aqui do mesmo jeito."

"Eu acho justo", digo.

"Só até você perceber que a expectativa de vida de um padioleiro na linha de frente é de mais ou menos dez minutos. Eles são obrigados a sair da trincheira e ir buscar os corpos dos mortos e os feridos na Terra de Ninguém. E estão liquidados. Os franco-atiradores os acertam facilmente. É uma espécie de execução pública. Não parece assim tão justo, não acha?". Eu enrugo a testa e reflito. Quero responder com cuidado, pois já sei que é importante para mim que Will Bancroft me queira bem e me adote como amigo. "Claro que eu podia ter tentado essa saída, essa história de religião", acrescenta ele. "Meu velho é vigário, entende? Em Norwich. Queria que eu também entrasse na Igreja. Isso me livraria do recrutamento, acho."

"E você não quis?"

Will sacode a cabeça: "Não. Longe de mim, essa patacoada. Não me importo de ser soldado. Pelo menos, acho que não vou ligar muito. Pergunte-me daqui a seis meses. O meu avô lutou no Transval, sabe? Foi uma espécie de herói por lá antes que o matassem. Eu gosto da ideia de provar que sou bravo como ele. A minha mãe, ela sempre guardou um... Preste atenção, chegamos".

Nós entramos na barraca médica, onde Moody nos separa em grupos. Meia dúzia senta-se em leitos atrás de uma fileira de cortinas, os outros ficam por ali aguardando sua vez.

Will e eu estamos entre os primeiros a serem examinados;

ele escolhe novamente a última cama e eu pego a vizinha. Pergunto-me por que desdenha tanto ficar no centro da sala. Eu prefiro o meio: faz com que me sinta participando de alguma coisa e, por isso mesmo, menos conspícuo. Não tenho ideia de que logo se desenvolverão facções entre nós e os da periferia serão os primeiros a ser alvejados.

O médico, um sujeito magro de meia-idade com óculos de aro grosso e um jaleco branco que parece já ter vivido dias melhores, manda Will tirar a roupa, o que este faz sem o menor constrangimento, puxando a camiseta pela cabeça, atirando-a com negligência no leito ao seu lado e largando a cueca no chão como se ela não valesse um centavo. Eu olho para o outro lado, sem jeito, mas não adianta, pois em toda parte os membros da tropa, pelo menos os que estão sentados nas camas, também se desnudaram por completo, revelando um conjunto de corpos malformados, desfigurados e assombrosamente feios. São jovens de não menos de dezoito anos e não mais de vinte, e me surpreende que a maior parte seja tão subnutrida e pálida. Aonde quer que eu olhe, dou com uma exposição de peitos de pomba, barrigas afundadas e bundas caídas, com exceção de um ou dois camaradas que representam o outro extremo, obesos e corpulentos, com um flácido acúmulo de gordura no peito, que mais parece um par de tetas. Ao tirar a roupa, agradeço em silêncio à construtora em que fui operário nos últimos dezoito meses e onde fortaleci os meus músculos, mas logo me pergunto se a minha relativa força e forma física não farão com que me convoquem para o serviço ativo mais cedo do que me convém.

Volto a atenção para Will, que está empertigado feito um caniço, os braços estendidos à sua frente enquanto o médico espia o interior da sua boca e, depois, lhe mede a extensão do peito com uma fita métrica. Sem pensar duas vezes, eu o meço por inteiro com uma olhadela e, uma vez mais, fico impressionado com a sua beleza. Não sei de onde me vem um súbito flashback daquela tarde na escola em que eu estudava, do dia em que fui expulso, uma recordação ainda profundamente sepultada dentro de mim.

Fecho os olhos um instante e, quando os abro, descubro que estou fitando os de Will, que virou a cabeça para me olhar; é mais um momento curioso. Pergunto-me: por que ele não desvia a vista? E a seguir: por que eu não a desvio? E esse entreolhar dura três, quatro, cinco segundos até que a boca de Will se transforma num leve sorriso e ele finalmente desloca o olhar para a frente, suspira três vezes longa e profundamente, obedecendo, eu percebo, a ordem do médico, que está com o estetoscópio nas suas costas, de inspirar fundo e expirar.

"Obrigado", diz o médico com voz desinteressada, enquanto se coloca novamente diante de Will e o autoriza a se vestir. "Agora", volta o olhar para mim. "O próximo."

Passo por um exame parecido, a mesma medição da frequência cardíaca e da pressão arterial, da altura, do peso e da capacidade pulmonar. O médico agarra o meu saco e me manda tossir; eu obedeço prontamente para que ele me largue, então me manda estender as mãos diante do corpo e ficar tão imóvel quanto possível. Eu o faço e ele se mostra satisfeito com o que vê. "Firme como uma rocha", diz, balançando a cabeça e ticando um quadrado em sua ficha.

Mais tarde, depois de um terrível café da manhã de ovos mexidos frios e bacon gorduroso, volto para o alojamento e, uma vez mais, passo alguns minutos examinando a paisagem. O espaço cercado por biombos na extremidade oposta à minha e de Will é onde dormem Wells e Moody, duas camas que oferecem certo grau de privacidade com relação às de seus inúteis comandados. A latrina fica fora, um mero barraco com alguns urinóis e uma coisa pior, muito mais fedorenta, a qual, somos informados, toda noite nos revezaremos para esvaziar, e o primeiro a fazê-lo, esta noite, será, naturalmente, Wolf.

"Você não acha que eles podiam nos deixar digerir o café da manhã?", pergunta Will quando estamos a caminho do campo de exercício, marchando lado a lado novamente, mas desta vez mais ao centro da fila. "Que você acha, Tristan? Eu sinto que vou vomitar toda aquela porcaria a qualquer momento. Mas a gente está em guerra, imagino. Não numa colônia de férias."

O sargento Clayton nos espera muito aprumado e de farda recém-passada. Ele não se mexe, nem parece respirar enquanto entramos em forma diante dele e seus dois apóstolos se posicionam ao seu lado.

"Homens", diz enfim, "a ideia de vê-los fazendo exercício vestindo as cores do regimento me repugna. Por esse motivo, enquanto eu não der ordem contrária, vocês vão treinar e fazer ginástica com suas próprias roupas, à paisana."

Um surdo murmúrio de decepção percorre as fileiras; é claro que muitos dos garotos querem vestir agora mesmo a sonhada farda cáqui, como se a indumentária pudesse nos transformar instantaneamente em soldados. Os que esperaram muito para ser aceitos no exército não têm o menor desejo de continuar vestindo, por um minuto que seja, o traje barato e sujo com que chegaram.

"Conversa fiada", cochicha Will para mim. "Esse exército de merda já não pode bancar as fardas, isso sim. Vai demorar semanas para que fiquemos equipados."

Não respondo, tenho medo de ser pego falando, mas acredito nele. Faz tempo que acompanho a guerra pelos jornais e são constantes as queixas de que o exército não tem fardas nem fuzis suficientes para os soldados. A desvantagem é que ainda vamos ficar um bom tempo com roupa de civil; a vantagem é que não podem nos mandar para a França enquanto não tivermos o equipamento adequado para lutar. Já há tumulto no Parlamento a respeito dos homens que se sacrificam sem ter sequer uma farda decente.

Começamos com técnicas muito rudimentares de exercício: dez minutos de alongamento, seguidos de uma marcha estacionária que nos faz suar em bicas. Então, repentinamente, o sargento Clayton decide que a formação de cinco homens por quatro está muito desordenada e avança entre nós, puxando um recruta um passo adiante, empurrando outro um pouquinho para trás, arrastando um pobre desavisado para a direita ao mesmo tempo em que chuta outro para a esquerda. Quando termina — e eu recebi a minha cota de empurrões e safanões durante essas manobras —, as filas não estão mais ordenadas ou desordenadas do que há dez minutos, mas ele se mostra mais satisfeito, e eu me disponho a acreditar que aquilo que os meus olhos destreinados não enxergam é um flagrante delito para os dele, bem mais experientes.

Em meio a tudo isso, o sargento Clayton reclama em altos brados da nossa incapacidade de manter a formação, e a sua cara se torna tão zangada e sua voz tão tensa que eu acredito genuinamente que ele é capaz de ferir a si mesmo se não tomar cuidado. No entanto, para a minha surpresa, quando terminamos e somos dispensados, enviados ao lavadouro para esfregar o corpo, ele parece tão composto e imperturbável como no começo, quando o encontramos.

Só lhe resta uma ordem a dar. Wolf, decreta ele, foi uma decepção, pois não ergueu suficientemente os joelhos na marcha.

"Mais uma hora para Wolf, creio", diz, virando a cabeça para Moody, que reage com um firme "Sim, senhor" antes que Wells nos leve de volta para onde começamos. Nosso colega ficou sozinho no meio do campo de manobras, marchando em perfeita formação de um homem só, e nós o abandonamos, aparentemente indiferentes ao seu bem-estar.

"O velho quer mesmo ver a caveira do Wolf, não?", diz Will mais tarde, quando estamos deitados no alojamento para o descanso de trinta minutos que nos concederam antes de nos apresentarmos para uma marcha noturna em terreno agreste, ideia que me dá vontade de chorar.

"Era de se esperar", comento.

"Claro. Mesmo assim, não é lá muito amável."

Eu olho para ele e sorrio, surpreso. O seu modo de falar é meio chique, e eu imagino que, sendo filho de um pároco do condado de Norfolk, talvez tenha tido uma educação um pouco melhor que a minha. O seu linguajar é sofisticado e ele parece se importar com os outros. A sua gentileza me impressiona, me intriga.

"O seu pai se zangou quando você foi recrutado?", pergunto.

"Muito. Mas teria ficado mais furioso se eu me recusasse a lutar. O rei e a pátria são importantíssimos para ele. E o seu?"

Eu dou de ombros. "Não ligou muito."

Will balança a cabeça e respira fundo pelo nariz, sentando-se e dobrando o travesseiro às suas costas enquanto acende um cigarro e fuma, pensativo.

"Escute", diz momentos depois, falando em voz baixa para que ninguém mais o escute. "O que você achou daquele médico?"

"O que eu achei?", respondo, confuso com a pergunta. "Ora, não achei nada. Por que a pergunta?"

"Por nada. É que eu tive a impressão de que você estava muito interessado no que ele fazia, só isso. Não está planejando dar o fora para entrar no Corpo Médico, está?"

Sinto o rosto corar outra vez — afinal, Will havia me flagrado comendo-o com os olhos — e me viro na cama para que não o note. "Não, não, Bancroft", digo. "Vou ficar aqui mesmo no regimento."

"Que bom, Tristan." Ele se inclina, aproximando-se tanto que eu chego a sentir um leve aroma de transpiração. É como se todo o seu espírito estivesse prestes despencar sobre mim. "O diabo é que aqui nós estamos presos com uma corja de imprestáveis. Pode ser que o cabo Moody esteja coberto de razão. Ainda bem que arranjei um amigo." Eu sorrio, mas não digo nada; ao ouvir suas palavras, sinto uma espécie de ferroada percorrer-me o corpo, como uma faca colocada no centro do meu peito, pressionando-o para insinuar a dor que certamente virá. Fecho os olhos e procuro não pensar muito nisso. "E, pelo amor de Deus, Tristan, pare de me chamar de Bancroft!", ele acrescenta, voltando a encostar-se na cama, soltando o peso do corpo com tanto entusiasmo que as molas gritam como se sentissem dor. "O meu nome é Will. Eu sei que todos os salafrários aqui se tratam pelo sobrenome, mas nós somos diferentes. Não vamos deixar essa gente nos prejudicar, está bem?"

Nas semanas subsequentes, nós suportamos um treinamento tão torturante que eu não posso acreditar que tenha passado tanto tempo querendo participar disso. Quase todas as manhãs, o toque de alvorada é às cinco horas e, a partir daí, temos um prazo de apenas três minutos — dado por Wells ou Moody —, para acordar, saltar da cama, pôr a roupa, calçar as botas e entrar em forma em frente o alojamento. Geralmente ficamos ali de pé, um pouco atordoados e, quando começamos a sair do campo para as quatro horas de marcha que nos aguardam, nosso corpo grita de dor. Nessas ocasiões, eu imagino que nada pode ser pior que o treinamento básico; logo descobrirei que estava enganado também quanto a isso.

Entretanto, como resultado de tal atividade, nosso corpo jovem começa a se desenvolver: a musculatura se forma em duros volumes nas panturrilhas e no peito, uma firmeza se revela nos músculos abdominais e, finalmente, nós começamos a ficar com cara de soldados. Mesmo os poucos membros da nossa tropa que chegaram a Aldershot com excesso de peso — Turner, Hobbs, Milton, o praticamente obeso Denchley — estão se livrando dos quilos a mais e adquirindo um aspecto mais sadio.

Não somos obrigados a marchar em silêncio e geralmente conversamos baixinho, aos grunhidos. Tenho boas relações com a maioria dos homens da tropa, mas é com Will que passo quase todas as manhãs, e ele também parece gostar da minha companhia. Não tive muitos amigos na vida. O único importante para mim era Peter, mas ele me abandonou para ficar com a Sylvia e então, depois do incidente na escola, minha subsequente humilhação garantiu que eu nunca mais o visse.

E então, uma tarde, em um dos raros intervalos de uma hora no quartel, Will entra e me encontra sozinho, de costas para ele, e salta em cima de mim num surto de entusiasmo, gritando e chiando feito uma criança num parquinho. Eu luto para me livrar dele e nós rolamos no chão, nos agarrando e empurrando, rindo à toa. Quando consegue me prender no chão, um joelho a cada lado do meu tronco, ele olha para mim e sorri, o cabelo escuro cobrindo-lhe os olhos, e eu tenho certeza de que olha por um instante para os meus lábios, vira um pouco a cabeça e os examina, inclinando um pouquinho o corpo para a frente, e eu ergo levemente o joelho e arrisco um sorriso. Nós nos entreolhamos — "Ah, Tristan", diz com tristeza, a voz suave — e então ouvimos alguém à porta, e ele se levanta de um salto, afastando-se de mim, e quando olha para trás, observando Robinson entrar no alojamento, eu percebo que, naquele momento, ele não pode me olhar nos olhos.

Portanto, talvez não seja estranho eu ficar louco de ciúmes em uma marcha matinal quando, tendo parado para amarrar a bota ao sair do campo, descubro que perdi Will de vista no bando de homens e, abrindo caminho entre eles rapidamente, cuidando para não ser tão óbvio nas minhas intenções, avisto-o caminhando à frente dos outros em companhia de nada menos que Wolf, o nosso opositor de consciência, como se fossem amigos íntimos. Fico olhando para eles, surpreso, pois ninguém anda ou conversa com Wolf, em cuja cama toda noite aparecem plumas brancas dos nossos travesseiros, tanto que Moody, que não execra Wolf menos que nós, manda-nos recolhê-las, do contrário nossos travesseiros ficarão totalmente murchos e nós ficaremos com torcicolo de tanto dormir estirados no colchão, sem apoio para a cabeça. Eu olho em volta, perguntando-me se alguém mais reparou naquela dupla inusitada, mas a maioria dos meus camaradas está concentrada, põe um pé à frente do outro e avança de cabeça baixa, os olhos semicerrados, pensando unicamente em retornar à base o mais depressa possível e se entregar aos duvidosos prazeres do café da manhã.

Decidido a não ficar alheio ao que os dois estão discutindo, eu aperto o passo até alcançá-los, colocando-me ao lado de Will, olhando ansiosamente para ele, enquanto Wolf se inclina e sorri para mim. Tenho a impressão de que estava no meio de um discurso sobre alguma coisa — Wolf nunca conversa, sempre discursa —, mas se cala, e agora é Will que se vira para me olhar com uma expressão que sugere que, apesar de surpreso, está contente em me ver.

Claro, uma das coisas que mais me encantam em Will é a ideia — inteiramente real, pelo menos na minha cabeça — de que ele gosta genuinamente da minha companhia. Ri das piadas que conto e que me saem mais espontâneas e engraçadas quando estou com ele, muito mais do que com qualquer outra pessoa. Will faz com que me sinta tão bom, tão inteligente, tão à vontade com as outras pessoas quanto ele, e a verdade é que estou muito longe disso. E tenho a sensação, a contínua sensação, de que ele me quer bem.

"Tristan", diz alegremente, "eu não sabia onde você estava. Pensei que tinha voltado para a cama. Estava conversando com Arthur. Ele estava me falando dos seus planos para o futuro."

"É mesmo?", pergunto, olhando para Wolf. "E que planos sãos esses? Está pensando em se candidatar a papa?"

"Devagar, Tristan", atalha Will com um tom de censura na voz. "Você sabe que o meu pai é vigário. Não há nada errado com a Igreja, sabe, desde que ela seja a coisa certa para você. Claro, para mim não servia, mas mesmo assim."

"Não, claro que não", admito, tendo esquecido momentaneamente o santo reverendo Bancroft fazendo sermões em Norwich. "Eu só queria dizer que Wolf enxerga o bem em toda parte, mais nada." Foi uma resposta lamentável, destinada a insinuar que tenho Wolf em alta estima — o que é mentira —, simplesmente porque suspeito que Will o admira.

"Não, o sacerdócio não", diz Wolf, aparentemente divertido com o meu constrangimento. "Penso em política."

"Política", repito, rindo. "Mas você não tem a menor chance, nunca."

"Por que não?", pergunta ele, voltando-se para mim e, como sempre, mantendo-se firme.

"Olhe, Wolf. Eu não sei se você está certo ou errado nas suas convicções. Não tenho a pretensão de julgá-lo."

"Não? Como não? Você me julga quase todo dia. Pensei que concordasse com os outros colegas que me acham medroso, um galinha-branca."

"Acontece que, mesmo que você esteja certo", prossigo, ignorando seu comentário, "vai ter muita dificuldade para convencer as pessoas depois da guerra. Quer dizer, se um sujeito se candidatar ao Parlamento no meu distrito eleitoral e disser aos eleitores que se opôs à guerra e se recusou a lutar, ora, dificilmente sairá da tribuna ileso ou conseguirá se eleger."

"Mas Arthur não está se recusando a lutar", argumenta Will. "Ele está aqui, não está?"

"Estou aqui treinando", explica Wolf. "Will, eu já disse que vou me recusar a lutar quando nós embarcarmos. Disse isso a eles. Eles sabem. Mas não escutam, esse é o problema. Há semanas que a justiça militar devia ter tomado uma decisão sobre o meu caso, e até agora nada. É extremamente frustrante."

"Diga, a que você se opõe, afinal?", pergunto, sem saber ao certo se entendo suas motivações. "Não gosta da guerra, é isso?"

"Ninguém devia *gostar* da guerra, Sadler", retruca Wolf. "Não imagino que alguém goste de verdade, a não ser o sargento Clayton, talvez. Ele parece se empolgar com a experiência. Não, eu simplesmente não creio que seja correto tirar a vida de outro homem a sangue-frio. Não sou religioso, pelo menos não muito, mas acho que cabe a Deus levar-nos ou manter-nos aqui, segundo a sua vontade. E, afinal, o que eu tenho contra o alemãozinho que foi convocado em Berlim, Frankfurt ou Düsseldorf para lutar pelo seu país? O que ele tem contra mim? Sim, muita coisa está em jogo, há questões políticas, questões territoriais por trás desta guerra, e não faltam motivos legítimos para reclamações, eu reconheço, mas também existe uma coisa chamada diplomacia, também existe uma coisa como o conceito de homens pensantes reunidos em torno de uma mesa para esclarecer seus problemas. E eu não acredito que essas vias estejam esgotadas. No entanto, nós estamos simplesmente nos matando dia após dia, dia após dia. E é a *isso* que eu me oponho, Sadler, caso você queira mesmo saber. E me recuso a fazer parte disso."

"Mas, meu caro companheiro", diz Will com certa exasperação, "neste caso, só lhe resta ser padioleiro. Coisa que você não há de querer."

"Claro que não. A menos que seja a única opção."

"Que utilidade você vai ter para a política se um franco-atirador o liquidar em dez minutos?", digo, e Will olha para mim, franzindo a testa, e eu me envergonho do que acabo de dizer. Nós, todos nós, fazemos questão de nunca falar nas consequências da guerra, no fato de ser pouco provável que muitos de nós tenhamos a possibilidade de viver para ver o outro lado dela, e é contra o nosso código de conduta fazer uma observação tão vulgar. Eu desvio a vista, incapaz de suportar a desaprovação do meu amigo, as minhas botas pisando com força a pedra sob os meus pés.

"Algum problema, Sadler?", pergunta Wolf minutos depois, quando Will se adianta, alcança Henley, e os dois se põem a rir de alguma coisa.

"Não", resmungo sem sequer olhar para ele, focado no que ocorria à minha frente, naquela nova amizade em potencial que poderia me causar novos aborrecimentos. "Nenhum problema, por quê?"

"Você parece meio... irritado, só isso. Meio preocupado."

"Você não me conhece."

"Não precisa se preocupar", prossegue ele com uma naturalidade que me enfurece. "A gente só estava conversando. Não vou roubar Will de você. Pode pegá-lo de volta agora se quiser."

Eu me viro e o encaro, incapaz de encontrar palavras para expressar a minha indignação, e ele solta uma gargalhada e se afasta sacudindo a cabeça.

Mais tarde, para me castigar pela minha falta de sensibilidade, Will volta a se juntar a Wolf quando começamos a treinar com os fuzis curtos Lee-Enfield — os Sorridentes, como os chamamos —, e eu sou obrigado a ficar com Rich, que tem resposta para tudo e se acha o gênio do grupo, mas é considerado um idiota quando se trata de aprender o que quer que seja. A sua situação entre nós não deixa de ser curiosa, pois, embora ele divirta Wells e Moody com a sua burrice e quase todo dia incorra a cólera do sargento Clayton, tem um quê de patético, simpático até, e ninguém consegue ficar com raiva dele por muito tempo.

Cada um recebe um fuzil, e as reclamações por continuarmos usando nossas roupas de civis, que são lavadas de três em três dias para que sejam removidas as crostas de lama e o cheiro de suor que as impregna, caem em ouvidos moucos.

"Eles só querem que matemos o máximo de inimigos possível", observa Rich. "Não ligam para a nossa aparência. Lorde Kitchener não daria a mínima se a gente aparecesse lá como viemos ao mundo."

Eu concordo, mas digo que me parece um pouco de exagero. No entanto, alguma coisa nos deixa pensativos e um silêncio incômodo se abate sobre nós quando finalmente recebemos os nossos Sorridentes: o pavor de sermos, em breve, convocados a usá-los.

"Cavalheiros", diz o sargento Clayton, postado à nossa frente e acariciando seu fuzil de modo indiscutivelmente obsceno, "o que vocês estão segurando é o meio pelo qual nós vamos ganhar esta guerra. Os fuzis curtos Lee-Enfield têm um carregador de dez balas, um mecanismo de ferrolho de fazer inveja a qualquer exército do mundo e, para os ataques de curto alcance, uma baioneta de quarenta e dois centímetros adaptada ao extremo do cano para quando vocês avançarem e quiserem espetar a cara do inimigo para que ele saiba quem é quem, e o que é o que, e por que o preço do repolho é o preço do repolho. Isto aqui não é um brinquedo, cavalheiros, e o sujeito que eu pegar agindo como se fosse vai marchar quinze quilômetros com uma dúzia desses ótimos instrumentos amarrada nas costas. Fui claro?"

Nós grunhimos que sim, e o nosso treinamento básico de uso do fuzil começa. Não é fácil carregar e descarregar o mecanismo e alguns o dominam mais depressa que outros. Eu diria que a minha habilidade corresponde mais ou menos à média do grupo e olho para Will, do outro lado, que está conversando com Wolf outra vez enquanto enchem os carregadores, tornam a esvaziá-los, prendem a baioneta, soltam-na. Chamando momentaneamente a atenção de Wolf, eu me convenço de que eles estão falando de mim, de que Wolf consegue me ler como um livro, enxergar a minha alma por dentro, e está contando todos os meus segredos a Will. Como se eu estivesse dizendo isso aos berros, Will se volta neste exato momento e olha para mim, abre um sorriso exultante, brandindo dramaticamente o fuzil, e eu retribuo o sorriso, agitando o meu também e, por isso, Moody me dá um tapa nas orelhas. Quando esfrego a cabeça dolorida, vejo Will rindo com prazer; é o que basta para que o castigo tenha valido a pena.

"Estou vendo que alguns homens aprendem mais depressa que outros", anuncia o sargento Clayton, que havia esperado tempo suficiente. "Vamos fazer um pequeno teste de habilidades? Williams, venha para cá, por favor." Roger Williams, um bem-educado membro da nossa tropa, se levanta e vai para a frente. "E... Yates, acho", continua ele. "Você também. E Wolf."

Os três se juntam à frente para o ritual diário de humilhação de Wolf. Chego a sentir o prazer dos homens quando ele se posiciona diante do sargento; olho para Will, que franze muito a testa.

"Muito bem, cavalheiros", diz o sargento Clayton, "O último homem a desmontar e a montar novamente o fuzil vai...". Ele pensa e dá de ombros. "Bom, ainda não sei. Só sei que engraçado não vai ser." Esboça um sorriso, e alguns bajuladores entre nós riem da brincadeira patética. "Cabo Wells, faça a contagem regressiva, sim?"

Wells procede ao "Três-dois-um-começar!" e, para o meu assombro, enquanto Williams e Yates lutam com os fuzis, Wolf desmonta o seu sem a menor dificuldade e volta a montá-lo em cerca de quarenta e cinco segundos. Faz-se silêncio entre os recrutas, uma grande decepção, e os seus dois adversários param um instante e o encaram com incredulidade, antes de se apressarem para terminar em segundo lugar.

Frustrado, o sargento Clayton olha fixamente para Wolf. Sem dúvida alguma, ele fez o que lhe fora exigido e executou a tarefa em ótimo tempo; é simplesmente impossível puni-lo por isso: seria injusto e todos os homens o perceberiam. Noto que Will não consegue dissimular o sorriso e, apesar de um pouco tímido, parece estar a ponto de aplaudir, mas, por sorte, consegue se conter.

"Acho assombroso", diz enfim o sargento Clayton com aparente sinceridade, "que um homem que tem medo de lutar seja tão hábil com um fuzil."

"Eu não tenho medo de lutar", replica Wolf com um suspiro de exasperação. "Só não dou muita importância a isso."

"Você é um covarde. Vamos pelo menos dar nome aos bois", diz Clayton.

Wolf sacode os ombros, um gesto deliberadamente provocador, e o sargento pega o fuzil das mãos de Yates, verifica que está descarregado e torna a dirigir-se a Moody. "Vamos tentar mais uma vez", anuncia. "Wolf e eu vamos competir. O que você acha, Wolf? Encara o desafio? Ou será que isso também fere as suas convicções morais tão requintadas?"

Wolf não diz nada, limita-se a balançar a cabeça e, um instante depois, Moody entoa mais um "Três-dois-um-começar!", e dessa vez não há dúvida quanto a quem será o vencedor. O sargento Clayton desmonta e remonta o fuzil numa velocidade que chega a ser admirável. Muitos homens o aplaudem, mas eu contribuo com a barulheira embaraçosa apenas com uma palmada superficial. Ele se volta e olha para nós, encantado com a sua vitória, e sorri para Wolf com tanto orgulho que eu me dou conta de como esse homem é na verdade infantil, pois a única coisa que fez foi derrotar um recruta numa atividade que pratica diariamente há anos. Não há nenhuma vitória nisso. Aliás, o próprio desafio foi vergonhoso.

"E então, Wolf", diz, "o que você acha?"

"Acho que o senhor maneja o fuzil melhor do que eu chegarei a manejá-lo um dia", responde ele, terminando de montar o Sorridente e voltando à sua posição na fila, ao lado de Will, que estende a mão por trás dele e lhe dá uma palmada de felicitações nas costas. Todavia, o sargento Clayton não consegue decidir se o comentário de Wolf foi um elogio ou uma afronta e, depois de nos dispensar, fica sozinho no pátio, coçando a cabeça e, sem dúvida, perguntando-se quando terá uma nova oportunidade de punir Wolf por alguma infração flagrante.

O dia em que as nossas fardas finalmente chegam é o mesmo em que Will e eu somos escalados como sentinelas, e ficamos de pé junto ao portão do quartel no ar frio da noite, entusiasmados com o uniforme novo em folha. Todos os homens da tropa receberam um par de botas novas, duas grossas camisas cinzentas sem colarinho e uma calça cáqui que chega bem acima da cintura e fica presa por um belo suspensório. As meias são grossas e eu acredito que, pelo menos desta vez, os meus pés passarão a noite aquecidos. Nós dois também recebemos um sobretudo pesado e, vestidos com esse belo conjunto de roupas novas, Will e eu, lado a lado, esquadrinhamos pacientemente a vastidão à espera da improvável aparição de um batalhão alemão sobre um morro em pleno Hampshire.

"O meu pescoço está doendo", diz Will, puxando a camisa para afastá-la da pele. "Este material de merda é muito áspero, não acha?"

"É, mas a gente acaba se acostumando."

"Quando já tivermos uma marca permanente no pescoço. Vamos imaginar que somos aristocratas na Revolução Francesa mostrando à madame Guilhotina o lugar em que se deve cortar a nossa cabeça."

Eu rio um pouco, observando o ar que exalo se condensar à minha frente. "Em todo caso, é mais quente do que a roupa que a gente usava antes", digo depois de algum tempo. "Eu temia ter de passar mais uma noite de sentinela com a roupa de civil."

"Eu também. Mas e o pobre Wolf? Você já viu coisa mais sacana?"

Eu penso antes de responder. Naquele dia, ao distribuir as fardas, Wells e Moody deram a Wolf uma camisa muito grande e uma calça justa demais. Ele ficou parecendo um palhaço e a tropa toda, com exceção de Will, chorou de rir quando Wolf as vestiu e se expôs à nossa zombaria. Eu só não me entreguei àquela histeria porque não queria que Will pensasse mal de mim.

"Ele mesmo provoca essas situações", digo, frustrado com a necessidade constante do meu amigo de defender Wolf. "Puxa vida, por que você sempre fica do lado dele?"

"Porque ele está conosco, é do nosso regimento", explica Will, como se isso fosse a coisa mais óbvia do mundo. "Ou seja, como se chama aquilo em que o sargento Clayton falou outro dia? *Espert*... como é? *Espert* não sei o quê?"

"*Esprit de corps*."

"Pois é. A ideia de que um regimento é um regimento, um objeto singular, uma unidade, não um grupo de homens desarticulados que rivalizam por diferentes níveis de atenção. Wolf pode ser malquisto entre os soldados, mas isso não é motivo para tratá-lo como uma espécie de monstro. Quer dizer, ele está aqui, não está? Não fugiu nem se escondeu, sei lá, nas montanhas da Escócia ou num fim de mundo qualquer. Podia ter escapado e ficado escondido até o fim da guerra."

"Ele é malquisto porque quer", explico. "Você não está tentando dizer que concorda com as bobagens que ele diz, está? Com as maluquices que ele defende?"

"O cara tem razão em muita coisa", responde Will em voz baixa. "Oh, eu não estou dizendo que acho que devemos erguer as mãos e nos declarar opositores de consciência, que devemos voltar para casa e nos enfiar na cama. Não sou burro a ponto de pensar que seria uma boa ideia. O país mergulharia no caos. Mas, puta merda, ele tem direito à sua opinião, não tem? Tem o direito de ser ouvido. Aqui não falta quem seja capaz de fugir na primeira oportunidade, mas ele não fugiu, e eu o admiro por isso. Tem a coragem de estar aqui e treinar com o resto da tropa enquanto espera o resultado do julgamento. Se é que um dia vão lhe dizer. E a consequência é que ele fica à mercê do abuso e do comportamento desprezível de um bando de idiotas que não têm a capacidade de pensar que, de fato, matar outro ser humano não é coisa que se faça por capricho, e sim um crime mais grave, que contraria a ordem natural das coisas."

"Eu não sabia que você era tão utópico, Will", digo com sarcasmo.

"Não me inferiorize, Tristan", retorque ele. "Eu simplesmente não gosto do modo como o tratam, só isso. E vou repetir se for necessário: o cara tem razão em muita coisa."

Não digo nada, apenas olho para a frente e aperto os olhos como se tivesse percebido algo se mover no horizonte, embora, é claro, os dois saibamos perfeitamente que não vi nada. Não quero continuar essa conversa. Não quero discutir. A verdade é que concordo com o que Will diz; o que me incomoda é o fato de ele ver em Wolf um sujeito digno de respeito e até de admiração, enquanto, para ele, eu não passo de um amigo para matar o tempo, um sujeito que conversa com ele antes de dormir e lhe faz companhia quando temos uma atividade em comum, na qual geralmente empatamos em termos de velocidade, força e capacidade, os três fatores que, segundo o sargento Clayton, distinguem os soldados britânicos dos seus equivalentes alemães.

"Olhe, desculpe", digo depois de um prolongado silêncio. "Eu gosto de Wolf, sinceramente. Só preferia que ele não fizesse tanto barulho por nada."

"Não vamos mais falar nisso", diz Will, soprando ruidosamente nas mãos, mas me agrada notar que não o diz em tom agressivo. "Não quero discutir com você."

"Ora, eu também não quero. Você sabe como a sua amizade é importante para mim." Ele se vira para me olhar e eu o ouço respirar fundo. Morde o lábio, parece prestes a dizer alguma coisa, mas desiste e desvia a vista.

"Olhe, Tristan", diz depois de um momento, mudando de assunto acintosamente, "aposto que você não adivinha que dia é hoje."

Eu penso um pouco e logo descubro: "O seu aniversário", digo.

"Como você sabe?"

"Foi um chute."

"Então o que vai me dar de presente?", pergunta ele, abrindo aquele sorriso de covinhas que tem o poder de dissolver todos os meus outros pensamentos. Eu me inclino e lhe dou um soco no antebraço.

"Isto", digo enquanto ele grita fingindo sentir dor e esfrega a região machucada, e eu retribuo o sorriso antes de olhar para o outro lado.

"Bom, feliz aniversário, porra", digo, imitando o nosso querido cabo Moody.

"Muito obrigado, porra", ele responde rindo.

"Quantos anos você está fazendo?"

"Você sabe muito bem, Tristan. Afinal, sou apenas alguns meses mais velho que você. Dezenove."

"Dezenove anos e nunca beijou", digo sem atinar com as palavras e alheio ao fato de que, na verdade, ele não é alguns meses mais velho, mas quase um ano e meio. Era uma frase que a minha mãe costumava repetir sempre que alguém dizia sua idade. Eu não tive nenhuma outra intenção ao dizê-la.

"Que história é essa?", dispara ele, olhando para mim com um misto de sorriso e voz ofendida. "Eu já beijei, sim. Você ainda não?"

"Claro que já", respondo. Afinal de contas, beijei Sylvia Carter. E ainda houve um outro beijo. Dois grandes desastres.

"Se eu estivesse em casa", diz Will, prolongando muito as palavras, como costumamos brincar sempre que estamos de plantão juntos, "imagino que hoje à noite os meus pais iam dar uma festa para mim e convidar toda a vizinhança para me cobrir de presentes."

"Muito chique. Eu seria convidado?"

"Claro que não. Na nossa casa só entra a nata da sociedade. Como você sabe, o meu pai é vigário, tem uma reputação a preservar. Não podemos deixar qualquer pé-rapado passar por nossa soleira."

"Bom, nesse caso, eu esperaria do lado de fora. Ficaria de guarda como nós dois aqui. Isso nos lembraria esta porcaria de lugar. E eu não deixaria ninguém entrar."

Will ri, mas não diz nada, e eu me pergunto se a minha sugestão lhe pareceu um tanto excessiva.

"Uma pessoa você teria de deixar entrar", diz ele depois de algum tempo.

"É? Quem?"

"Ora essa, Eleanor, é claro."

"Você não disse que sua irmã se chamava Marian?"

"Disse. Mas o isso não tem nada a ver com ela."

"Não, eu só pensei...", balbuciei, confuso. "Bom, quem é Eleanor então, já que não é a sua irmã? O labrador da família, ou o quê?", pergunto, rindo.

"Não, Tristan", ele também ri. "Nada disso. Eleanor é a minha noiva. Eu já falei nela, não?"

Eu me volto e o encaro. Sei muito bem que Will nunca me falou nela e vejo pela sua expressão que ele também o sabe. Parece ter dito isso de propósito.

"Sua noiva? Você vai se casar?"

"Bem, de certo modo", diz ele, e eu penso detectar certo constrangimento, remorso até, em sua voz, mas não tenho certeza se isso não passa de imaginação minha. "Quer dizer, nós namoramos há muito tempo. E já falamos em casamento. A família dela se dá bem com a minha, sabe, e imagino que isso sempre esteve previsto. Ela é uma garota fantástica. E nada convencional, se é que você me entende. Eu não suporto garotas convencionais, e você Tristan?"

"Não", respondo, enfiando o bico da bota na terra e remexendo-a, imaginando por um momento que o chão é a cabeça de Eleanor. "Não, elas me dão vontade de vomitar."

Não tenho certeza do que Will quer dizer quando afirma que Eleanor não é convencional, a formulação me parece estranha, mas então recordo que ele me contou que o acusam de roncar muito, e a frase me ataca como uma víbora quando eu percebo exatamente o que ele acaba de dizer.

"Quando isto aqui terminar, eu a apresento a você", diz Will alguns momentos depois. "Tenho certeza de que vai gostar dela."

"Eu também tenho", digo, assoprando as mãos. "Tenho certeza de que ela é uma delícia, porra."

Ele vacila um instante antes de se virar para mim. "O que significa isso?", pergunta depressa.

"O quê?"

"O que você disse: 'Tenho certeza de que ela é uma delícia, porra.'"

"Não ligue", peço, sacudindo a cabeça com raiva. "É que eu estou morrendo de frio. Você não está congelando, Bancroft? Acho que esta farda nova não é tão boa quanto alardeiam."

"Já disse para você não me chamar assim", dispara ele. "Eu não gosto."

"Desculpe, Will."

Uma tensão desagradável se instala entre nós, e passamos cinco minutos, talvez dez, sem falar. Eu espremo o cérebro em busca de palavras, mas não acho nada para dizer. A ideia de Will envolvido há sei lá quanto tempo com essa sirigaita, a tal Eleanor, me tortura e a única coisa que eu quero é voltar para a minha cama e enterrar a cabeça no travesseiro, esperando pegar no sono o mais depressa possível. Não consigo imaginar o que passa pela cabeça de Will, mas agora está tão calado que creio que também se sente embaraçado e, ao mesmo tempo, tento e evito analisar a causa disso.

"Você não tem uma namorada lá na sua terra?", pergunta ele enfim, palavras que pretendem ser amáveis, mas não soam assim.

"Você sabe que não", respondo com frieza.

"Ora, como eu vou saber? Você nunca disse que sim nem que não."

"Porque, se tivesse, eu teria contado."

"Eu nunca falei da Eleanor", contrapõe Will. "Pelo menos é o que você diz."

"Nunca mesmo."

"É que eu não gosto de imaginá-la sozinha em Norwich, com saudade de mim." Ele o diz como um gracejo destinado a suavizar a atmosfera desagradável do momento, mas não adianta. Isso só o faz parecer petulante e arrogante, e isso é o oposto do que ele deseja. "Você sabe que alguns dos nossos camaradas são casados?", prossegue, e eu olho para ele, interessado pelo menos por isso.

"É? Eu não sabia. Quem?"

"Shields, por exemplo. E Attling. Taylor também."

"Taylor? Que maluca se casaria com Taylor? Ele parece um troglodita."

"Pois uma maluca se casou. Foi no verão passado, ele me contou."

Eu dou de ombros e finjo que nada disso me interessa.

"Deve ser delicioso ser casado", diz ele então, com voz sonhadora. "Imagine voltar toda noite para casa e encontrar os chinelos esquentando ao pé da lareira e um jantar quentinho à sua espera!"

"É o sonho de todo homem", retruco com azedume.

"Sem falar no resto", acrescenta ele. "Na hora que você quiser. Não dá para negar que isso vale muito a pena."

"O resto?", pergunto, fazendo-me de bobo.

"Você sabe do que eu estou falando."

Faço que sim. "Sei. Claro, eu sei no que você está falando. Em sexo."

Ele ri e balança a cabeça. "Exatamente, em sexo. Mas você fala nisso como se fosse uma coisa terrível. Como se cuspisse a palavra, horrorizado."

"Eu?"

"É."

"Ora, não é bem assim", digo com arrogância. "É que eu penso que não convém conversar sobre certos assuntos, só isso."

"Não no meio de um sermão do meu pai, talvez. Ou na frente da minha mãe e suas amigas no jogo de uíste das terças-feiras. Mas aqui? Não seja tão carola."

"Não me chame de carola. Não admito ser insultado."

"Ora, eu não quis ofendê-lo", desculpa-se Will. "Aliás, por que você leva tudo a mal?"

"Quer mesmo saber? Se você quiser, eu conto."

"Claro que quero. Do contrário, eu não teria perguntado."

"Então está bem. Faz quase seis semanas que nós estamos aqui, não?"

"Sim."

"E eu pensei que nós fôssemos amigos, você e eu."

"Mas nós somos amigos, Tristan", ele diz, rindo com nervosismo, embora não haja nada de engraçado. "Por que acha que não?"

"Talvez porque, nessas seis semanas, você nunca me tenha contado que tem uma noiva à sua espera em casa."

"Ora, você nunca me contou se... se...". Ele se esforça para concluir a frase. "Sei lá. Se prefere viajar de trem ou de barco. Isso simplesmente nunca veio à baila."

"Pare de falar besteira. Eu fiquei surpreso, só isso. Pensei que você confiasse em mim."

"Eu confio. Afinal, você é o melhor cara daqui."

"Você acha?"

"Claro que acho. A gente precisa de um amigo num lugar como este. E ainda mais no lugar aonde vamos depois. E você é meu amigo, Tristan. O melhor que eu tenho. E não está com ciúme, está?", acrescenta Will, rindo-se da ideia absurda. "Você fala que nem Eleanor, sabe? Ela vive implicando comigo por causa de outra garota, Rebecca, que ela jura que está apaixonada por mim."

"É claro que eu não estou com ciúme", digo, cuspindo, frustrado. Santo Deus, agora há uma Rebecca metida na história. "Por que eu ia ficar com ciúme dela, Will? Que disparate." Quero dizer mais. Estou desesperado para dizer mais. Mas sei que não posso. Sinto que estamos à beira de um precipício. E, quando ele me olha nos olhos e engole em seco, tenho certeza de que sente a mesma coisa. Eu posso avançar até o abismo e ver se Will estende a mão para me segurar, mas também posso recuar. "Ah, esqueça o que eu disse", digo enfim, sacudindo rapidamente a cabeça como para arredar qualquer pensamento indigno. "Eu fiquei magoado porque você não me falou nela, só isso. Não gosto de segredos."

Uma breve pausa.

"Mas não era segredo", diz Will com calma.

"Ora, pouco importa. Vamos esquecer, está bem? É que eu estou cansado. Nem sei o que estou dizendo."

Ele dá de ombros e desvia o olhar. "Nós dois estamos cansados. Nem sei por que estamos brigando."

"Nós não estamos brigando", digo com firmeza, encarando-o, sentindo as lágrimas brotarem, pois prefiro a morte a brigar com ele. "Nós não estamos brigando, Will."

Ele se aproxima e me encara, então roça delicadamente a mão no meu braço, seguindo-a com os olhos como se ela agisse independentemente da sua vontade e ele não soubesse até onde ela vai chegar.

"É que eu a conheço desde pequena", explica. "Acho que nós sempre acreditamos ter sido feitos um para o outro."

"E são?", pergunto, o coração batendo com tanta força que estou convencido de que Will, que continua roçando o meu braço, vai ouvi-lo. Ele ergue os olhos para mim, e em seu rosto se estampa uma mescla de confusão e tristeza. Abre a boca para dizer algo, titubeia e, enquanto isso, nossos olhos permanecem três, quatro, cinco segundos presos um ao outro, e tenho certeza de que um de nós vai dizer ou fazer alguma coisa, mas eu dependo dele, pois não posso me arriscar a fazê-lo e, agora, penso fugazmente que ele pode, mas vejo que desiste com igual rapidez e desvia a vista, sacudindo o braço como se o quisesse arrancar do corpo, praguejando com exasperação.

"Puta que pariu, Tristan", sussurra, afastando-se de mim e desaparecendo na escuridão, e eu ouço as pisadas das suas botas novas quando ele contorna o quartel à procura de um intruso qualquer em quem possa descarregar a agressividade que sente.

As minhas nove semanas em Aldershot se aproximam do fim e, pela primeira vez desde que cheguei, eu desperto em plena madrugada. Vamos nos formar daqui a trinta e seis horas, mas o que me interrompe o sono não é a ansiedade com o que aguarda nosso regimento quando formos oficialmente soldados. É o barulho de uma comoção abafada que vem do outro lado do quarto. Levanto a cabeça do travesseiro e os ruídos desaparecem durante um ou dois segundos, depois voltam com mais força: uma inquietante reverberação de arrastar e chutar, então um som de "psiu!", uma porta que se abre e se fecha e o silêncio outra vez.

Abro um pouco mais os olhos e vejo Will, que dorme na cama vizinha, um braço nu dobrado sobre o corpo, os lábios ligeiramente entreabertos, o denso cabelo escuro caindo-lhe sobre a testa e os olhos. Murmurando alguma coisa no sono, ele o afasta com os dedos e se vira.

E eu torno a adormecer.

No exercício da manhã seguinte, o sargento Clayton manda-nos entrar em forma e nós nos transformamos imediatamente em uma aberração para ele, pois o terceiro lugar da segunda fila está vazio, falta uma pessoa, um soldado fujão. É a primeira vez que isso acontece desde que desembarcamos do trem em abril.

"Eu tenho necessidade de fazer esta pergunta," diz o sargento, "porque acredito que, se um de vocês soubesse a resposta, já teria me procurado. Mas alguém sabe onde Wolf está?"

Silêncio total entre os recrutas. Ninguém vira a cabeça como faríamos nove semanas antes. Permanecemos imóveis, olhando para a frente. Fomos treinados.

"Imaginei que não", prossegue. "Muito bem, posso lhes dizer que o nosso autoproclamado opositor de consciência sumiu. Fugiu de madrugada como o covarde que é. Nós vamos pegá-lo tarde ou cedo. Palavra que vamos. Pelo menos, é bom saber que, sexta-feira, quando vocês se formarem, não haverá nenhum covarde nas nossas fileiras."

Fico um pouco surpreso com o que ele diz, mas não levo muito a sério; não me passa pela cabeça que Wolf tenha desertado e estou certo de que cedo ou tarde ele vai voltar com uma desculpa perfeitamente plausível para sua ausência. Estou com o pensamento voltado para o que acontecerá no sábado de manhã. Seremos imediatamente levados de trem a Southampton para então fazermos a viagem noturna para a França? Estaremos no meio da coisa toda segunda-feira de manhã? Vou viver mais uma semana? Para mim, essas são preocupações muito mais prementes do que a suposta tentativa de Wolf de ganhar a liberdade.

Naquela tarde, estou em companhia de Will, caminhando do refeitório ao alojamento, quando sinto uma grande comoção adiante e vejo os homens aglomerados em grupos e conversando animadamente.

"Era só o que faltava", diz Will. "A guerra acabou e nós todos vamos voltar para casa."

"Quem você acha que ganhou?", pergunto.

"Ninguém. Todo mundo perdeu. Olhe, lá vem Hobbs."

Hobbs, tendo nos avistado, se aproxima desabalado feito um golden retriever meio acima do peso. "Onde vocês estavam?", pergunta, ofegante.

"Em Berlim, mandando o cáiser entregar os pontos", responde Will. "Por quê? Algum problema?"

"Então vocês ainda não sabem? Acharam Wolf."

"Ah", digo, meio decepcionado. "Só isso?"

"Como assim 'só isso'? Você acha pouco?"

"Onde o encontraram?", quer saber Will. "Ele está bem?"

"A uns seis quilômetros daqui", responde Hobbs. "Na floresta em que marchávamos nas primeiras semanas."

"Lá?", pergunto, surpreso, pois é um lugar desagradável, miserável, cheio de pântanos e córregos de água gelada, e faz tempo que o sargento Clayton o trocou por um terreno mais seco. "Que diabo ele foi fazer lá? Aquilo não serve de esconderijo para ninguém."

"Você é burro mesmo, hein, Sadler?", Hobbs abre um sorriso largo. "Ele não estava escondido lá. Foi *encontrado* lá. Wolf está morto."

Eu o encaro, tomado de surpresa, incapaz de compreender, pensando no horror da palavra, e a repito em voz baixa, mas agora como uma pergunta, não como uma afirmação.

"Morto? Mas como? O que aconteceu?"

"Ainda não sei a história toda. Mas estou pesquisando. Parece que o encontraram jogado de bruços num córrego, com a cabeça partida. Devia estar tentando fugir, tropeçou numa pedra no escuro e caiu de boca. Ou morreu por causa do ferimento, ou se afogou. Não que isso faça diferença; o fato é que morreu. E boa viagem para o nosso galinha-branca."

Instintivamente, eu agarro o braço de Will bem quando ele faz menção de esmurrar o rosto de Hobbs.

"O que deu em você?", pergunta este, saltando para trás, surpreso, e voltando-se para Will. "Não diga que também se alistou na tropa encardida daquele sujeito. Só espero que você não resolva amarelar bem na véspera da nossa saída daqui!"

Will ainda tenta se livrar de mim, mas eu sou tão forte quanto ele e só o solto quando sinto os seus músculos se afrouxarem e o seu braço começar a relaxar. Mas fico de olho enquanto ele continua encarando Hobbs, a raiva estampada em seu rosto, antes de dar meia-volta e se afastar pelo caminho pelo qual viemos, gesticulando indignado até desaparecer de nosso campo de visão.

Decido não o seguir, voltar para a cama e me deitar de costas, alheio ao falatório dos homens à minha volta, que inventam as teorias mais mirabolantes sobre como Wolf partiu para o além, e fico pensando exatamente nisso. Wolf morreu. Parece mais do que impossível. O cara era só um ou dois anos mais velho que eu, perfeitamente sadio, com a vida toda pela frente. Ainda ontem eu falei com ele; contou que tinha disputado uma charada de geografia com Will quando os dois estavam de guarda e que Will perdera feio.

"Ele não é a carta mais quente do baralho", disse Wolf então, fazendo com que a irritação me silenciasse. "Não sei o que você enxerga nele, não sei mesmo."

Claro que eu sei que estamos em guerra e que cada um de nós vai encarar a morte mais cedo do que deveria na ordem natural das coisas, mas ainda nem saímos da Inglaterra. Nem demos as costas para Aldershot. O nosso alojamento de vinte já caiu para dezenove, o lento e inevitável esfacelamento do grupo começou antes mesmo que terminássemos o treinamento. E todos os outros garotos riem disso, chamam-no de covarde e de galinha-branca. Teriam tanto motivo para comemorar se eu tivesse morrido? Ou Rich? Ou Will? Difícil de aguentar.

E, entretanto, sinto desprezo por mim mesmo pelo que estou pensando: embora eu já não precise ter ciúme da sua amizade com Will, Deus me perdoe, sinto certa satisfação pelo fato de ela não poder ressuscitar.

Como Will não retornou ao anoitecer, vou procurá-lo, pois faltam menos de noventa minutos para o toque de recolher. É a nossa última noite como recrutas, amanhã vamos nos formar e saber que planos o exército tem para nós e, para comemorar, nos deram folga esta noite e podemos passear à vontade, contanto que à meia-noite estejamos na cama e com a luz apagada, do contrário, Wells e Moody se encarregarão de averiguar o porquê.

Sei que alguns homens foram à aldeia próxima, onde costumávamos nos reunir no pub local, nas raras ocasiões em que nos davam liberdade. Alguns estão com as namoradas que arranjaram nas cidadezinhas vizinhas durante as semanas passadas aqui. Outros preferiram fazer longas caminhadas, talvez para ficar sozinhos com seus pensamentos. O maluco Yates disse que ia fazer sua última marcha nas montanhas para lembrar os bons tempos, e o seu ardor foi objeto da chacota impiedosa dos homens. Mas Will simplesmente desapareceu.

Primeiro dou uma olhada no pub, mas não o acho; o proprietário conta que ele esteve aqui antes e sentou sozinho num canto. Um dos fregueses, um senhor idoso, ofereceu-lhe uma caneca de chope em honra ao seu uniforme e Will recusou, considerando que o homem fazia pouco de suas credenciais, e quase houve uma briga. Eu perguntei se ele estava bêbado quando foi embora, mas disseram que não, tomou dois chopes, não mais que isso, depois se levantou e saiu sem dizer palavra.

"Que história é esse de provocar brigas por aqui?", pergunta o proprietário. "Ele que vá arranjar encrenca lá no quartel."

Eu não respondo, simplesmente dou meia-volta e saio. Passa-me pela cabeça que Will talvez tenha saído furioso com o que aconteceu com Wolf e que pretenda desertar. *Maluco idiota*, penso, porque terá que enfrentar a corte marcial se — *quando* — for pego. Mas daqui onde estou partem três caminhos diferentes e ele pode ter tomado qualquer um; só me resta voltar ao quartel na esperança de que ele tenha tido a sensatez de retornar enquanto eu estava fora.

Acontece que não preciso ir tão longe, pois a meio caminho entre o pub e o campo encontro com ele por acaso numa das clareiras do bosque, um espaço pequeno e retirado à beira de um córrego. Está sentado na margem relvada, olhando para a água ao luar e passando distraidamente um seixo de uma mão para a outra.

"Will", eu digo, correndo ao seu encontro, aliviado por saber que ele não se expôs ao perigo. "Aí está você, enfim. Eu o procurei em toda parte."

"Procurou?", pergunta ele, erguendo a vista, e o luar me

permite ver que esteve chorando; tem as bochechas riscadas de sujeira nos lugares em que tentou enxugar as lágrimas e a pele sob seus olhos está inchada e vermelha. "Desculpe", diz, virando-se para o outro lado. "Eu precisava ficar sozinho, só isso. Não queria que você se preocupasse."

"Não faz mal", digo, sentando-me ao seu lado. "Estava com medo de que você fizesse uma besteira."

"Que besteira?"

"Ora, você sabe", respondo, encolhendo os ombros. "Fugir."

Ele sacode a cabeça. "Eu não faria isso, Tristan. Pelo menos por enquanto."

"Como assim 'por enquanto'?"

"Sei lá." Will deixa escapar um suspiro profundo e esfrega a face uma vez mais antes de se voltar para mim com um sorriso triste nos lábios. "Pois é, nós chegamos", diz. "Ao fim do caminho. Será que valeu a pena?"

"Logo nós vamos saber, imagino", respondo, olhando para a água plácida. "Ou seja, quando chegarmos à França."

"Sim, à França", repete ele, pensativo. "Agora tudo pode acontecer. O sargento Clayton vai ficar decepcionado se nós todos não morrermos no cumprimento do dever."

"Não diga isso."

"Por que não? É verdade, não?"

"O sargento Clayton pode ser muitas coisas, mas não este monstro. Tenho certeza de que não quer que nenhum de nós morra."

"Não seja tão ingênuo", dispara Will. "Ele queria que Wolf morresse, quanto a isso não há dúvida. E acabou tendo o que queria."

"Wolf se matou. Talvez não de propósito, mas por causa da sua loucura. Só um idiota subiria o morro e atravessaria a floresta no meio da noite."

"Oh, Tristan." Ele sacode a cabeça e sorri para mim, e o modo lento e baixo como sussurra o meu nome lembra-me a ocasião em que me prendeu no chão depois de brincarmos de luta no alojamento. Estende a mão e bate no meu joelho, uma vez, duas e ainda mais uma vez antes de afastá-la devagar. "Às vezes, você é mesmo incrivelmente inocente. É uma das coisas que me fazem gostar de você."

"Não me trate com superioridade", digo, irritado com o seu tom de voz. "Você não sabe tanto quanto imagina."

"O que você quer que eu pense então? Afinal, você acredita que Wolf foi o autor de sua própria desgraça, não acredita? É preciso ser muito inocente para acreditar nisso. Ou muito idiota. Wolf não caiu, Tristan. Não se matou. Foi assassinado. Assassinado a sangue-frio."

"O quê?", pergunto, com vontade de rir da afirmação absurda. "Como você pode pensar uma coisa dessas? Tenha a santa paciência, ele desertou. Fugiu..."

"Não fugiu coisa nenhuma", diz Will com raiva. "Ele me contou poucas horas antes, quando ia dormir, que tinha obtido o status de opositor de consciência. O tribunal finalmente julgara o seu caso. E ele nem ia ser mandado para lá como padioleiro. Parece que era muito bom em matemática e concordou em ajudar o Ministério da Guerra e em viver em prisão domiciliar até o fim do conflito. Wolf ia para casa, Tristan. Amanhã cedo. E eis que desaparece de uma hora para outra. Que coincidência extraordinária, não acha?"

"Quem mais sabia disso?"

"Clayton, é claro. Wells e Moody, os dois cavaleiros das trevas. E alguns dos homens, imagino. A notícia tinha começado a se espalhar. Eu ouvi alguns rumores de madrugada."

"Eu não ouvi nada."

"Isso não quer dizer que não tenha acontecido."

"Então o que você está sugerindo?", pergunto. "Que o levaram para fora e o mataram?"

"É claro, Tristan. Por acaso você quer me dizer que eles não são capazes disso? Afinal, para que nós fomos treinados senão para matar outros soldados? A cor da farda não importa. Todas elas são pardas no escuro."

Eu abro a boca para responder, mas não consigo dizer uma palavra. É perfeitamente lógico. E então me lembro de ter acordado de madrugada e do barulho que ouvi, o farfalhar da roupa de cama, o lençóis sendo chutados, os cochichos e alguma coisa arrastando no chão.

"Meu Deus!", exclamo.

"Agora você sabe", diz ele com voz cansada, balançando a cabeça. "Mas o que nós podemos fazer? Nada. Já fizemos o que viemos fazer. Tratamos de ficar em forma e fortes. Treinamos a mente para acreditar que o homem diante de nós que não fala a nossa língua é um pedaço de carne que precisa ser arrancado do osso. Agora somos guerreiros perfeitos. Prontos para matar. O trabalho do sargento Clayton está concluído. Nós estamos prontos para entrar em ação, ponto final."

Ele fala com tanta raiva, com uma mistura tão intrincada de pavor, medo e hostilidade, que eu só tenho vontade de estender a mão e confortá-lo, e é o que faço. Passado um momento, Will mergulha o rosto nas suas mãos e eu percebo que está chorando. Fico ali, sem saber o que fazer, e ele ergue os olhos, tapando um lado da face com a mão espalmada para que eu não veja como está transtornado.

"Não", diz entre soluços. "Volte para o alojamento, Tristan. Por favor."

Eu tento tocá-lo. "Está tudo bem, Will. Eu não ligo. Todos nós sentimos isso. Estamos todos perdidos."

"Mas que droga!". Ele se vira para mim, engolindo em seco ao me olhar. "Santo Deus, Tristan, o que vai acontecer conosco lá? Eu estou cagando de medo, sinceramente, estou."

Estende as duas mãos, segura meu rosto entre elas e me puxa para junto de si. Em meus devaneios, quando imaginava essa cena, sempre pensei que ela ocorreria de forma oposta, eu segurando-o e ele me repelindo, denunciando-me como degenerado e falso amigo. Mas agora não fico chocado nem surpreso com a sua iniciativa, tampouco sinto a grande urgência que esperava sentir caso o momento chegasse. Pelo contrário, tudo o que ele faz comigo, tudo o que deixa acontecer entre nós, parece-me perfeitamente natural. E, pela primeira vez desde a tarde terrível em que meu pai me espancou até quase me matar, eu me sinto em casa.

RESPIRAR E ESTAR VIVO

NORWICH, 16 DE SETEMBRO DE 1919

"Senhorita Bancroft", eu disse, recolocando a pilha de guardanapos na mesa e levantando-me um pouco corado e bastante nervoso. Estendi a mão e ela a olhou, antes de tirar a luva e apertá-la de modo enérgico e formal. Senti a maciez da sua pele contra a aspereza da minha.

"Então o senhor encontrou o local?", perguntou, e eu me apressei a fazer que sim.

"Achei. Aliás, cheguei ontem à noite. Vamos nos sentar?"

Ela tirou o casaco, pendurou-o num cabide perto da porta e depois se inclinou sobre a mesa e disse em voz baixa: "Com licença, senhor Sadler. Vou lavar as mãos".

Observando-a se afastar em direção a uma porta lateral, eu concluí que aquele café devia ser o seu preferido, já que ela não teve dificuldade para localizar o toalete. Desconfiei que tivesse planejado aquela manobra: entrar, cumprimentar-me, avaliar-me, desaparecer por alguns minutos para pôr as ideias em ordem, então voltar pronta para conversar. Enquanto eu estava esperando, um jovem casal entrou conversando alegremente e, ao se sentar, deixou um intervalo de apenas uma mesa entre mim e eles; reparei numa grande marca de queimadura em um dos lados do rosto do homem e desviei a vista antes que ele me flagrasse encarando-o. No canto oposto, percebi vagamente que o sujeito que chegara antes estava olhando para mim. Tinha saído de trás do pilar e parecia me vigiar atentamente, mas quando nossos olhos se cruzaram, ele desviou a vista, e eu não voltei a pensar nele.

"Posso servir-lhe chá?", perguntou a garçonete, aproximando-se com bloquinho e caneta.

"Pode", respondi. "Ou melhor, não. Posso esperar até a minha companhia voltar? Ela não demora."

A moça concordou de bom grado e eu voltei a prestar atenção na rua lá fora, por onde ia passando um grupo de uns vinte escolares em fila dupla, cada garoto de mão dada com o vizinho para que não se perdessem. Aquilo me fez sorrir, apesar do nervosismo. Lembrou-me o tempo de escola, quando eu tinha oito ou nove anos: a nossa professora nos mandava fazer a mesma coisa e Peter e eu sempre dávamos as mãos, apertando com força, ambos decididos a não ser o primeiro a gritar e pedir que o outro o soltasse. Como era possível que isso tivesse acontecido apenas doze anos atrás, perguntei-me. Parecia que havia passado um século.

"Desculpe-me por fazê-lo esperar", pediu Marian, retornando à mesa e sentando-se à minha frente. Nesse momento, o casal olhou para nós e cochichou alguma coisa. Pensei que talvez aquele fosse um encontro clandestino e eles não quisessem que a sua conversa fosse escutada, pois se levantaram quase instantaneamente e se mudaram para uma mesa junto à parede mais distante, endereçando-nos olhares hostis enquanto se afastavam, como se nós é que os tivéssemos incomodado. Marian os observou, sua língua pressionando levemente a bochecha, depois se virou para mim com uma expressão curiosa, um misto de dor, resignação e fúria.

"Tudo bem", respondi. "Eu cheguei só dez minutos antes da senhorita."

"O senhor não disse que chegou ontem à noite?"

"Sim. No trem do fim da tarde."

"Devia ter me avisado. Nós podíamos ter nos encontrado ontem mesmo se o senhor achasse mais conveniente. E não teria de pernoitar aqui."

Eu sacudi a cabeça. "Hoje está ótimo para mim, senhorita Bancroft. Simplesmente preferi não deixar para viajar de manhã. Ainda não se pode confiar nos trens de Londres e eu não queria perder o nosso encontro caso fossem cancelados por um motivo qualquer."

"É horrível, não? Meses atrás, eu tive de ir a Londres para um casamento. Resolvi tomar o trem das 10h10, que deveria me deixar na Liverpool Street por volta de meio-dia, e sabe, só cheguei depois das duas horas. Quando eu entrei na igreja, os meus amigos já eram marido e mulher e vinham vindo pela nave em minha direção. Fiquei com tanta vergonha que tive vontade de voltar correndo à estação e tomar o primeiro trem para cá. O senhor acha que um dia as coisas vão voltar ao normal?"

"Sim, um dia."

"Quando? Eu estou ficando cada vez mais impaciente, senhor Sadler."

"Neste século não há de ser. Talvez no próximo."

"Ora, então não adianta. Nós todos já estaremos mortos até lá. Será que é demais pedir um transporte decente enquanto ainda estivermos vivos?"

Ela sorriu e olhou momentaneamente para fora, em direção à rua, por onde passava agora uma segunda delegação de escolares — meninas, agora — em igual formação militar: de duas em duas.

"Foi horrível?", disse enfim, e eu levantei os olhos, surpreso com o fato de ela fazer tão cedo uma pergunta tão pesada. "A viagem de trem", acrescentou ao notar a minha inquietação. "Conseguiu um lugar sentado?"

Era natural que falássemos sobre trivialidades no começo; claro que não podíamos ir diretamente ao motivo da minha visita. Mas foi uma sensação curiosa saber que estávamos conversando à toa, e que ela também o soubesse, e que ambos estivéssemos perfeitamente conscientes de que estávamos engajados num nível parecido de engano.

"Não foi tão ruim assim", respondi, achando graça no meu equívoco. "Encontrei-me com uma pessoa que eu conhecia vagamente. Viajamos no mesmo vagão."

"Bom, ainda bem, imagino. O senhor lê, senhor Sadler?"

"Se eu leio?"

"É. O senhor lê?"

Eu hesitei, perguntando-me se ela queria saber se eu era analfabeto. "Sim, sim", respondi com cautela. "Sim, claro que leio."

"Eu não aguento ficar no trem sem um livro. De certo modo, é uma forma de autodefesa."

"Como assim?"

"É que eu não gosto muito de conversar com desconhecidos, essa é a verdade. Oh, não fique tão preocupado, não me refiro ao senhor. Mas toda vez que estou num vagão de trem, aparece um velho solteirão disposto a elogiar o meu vestido ou o meu cabelo ou o meu bom gosto com os chapéus, e eu acho esse tipo de coisa bem frustrante e bastante arrogante. O senhor não vai me elogiar, vai, senhor Sadler?"

"Não tinha essa intenção", sorri eu outra vez. "Não entendo muito de vestidos nem de cabelo ou chapéu de mulher."

Ela me encarou e eu vi que gostou da minha observação, pois entreabriu os lábios e me ofereceu um levíssimo esboço de sorriso; era óbvio que ainda não sabia como lidar comigo.

"E, quando não é um solteirão, é uma velha terrível me interrogando sobre a minha vida, se eu sou casada ou solteira, se tenho um emprego, o que faz o meu pai, se somos parentes dos Bancroft de Shropshire, e por aí vai, senhor Sadler: uma chatice horrenda."

"Posso imaginar. Ninguém puxa conversa com um rapaz. Muito menos as moças. Os rapazes também não. Os velhos... bem, às vezes sim. Fazem perguntas."

"Pois é", disse ela num tom que me fez entender imediatamente que já não queria insistir no assunto. Tirou uma cigarreira da bolsa, pegou um cigarro e me ofereceu outro. Eu ia aceitar, mas desisti no último instante e sacudi a cabeça. "O senhor não fuma?", perguntou, espantada.

"Fumo. Mas agora não quero, se a senhora não se importar."

"Eu não me importo." Guardou a cigarreira e acendeu o cigarro num movimento rápido e fluido do polegar, do pulso e do isqueiro. "Por quê me importaria? Oh, olá, Jane, bom dia."

"Bom dia, Marian", disse a garçonete que pouco antes se dirigira a mim. "Estão prontos para fazer o pedido?"

"Já quer almoçar, senhor Sadler?", perguntou-me ela, soltando fumaça na minha cara e obrigando-me a virar a cabeça para me esquivar; abanou-a prontamente com a mão direita e virou o rosto ao dar a tragada seguinte. "Ou prefere só um chá por enquanto? Melhor o chá", disse sem esperar resposta. "Chá para dois, Jane."

"Vão comer alguma coisa?"

"Agora não. O senhor não está com pressa, está, senhor Sadler? Ou já está com fome? Tenho a impressão de que os rapazes vivem com fome hoje em dia. Pelo menos os que eu conheço."

"Não, eu estou bem", respondi, perturbado com a sua brusquidão; estaria fazendo tipo ou esse era o seu jeito de ser?

"Então só chá por enquanto. Mais tarde pedimos outra coisa. A propósito, como vai Albert? Melhorou?"

"Melhorou um pouco", sorriu a garçonete. "O médico disse que vai tirar o gesso daqui a mais ou menos uma semana. O coitadinho mal pode esperar. Aliás, nem eu. Ele sente muita coceira e quase põe a casa abaixo de tanto se queixar. Eu lhe dei uma agulha de tricô para ajudá-lo a se coçar, sabe, mas fiquei com medo de que a enfiasse com muita força e se machucasse. Por isso a tomei de volta, mas agora ele não para de reclamar."

Marian sacudiu a cabeça. "Que chatice. Ainda bem que falta só uma semana."

"É. E o seu pai, vai bem?"

Marian fez que sim e deu mais uma tragada no cigarro,

sorrindo e desviando o olhar, dando a entender que Jane estava dispensada e que a conversa íntima tinha chegado ao fim.

"Vou buscar o chá", disse a garçonete, entendendo perfeitamente e afastando-se.

"Uma história tristíssima", contou Marian, aproximando o rosto quando a garçonete já não nos podia ouvir. "É o marido dela, sabe? Faz poucos meses que se casaram. Há cerca de seis semanas, ele estava consertando umas telhas e caiu do telhado. Quebrou a perna. E acabava de se recuperar de um braço quebrado um mês antes. Ossos fracos, imagino. Afinal, ele não caiu de uma altura tão grande."

"Marido dela?", surpreendi-me. "Vocês pareciam falar de uma criança."

"Bom, ele é meio criança mesmo." Marian sacudiu os ombros. "Não gosto muito desse homem, vive aprontando, mas Jane é um encanto. Costumava brincar comigo e...". Calou-se e baixou a cabeça como se não pudesse acreditar no que estava prestes a dizer. Deu a última tragada no cigarro ainda pela metade e o esmagou no cinzeiro. "Chega", decidiu. "Sabe, eu estou pensando seriamente em largar isto."

"É mesmo? Algum motivo particular?"

"Ora, a verdade é que já não gosto de fumar como antigamente. E não posso imaginar que faça bem. Encher os pulmões de fumaça todo santo dia. Pensando bem, não parece uma coisa muito sensata."

"Duvido que faça mal. Todo mundo fuma."

"O senhor não."

"Eu fumo. Só não estou com vontade agora."

Ela acenou com a cabeça e estreitou os olhos como se me avaliasse. Ficamos algum tempo calados, e tive a oportunidade de examiná-la mais detidamente. Era mais velha que Will e eu, devia beirar os vinte e cinco, imaginei, mas não havia aliança no seu dedo, de modo que julguei que ainda fosse solteira. Não se parecia muito com o irmão; ele era moreno, tinha um ar atrevido, estava sempre pronto para piscar ou rasgar um sorriso, mas ela era bem mais clara, quase tanto quanto eu, de pele muito lisa, sem uma mancha sequer. Seu cabelo estava arrumado de maneira apropriada e asseada, cortado à altura da linha do queixo, num estilo isento de qualquer vaidade. Era muito bonita — linda, eu diria — e usava apenas um batom leve que, aliás, podia ser a sua cor natural. Imaginei que não fossem poucos os rapazes capazes de perder a cabeça por ela ou sacrificar-se por ela.

"Então", disse depois de um momento. "Onde passou a noite?"

"Na pensão da senhora Cantwell."

"Cantwell?", repetiu ela, enrugando a testa enquanto pensava, e eu engoli em seco. *Então era lá que ele estava!* Foi essa a sua expressão. "Eu não a conheço, conheço? Onde fica?"

"Pertinho da estação. Junto à ponte."

"Ah, sim. Há várias pensões por lá, não?"

"É, acho que sim."

"A gente nunca conhece as pensões na cidade em que mora."

"Não", disse eu, balançando a cabeça. "Não, creio que não."

"Quando eu vou a Londres, fico num estabelecimento muito bom na Russell Square. De uma irlandesa chamada Jackson. Ela bebe, é claro. Litros e litros de gim. Mas é educada, tem quartos limpos, não se mete com a minha vida e para mim isso basta. O café da manhã é intragável, mas isso é o de menos. Conhece a Russell Square, senhor Sadler?"

"Conheço. Eu trabalho em Bloomsbury. Morava no sul de Londres. Agora moro ao norte do rio."

"E não pretende se mudar para o centro?"

"Por enquanto não. É caríssimo, sabe, e eu trabalho numa editora."

"E ela não tem dinheiro?"

"Para mim, não", sorri eu.

Marian também sorriu e olhou para o cinzeiro, e eu pensei

que estava arrependida de ter apagado o cigarro, pois parecia ansiosa por ter o que fazer com as mãos. Voltou-se para o balcão, no qual não havia sinal do chá e, aliás, tampouco garçonete. O senhor idoso que estava presente quando cheguei também havia desaparecido.

"Eu estou com sede", disse ela. "Por que tanta demora?"

"Ela já volta, tenho certeza."

Na verdade, estava começando a me sentir incomodado e me perguntei por que diabos havia decidido encontrá-la. Era evidente que nenhum dos dois se sentia confortável na companhia do outro. Eu estava calado e contribuía pouco para a conversa, a não ser com respostas breves e tímidos comentários, ao passo que a srta. Bancroft — Marian — parecia um feixe de energia nervosa, passando de um tema para outro sem pensar nem hesitar. Não acreditei em nenhum momento que ela fosse realmente assim; aquilo fazia parte do nosso encontro. Não se sentia à vontade para ser ela mesma.

"Isto aqui geralmente funciona bem", disse, sacudindo a cabeça. "Devo lhe pedir desculpas."

"De jeito nenhum."

"Ainda bem que não pedimos comida, não é? Meu Deus, nós só queríamos duas xícaras de chá. Mas o senhor deve estar morrendo de fome, senhor Sadler. Já comeu? Os jovens são tão vorazes."

Eu a fitei, sem saber se ela se lembrava de já ter feito esse mesmo comentário, mas parecia curiosamente esquecida disso.

"Eu tomei o café da manhã", respondi pouco depois.

"Na pensão da senhora Cantwell?"

"Não, não. Em outro lugar."

"Ah, é?". Marian se inclinou, interessadíssima. "Onde foi? Era um lugar agradável?"

"Não me lembro. Acho que..."

"Há muitos bons restaurantes em Norwich. O senhor deve nos achar terrivelmente provincianos, incapazes de servir boa comida. É o que todo mundo pensa em Londres, não?"

"De modo algum, senhorita Bancroft. Aliás..."

"Claro que o senhor devia ter me perguntado. Se eu soubesse que chegaria na véspera, bem, nós podíamos tê-lo convidado para jantar."

"Eu não queria dar trabalho."

"Ora, que trabalho?", disse ela em tom quase ofendido. "Por Deus, só mais uma pessoa à mesa. Que trabalho daria? O senhor não queria jantar conosco, senhor Sadler? Era isso?"

"Bem, nem cheguei a cogitar", respondi, agora muito agitado. "Estava cansado quando cheguei a Norwich. Fui diretamente para a pensão e caí na cama." Preferi não mencionar a espera do quarto nem o motivo dessa espera; tampouco falei na visita ao bar.

"Nada mais natural. É tão cansativo viajar de trem. Eu gosto de levar um livro para ler. O senhor lê, senhor Cantwell?"

Eu a encarei e cheguei a abrir a boca, mas não consegui pronunciar uma palavra. Foi como se me tivessem lançado numa situação que eu imaginei que seria absolutamente insuportável, mas só agora tinha a real dimensão de como era ruim. A ironia estava em que eu já sabia que aquele encontro seria difícil para mim, mas não tinha pensado em como seria terrível para ela. No entanto agora, sentada à minha frente, Marian Bancroft estava reduzida a uma pilha de nervos e parecia piorar a cada instante.

"Ai, meu Deus, eu já lhe perguntei isso, não?", disse ela com uma gargalhada extraordinária. "O senhor me contou que gosta de ler."

"Contei. E eu me chamo Sadler, não Cantwell."

Marian enrugou a testa. "Eu sei. Por que diz isso?"

"A senhora me chamou de senhor Cantwell."

"Chamei?"

"Sim. Agora há pouco."

Ela sacudiu a cabeça, ignorando o comentário. "Duvido que eu tenha feito isso, senhor Sadler. Mas não importa. O que o senhor estava lendo?"

"No trem?"

"Sim, claro", disse ela com certa frustração na voz, olhando para os lados e encarando a garçonete atrás do balcão, que arrumava bolinhos em dois pratos para o casal que se havia mudado para um lugar mais isolado, e não dava sinal de que pretendesse nos trazer o chá.

"*Caninos Brancos*. De Jack London. Já leu?"

"Não. É um escritor americano?"

"É. Mas a senhora o conhece?"

"Nunca ouvi falar. Só achei que o nome devia ser americano."

"Mesmo chamando-se London?", perguntei com um sorriso.

"Mesmo assim, senhor Cantwell."

"Sadler."

"Ora, pare com isso!", disparou ela com expressão fria e irritada, batendo as mãos espalmadas na mesa entre nós. "Não me corrija. Isso eu não tolero."

Eu a encarei sem saber o que dizer ou fazer para contemporizar; não podia entender qual tinha sido o meu erro. Talvez ter pego papel e caneta e escrito *Cara senhorita Bancroft, A senhora não me conhece [...] mas eu era amigo do seu irmão*. Ou quem sabe antes disso. Na França. Ou antes ainda. Naquele dia em Aldershot em que me inclinei na fila e procurei os olhos de Will. Ou ele procurou os meus.

"Desculpe", disse, engolindo em seco, nervoso. "Não tive intenção de ofendê-la."

"Mas me ofendeu. O senhor me ofendeu. E eu não gosto disso. O seu nome é Sadler. Tristan Sadler. Não precisa ficar repetindo o tempo todo."

"Desculpe."

"E pare de pedir desculpas, isso é terrivelmente chato."

"Desc...", eu me interrompi a tempo.

"Sei, sei." Ela se pôs a tamborilar na mesa e tornou a olhar para o cigarro no cinzeiro, e eu entendi que estava avaliando se seria adequado pegá-lo, raspar a ponta apagada e reacendê-lo. Também olhei para ele; havia mais da metade, um desperdício horrendo, sem dúvida. Na guerra, um cigarro pela metade significava quase tanto para nós quanto uma noite a sós num esconderijo, com a promessa de algumas horas de sono. Tinha perdido de vista o tempo em que eu usava a mais ínfima quantidade de fumo, uma porção que qualquer pessoa sã jogaria na rua sem pensar duas vezes, como uma companheira pelo tempo que durasse.

"O que a... o que a senhora gosta de ler, senhorita Bacroft?", perguntei enfim, desesperado para salvar a situação. "Romances talvez?"

"Romances por quê? Porque eu sou mulher?"

"Acho que sim. Quer dizer, sei que muitas mulheres gostam de ler romances. Eu também gosto."

"E você é homem."

"De fato."

Ela sacudiu a cabeça. "Não, eu não gosto de romances. Para ser franca, nunca os entendi."

"Como assim?", perguntei, sem saber em que sentido o conceito de um romance poderia ser difícil de entender. Claro, havia escritores que contavam histórias da maneira mais intrincada possível — muitos dos quais enviavam manuscritos espontaneamente à Whisby Press, por exemplo —, mas havia outros, como Jack London, que ofereciam aos leitores um alívio tão grande dos tristes horrores da existência que os seus livros eram como verdadeiras dádivas dos deuses.

"Porque essas histórias nunca aconteceram. Não sei para que ler sobre gente que nunca existiu, fazendo coisas que nunca fizeram em lugares em que nunca estiveram. E no fim, Jane Eyre se casa com o senhor Rochester. Ora, Jane Eyre nunca existiu, nem o senhor Rochester, ou a mulher selvagem que ele prendia no porão."

"No sótão", disse eu pedantemente.

"Pouco importa. É um absurdo, não acha?"

"Acho que é mais uma evasão do que qualquer outra coisa."

"Eu não preciso de evasões, senhor Sadler", disse ela, enfatizando o meu nome para assegurar que o sabia bem. "E, se precisasse, compraria uma passagem para um lugar quente e exótico em que pudesse me envolver com espionagem ou numa intriga romântica, como as heroínas dos seus preciosos romances. Não, prefiro ler sobre coisas verdadeiras, reais, coisas que realmente aconteceram. Geralmente leio não ficção. Livros de história. Política. Biografias. Essas coisas."

"Política?", perguntei, surpreso. "A senhorita se interessa por política?"

"Claro que me interesso. Acha que eu não devia? Por causa do meu sexo?"

"Não sei, senhorita Bancroft", disse eu, exausto com sua beligerância. "Eu só... eu só estou conversando. Pode se interessar por política, se quiser. Pouco importa." Senti que não podia continuar assim. Discutir com ela ia além do que eu me sentia capaz de fazer. Havia menos de quinze minutos que estávamos juntos, mas me pareceu que estar casado com alguém deveria ser exatamente assim, um constante vaivém de brigas, os dois sempre atentos a qualquer comentário na conversa que pudesse ser corrigido, qualquer coisa que servisse para tomar a dianteira, tirar proveito, ganhar a jogada e vencer a maldita partida sem ceder um ponto.

"Claro que importa, senhor Sadler", retrucou ela depois de algum tempo, agora mais calma, como se percebesse que tinha ido longe demais. "Importa porque o senhor e eu não estaríamos aqui se não fosse a política, estaríamos?"

Eu olhei para ela e hesitei um momento. "Não", concordei, encolhendo os ombros. "Não, acho que não."

"Pois então." Ela abriu novamente a bolsa à procura da cigarreira; mas esta lhe escapou da mão e caiu, fazendo um barulho tremendo e espalhando cigarros no chão, exatamente da mesma forma com que eu derrubei os guardanapos pouco antes de ela chegar. "Ah, mas que inferno!", exclamou. "Olhe só o que eu fiz agora."

A garçonete Jane se aproximou instantaneamente e se agachou para ajudar a pegá-los, mas com isso cometeu um erro, pois a srta. Bancroft estava irritadíssima e nela cravou um olhar tão furioso que eu pensei que fosse atacá-la.

"Pode deixar, Jane!", gritou. "Eu recolho os cigarros. Quer fazer o favor de servir o nosso chá? Será que é demais pedir duas xícaras de chá?"

A chegada do chá proporcionou uma trégua à intensidade da nossa conversa, permitindo-nos passar alguns minutos ocupados com uma trivialidade, sem a obrigação de falar. Marian estava evidentemente num estado de grande tensão e ansiedade. No meu egoísmo, eu só levara em conta as minhas preocupações antes daquele encontro, mas, afinal de contas, Will era irmão dela. E tinha morrido.

"Desculpe, senhor Sadler", disse depois de um prolongado silêncio, colocando a xícara no pires e sorrindo para mim com expressão contrita; uma vez mais, fiquei impressionado com a sua beleza. "Às vezes eu me transformo numa bruxa horrenda."

"Não precisa pedir desculpas, senhorita Bancroft. É claro que nós dois... Bem, esta não é uma situação particularmente confortável."

"Não", concordou ela. "Talvez seja mais fácil se nós dispensarmos certas formalidades. Posso lhe pedir que me chame de Marian?"

"Claro", assenti. "E eu sou Tristan."

"Um cavaleiro da távola-redonda?"

Eu sorri. "Não exatamente."

"Não faz mal. Que bom que estamos livres disso. Eu não suportaria continuar sendo chamada de senhorita Bancroft. Faz com que me sinta uma solteirona." Ela titubeou, mordeu o lábio, então voltou a falar em um tom menos frívolo. "Acho que devia lhe perguntar por que você me escreveu."

Eu temperei a garganta; a hora tinha chegado, enfim. "É o que eu disse na carta: estou com uma coisa de Will..."

"As minhas cartas?"

"É. E achei que você talvez as quisesse de volta."

"Muito gentil da sua parte pensar em mim."

"Sei que ele queria que eu as devolvesse", expliquei. "Pareceu-me correto."

"Não tenho intenção de criticá-lo, mas você ficou muito tempo com elas."

"Garanto que nunca abri um envelope."

"Eu sei. Não duvido. Só não entendo por que demorou tanto para entrar em contato comigo."

"Eu não estava bem", disse eu.

"Sim, claro."

"E não me sentia em condições de encontrá-la."

"Perfeitamente compreensível."

Marian olhou pela janela um instante, então se voltou para mim. "A sua carta me surpreendeu mais do que você imagina. Mas eu já tinha ouvido o seu nome."

"É mesmo?", perguntei com cautela.

"É. Will escrevia sempre, sabe? Principalmente quando estava treinando em Aldershot. A cada dois ou três dias chegava uma carta dele."

"Eu me lembro. Quer dizer, lembro que ele sentava na cama com um bloco de papel e escrevia, escrevia. Os homens debochavam dele por isso, diziam que estava escrevendo poesia o algo assim, como muitos faziam, mas Will me contou que escrevia para você."

"Poesia é ainda pior que romance", observou ela, estremecendo. "Você deve me achar uma ignorante terrível. Talvez até tenha razão, a julgar pelas coisas que digo."

"De modo algum. Em todo caso, Will não ligava para o

que diziam. Escrevia o tempo todo, como você diz. As cartas deviam ser incrivelmente compridas."

"E eram. Algumas eram. Acho que ele tinha pretensões literárias. Elaborava muito as frases, tentando dar um pouco mais de vida à experiência, eu achava."

"Ele era bom?"

Marian riu. "Não muito. Oh, não o digo para desmerecê-lo. Por favor, não me entenda mal, senhor Sadler."

"Tristan", eu disse.

"Sim, Tristan. Não, só estou dizendo que ele obviamente tentava me contar as coisas nessas cartas, explicar o que sentia, o medo e a ansiedade que acompanhavam o treinamento em Aldershot. Parecia passar muito tempo ansioso com a guerra. Desculpe, não digo 'ansioso' no sentido de 'desejando-a...'"

"Antecipando-a?"

"É, isso mesmo. E era interessante, porque ele dizia tanta coisa e, ao mesmo tempo, não dizia quase nada. Isso faz sentido?"

"Acho que sim", respondi.

"Will falava na sua rotina, é claro. E em alguns outros homens que estavam treinando com ele. E no comandante... Clayton, não?"

Senti uma rigidez no corpo ao ouvir esse nome; perguntei-me até que ponto ela sabia da responsabilidade de Clayton por tudo ou das ordens que dera no fim. E dos homens que as obedeceram. "Sim. Ele esteve conosco do começo ao fim."

"E quem eram os outros dois? Will os chamava de Esquerda e Direita."

"Esquerda e Direita?", repeti, enrugando a testa sem entender.

"Parece que eram os auxiliares do sargento Clayton, ou coisa que o valha. Um sempre ficava à sua esquerda; o outro, à direita."

Então eu compreendi. "Ah. Devia estar se referindo a

Wells e Moody. É esquisito. Eu nunca o ouvi chamá-los de Esquerda e Direita. Gozado."

"Pois era assim que Will sempre se referia a eles. Eu até podia lhe mostrar as cartas, Tristan, mas você se ofende se não o fizer? É que são íntimas."

"Claro", concordei, só me dando conta do quanto as queria ler agora que ela me dizia que não iria mostrá-las. A verdade é que eu nunca dei importância ao conteúdo das cartas dele para a família. Em Aldershot, nunca escrevi a ninguém. Mas, uma vez, durante a campanha na França, mandei uma longa carta à minha mãe, pedindo-lhe perdão pela dor que havia causado. Anexei um bilhete ao meu pai, contando-lhe que estava bem e com saúde, mentindo e dizendo que as coisas lá não eram tão ruins quanto eu esperava. Disse a mim mesmo que ele ficaria contente em ter notícias minhas, mas não recebi resposta. O mais provável é que, certa manhã, tenha sido o primeiro a pegar a carta no capacho e a tenha jogado fora sem abri-la nem lê-la, antes que eu envergonhasse ainda mais a família.

"Parece que os dois eram um pavor, o Esquerda e o Direita", observou ela.

"Às vezes eram. Para ser franco, eles é que estavam apavorados. O sargento Clayton era um homem difícil. Já não valia nada quando estávamos treinando. Mas quando fomos para lá...". Sacudi a cabeça e exalei um suspiro. "Ele já tinha estado lá, sabe? Mais de uma vez. Não é um homem que me inspira respeito — aliás, eu passo mal só de pensar nele —, mas também passou por poucas e boas. Uma vez, contou-nos que seu irmão foi morto diante dele, que o... bem, que o cérebro dele respingou na sua farda."

"Santo Deus", disse ela, apoiando a xícara.

"Só muito depois eu soube que o coitado já tinha perdido três outros irmãos em combate. A vida não foi nada fácil para ele, Marian, esta é a verdade. Mas não justifica o que fez."

Ela aproximou o rosto. "Como assim? O que foi que ele fez?"

Abri a boca, sabendo perfeitamente que ainda não estava em condições de responder àquela pergunta. Nem sabia se chegaria a estar um dia. Mesmo porque revelar o crime de Clayton seria admitir o meu. E eu fazia de tudo para mantê-lo sepultado aqui dentro, tão escondido quanto possível. Estava lá para devolver um maço de cartas. Nada mais.

"O seu irmão... Will falava de mim nessas cartas?", perguntei depois de algum tempo, e minha ânsia natural por saber sobrepôs-se ao medo do que ele podia lê-la contado.

"Claro que sim", disse ela, embora parecesse hesitante. "Principalmente nas primeiras que escreveu. Aliás, ele falava muito em você."

"É mesmo?", perguntei com a voz mais calma de que fui capaz. "É bom saber."

"Lembro que a primeira carta chegou poucos dias depois da sua partida e dizia que tudo ia muito bem, que havia duas tropas de vinte e ele tinha sido colocado com uma turma nada estimulante intelectualmente."

Eu achei graça. "É verdade. Lá ninguém esbanjava cultura geral, nenhum de nós."

"Mas na segunda, dias depois, Will se mostrou um pouco mais desanimado, como se o entusiasmo da chegada tivesse arrefecido e ele estivesse percebendo o que iria enfrentar. Eu fiquei chateada com isso e, quando respondi, aconselhei-o a arranjar amigos, a proceder da melhor maneira possível, as tolices habituais que gente que não sabe nada de nada, como eu, diz quando não quer estragar os seus dias preocupando-se com os outros."

"Acho que você está sendo severa consigo", observei com delicadeza.

"Não, não estou. Eu não sabia o que dizer, entende? Até me empolguei com o fato de ele ter ido para a guerra. Isso não me faz parecer um monstro? Mas você precisa compreender,

Tristan, eu era mais jovem na época. Claro que era mais jovem, isso é óbvio. Mas quero dizer que era menos informada. Era uma dessas garotas que eu tanto desprezo."

"E que garotas são essas?"

"Ah, você as vê em Londres, Tristan. Elas estão em toda parte. E, puxa vida, você voltou da guerra com a sua linda farda, deve ter recebido muitos favores delas."

Eu dei de ombros e servi mais chá, aumentando a quantidade de açúcar no meu dessa vez e mexendo-o lentamente, observando o redemoinho criado pela colher na turva sopa marrom.

"Essas moças", continuou Marian com um suspiro irritado, "pensam que a guerra é uma grande farra. Veem os irmãos e os namorados vestidos com elegância. E então eles voltam e a farda está mais desalinhada, mas, minha nossa, os rapazes estão tão bonitos e experientes. Pois bem, eu era exatamente assim. Lia as cartas de Will e pensava: *Oh, você está aí enfim!* E o que eu não daria para estar lá! Não tinha ideia do quanto era difícil. Ainda não tenho, imagino."

"E as cartas lhe mostraram tudo isso?", perguntei na esperança de trazê-la de volta a esse tema.

"Não, eu só entendi bem depois que tudo aconteceu. Só então avaliei a crueldade daquele lugar. Por isso cheguei a ficar meio frustrada com o tom do meu irmão. Mas depois de algum tempo as cartas ficaram mais alegres, e isso me agradou."

"É mesmo?"

"É. Na terceira carta ele falou no camarada que ficava na cama vizinha. Um londrino, contou, mas boa gente, apesar disso."

Eu sorri e balancei a cabeça, olhando para o chá, mentalmente ouvindo-o dizer essas palavras.

Ah, Tristan...

"Contou-me que você e ele se davam muito bem, que todo mundo precisava de alguém com que conversar quando estava chateado e que ele sempre podia contar com você. Isso me alegrou. Ainda me alegra. E disse que isso facilitava as coisas, porque vocês eram da mesma idade e os dois tinham saudade de casa."

Isso me surpreendeu. "Will disse que eu tinha saudade de casa?"

Marian pensou um pouco e se corrigiu. "Contou que você não falava muito na sua família. Mas ele sabia que você morria de saudade dela. Disse que o seu silêncio tinha algo de muito triste."

Eu engoli em seco e fiquei pensando. Por que será que ele nunca me perguntou nada a respeito disso?

"E depois houve toda aquela história com o senhor Wolf."

"Oh, Will falou nele?", perguntei.

"No começo não. Depois sim. Contou que havia conhecido um sujeito fascinante que tinha todo tipo de opiniões controversas. Falou sobre elas. Você as conhece melhor do que eu, imagino, de modo que não preciso explicá-las."

"Não."

"Mas tenho certeza de que ele ficou interessado nas convicções do senhor Wolf. E depois, quando ele foi assassinado..."

"Nunca se provou que Wolf foi assassinado", atalhei com irritação.

"Você acredita que não?"

"Só sei que nunca apareceu uma única prova", disse eu, sabendo perfeitamente que era uma resposta inútil.

"Bom, eu sei que o meu irmão estava convencido do assassinato. Disse que tudo foi encarado como um acidente, mas ele não tinha a menor dúvida de que mataram o pobre rapaz. Dizia não saber quem fez isso, se o sargento Clayton, o Esquerda ou o Direita, um dos recrutas ou uma combinação de todos eles. Mas Will tinha certeza. Vieram buscá-lo na calada da noite, disse. Eu acredito que foi aí que ele começou a mudar, Tristan. Com a morte do senhor Wolf."

"Sim. Bem, aconteceu muita coisa naqueles poucos dias. Nós ficamos sob uma pressão enorme."

"Depois disso, o rapazinho despreocupado que eu conhecia, o garoto que naturalmente estava com medo do que o aguardava, desapareceu e deu lugar a outro jovem, que só queria falar em certo e errado, não em Esquerda e Direita." Ela sorriu do seu gracejo, mas logo ficou séria novamente. "Pediu-me detalhes sobre o que os jornais diziam sobre a guerra, os debates no Parlamento, se havia alguém defendendo os direitos do homem, como ele os chamava, em meio ao barulho dos fuzis. Eu não o reconhecia nessas cartas, Tristan. Mas fiquei intrigada com a pessoa em que ele se havia transformado e tentei ajudar. Contei-lhe tudo o que sabia e, a essa altura, vocês já estavam na França e o discurso dele mudou ainda mais. E depois... bem, você sabe o que aconteceu."

Eu fiz que sim e suspirei, e nós passamos um tempo aparentemente longo em silêncio, pensando nas diferentes lembranças que tínhamos do seu irmão, do meu amigo.

"E ele... ele disse mais alguma coisa a meu respeito?", perguntei enfim, sentindo que havia passado o momento de discutir aquelas cartas, mas, por Deus, talvez eu nunca mais tivesse oportunidade e precisava saber. Precisava saber o que Will sentia.

"Lamento, Tristan", disse ela com ar um pouco envergonhado. "Eu tenho uma coisa horrível para lhe contar. Talvez não deva, não sei."

"Conte, por favor."

"A verdade é que você foi uma parte importante das cartas de Will durante todo o período de Aldershot. Ele me contou as coisas que vocês faziam juntos; sinceramente, os dois me pareciam uns moleques sapecas com as suas piadas e brincadeiras. Eu achava bom que tivessem um ao outro e tinha uma boa intuição a seu respeito. Para ser franca, achei que ele estava apaixonado por você, por mais absurdo que pareça. Lembro que uma vez li uma carta e pensei: *Meu Deus, então eu sou obrigada a saber tudo que Tristan Sadler fez num dia ou disse no outro?* Ele o achava mesmo o suprassumo, a oitava maravilha do mundo."

Eu a fitei e procurei sorrir, mas senti meu rosto se transformar numa contração de dor e desejei que ela não o notasse.

"Então Will escreveu que vocês tinham embarcado", prosseguiu. "E acontece que, a partir dessa primeira carta depois que vocês saíram de Aldershot, ele nunca mais mencionou o seu nome. E, durante algum tempo, eu preferi não perguntar nada."

"Ora, por que perguntaria, se você nem me conhecia?"

"Sim, mas...". E ela se calou um instante e suspirou antes de olhar para mim, como se tivesse um segredo terrível e já não aguentasse o seu peso. "Tristan, pode parecer esquisitíssimo, mas eu sinto que preciso lhe contar. Pense o que quiser. Acontece que... eu disse que fiquei chocada quando recebi a sua carta há algumas semanas. Achei que tinha entendido mal e depois tratei de reler as cartas de Will, mas elas eram claríssimas, de modo que só posso imaginar que ele estava um tanto confuso com os acontecimentos ou simplesmente escreveu o seu nome quando queria escrever outro. É tudo muito estranho."

"A coisa não era fácil lá", disse eu. "Quando os homens escreviam uma carta na trincheira, ora, a gente geralmente não tinha tempo e, às vezes, faltava papel ou lápis. E nós preferíamos nem nos perguntar se aquelas cartas chegariam mesmo. Tanto tempo e energia, talvez em vão."

"Sim. Mas acho que a maioria das cartas de Will chegou. E certamente todas as dos primeiros meses na França, porque quase toda semana eu recebia uma e duvido que ele tivesse tempo para escrever mais do que isso. Ele escrevia e me contava o que estava acontecendo, tentando me poupar dos piores momentos para que eu não ficasse preocupada, e, como você tinha se transformando numa espécie de personagem na minha cabeça, como era uma pessoa tão importante nas primeiras cartas dele, eu acabei criando coragem para perguntar, numa das minhas respostas, o que exatamente acontecera com você, se os dois tinham sido enviados para o mesmo lugar e ainda estavam no mesmo regimento."

"Mas nós estávamos", disse eu, confuso com o que acabava de ouvir. "Você sabe que estávamos. Treinamos juntos, tomamos juntos o navio para a França, combatemos nas mesmas trincheiras. Palavra, acho que nunca ficamos separados."

Marian hesitou, mostrou-se quase constrangida. "Sim, mas quando respondeu, ele disse que tinha uma notícia ruim para me dar."

"Notícia ruim", repeti, mais afirmando que perguntando, e de repente tive uma ideia ansiosa do que poderia ser.

"Ele disse... desculpe, senhor Sadler, ou melhor, Tristan, mas não é engano meu, pois eu fiz questão de checar, e ele devia estar muito confuso, sei lá, com tantos canhonaços, tantas bombas e aquelas trincheiras terríveis, terríveis..."

"Talvez seja melhor você me contar", murmurei.

Marian endireitou o corpo e me olhou diretamente nos olhos. "Ele disse que você tinha morrido. Pronto. Contei. Disse que dois dias depois que vocês partiram de Aldershot, só algumas horas depois de chegarem à trincheira, você foi atingido por um franco-atirador. Acrescentou que aconteceu muito depressa e você não sofreu."

Eu tornei a encará-la e comecei a sentir tontura. Se estivesse de pé, acho que teria caído. "Ele disse que eu morri?", perguntei, as palavras pesando como uma obscenidade na minha língua.

"Deve ter sido outra pessoa", Marian se apressou a explicar. "Ele falava em tanta gente nas cartas. Deve ter se enganado. Mas que engano assustador. Enfim, segundo me constava, vocês dois estavam no campo de treinamento, eram unidos como irmãos, aí foram juntos para a França e, logo a seguir, eu fico sabendo que você morreu. Confesso, Tristan, que, embora eu não o conhecesse, foi um grande impacto para mim."

"A minha morte?"

"É. Por mais absurdo que pareça. Imagino que, em parte, eu devia estar projetando a sua morte na possibilidade muito real de Will também morrer, coisa em que eu, na minha burrice, não pensava muito antes disso. Passei dias chorando, Tristan. Por causa de um homem que eu nem conhecia. Rezei por você, embora eu quase nunca reze. O meu pai celebrou uma missa em sua memória. Você acredita? Ele é vigário, sabe, e..."

"Sim, eu sei."

"E ele também lamentou muito. Sinceramente, não creio que pensasse muito em você, pois estava preocupadíssimo com Will. Gostava tanto dele. Assim como a minha mãe. É isso. Eu pensei que você tivesse morrido na guerra. E eis que, três anos depois, do nada, chega a sua carta."

Eu me virei e olhei pela janela. Agora a rua estava tranquila e eu me vi contemplando as pedras do calçamento, reparando nas suas diversas formas e tamanhos. Nos doze meses anteriores, havia sentido tanta dor, tanto remorso pelo que se passou com Will e da minha participação no acontecido. E também chorara tanto a sua perda, o meu sentimento por ele era tão intenso que eu receava jamais conseguir superá-lo. E ouvir isso agora, saber que ele havia me matado efetivamente depois da nossa última noite juntos em Aldershot. Eu acreditava que Will não podia magoar o meu coração mais do que já tinha magoado — mas agora isso. Agora isso.

"Senhor Sadler? Tristan?"

Voltei-me para Marian e notei que ela estava olhando para a minha mão direita com ar preocupado. Então notei que esta estava se contraindo incontrolavelmente, os dedos dançando, nervosos, como que independentes do meu cérebro. Fiquei olhando fixamente para ela como se não fizesse parte do meu corpo, como uma coisa que um transeunte desconhecido tivesse largado na mesa e pretendesse vir buscar depois, uma raridade qualquer, mas, a seguir, fiquei mortificado com aquilo e a cobri com a mão esquerda, contendo o tremor.

"Com licença", disse, levantando-me depressa, arrastando ruidosamente a cadeira, um barulho de fazer os dentes trincarem.

"Tristan..."

Eu sacudi a cabeça: "Já volto". Dirigi-me às pressas à porta do toalete, do outro lado do salão, a mesma pela qual ela havia desaparecido pouco antes. Ao chegar, com medo de não o conseguir antes que o pavor do que ela contara me arrasasse, vi o homem que tinha entrado no café mais cedo, aquele que parecia estar me vigiando, levantar-se de um salto e aproximar-se rapidamente, obstruindo-me a passagem.

"Com licença", eu disse. "Por favor."

"Quero falar com o senhor", disse ele de modo intrusivo, agressivo até. "Não vai demorar."

"Agora não", disparei, sem entender por que ele me estava importunando. Nunca tinha visto aquele sujeito. "Saia da frente."

"Não saio. Olhe aqui, eu não quero causar nenhum problema, mas nós dois precisamos conversar."

"Saia da frente!", repeti, agora aos berros, e vi o casal e a garçonete se virarem e me olharem com surpresa. Perguntei-me se Marian tinha me ouvido, mas o ângulo da parede deixava a nossa mesa fora do meu campo de visão, de modo que era impossível saber. Empurrei rudemente o homem para o lado. Ele não opôs resistência e, instantes depois, eu me tranquei no gabinete e mergulhei a cabeça nas mãos, devastado. Não cheguei a chorar, mas ouvi uma palavra que se repetia cem cessar, julguei que na minha cabeça, mas na verdade em alto e bom som, e foi com muito esforço que parei de dizer *Will, Will, Will*, o corpo oscilando como se aquela fosse a única palavra que tinha importância, a única sílaba que significava algo para mim.

Saí do toalete envergonhado do meu comportamento, mas não sabia se Marian havia notado como eu estava alterado. Não olhei para o homem que havia insistido em conversar comigo, mas senti a sua presença no canto do salão, latente como um vulcão adormecido, e me perguntei quem ele pensava que eu era. O seu sotaque era típico de Norfolk, mas, como eu nunca havia estado naquela parte do país, era impossível que nos conhecêssemos. À mesa, Marian e a garçonete estavam conversando animadamente, já reconciliadas, e eu, um pouco nervoso, olhei para uma e para a outra ao me sentar.

"Eu estava pedindo desculpas a Jane", explicou Marian, sorrindo para mim. "Acho que fui grosseira. Coisa que ela não merece. Jane foi muito boa com os meus pais. Quer dizer, depois", disse, escolhendo as palavras com cautela.

"Entendo", respondi, desejando que a garçonete voltasse para o balcão e nos deixasse a sós. "Então você conhecia Will?"

"Eu o conhecia desde menino. Will estava alguns anos atrás de mim na escola, mas, na época, eu tinha uma queda por ele. Certa vez, dançou comigo numa festa da igreja matriz e eu pensei que tinha morrido e estava no paraíso." Jane desviou a vista ao dizê-lo, talvez arrependida das palavras que escolhera. "Bom, acho melhor eu continuar trabalhando. Vocês querem mais alguma coisa?"

"Mais chá talvez. O que você acha, Tristan?"

"Está bem."

"E depois a gente pode dar uma volta e comer alguma coisa. Você deve estar com fome."

"Agora estou", admiti. "Mas primeiro o chá."

Jane foi buscar a bebida e Marian a acompanhou com os olhos enquanto ela retomava seu trabalho atrás do balcão. "Ela não era a única, é claro", disse, aproximando o rosto e baixando a voz de modo conspirativo.

"A única o quê?"

"Que quase enlouqueceu de amor pelo meu irmão", explicou ela, sorrindo. "Você não imagina como as garotas aqui se ofereciam a Will. Até as minhas amigas se engraçavam com ele, e eram anos mais velhas."

"Ora", disse eu, também abrindo um sorriso. "Você é apenas alguns anos mais velha que eu. Ainda está longe de pendurar as chuteiras."

"Claro, eu sei. Mas isso me deixava doida. Quer dizer, não me entenda mal, Tristan, eu adorava o meu irmão, mas, para mim, Will nunca deixou de ser um menininho descuidado, descabelado, travesso. Quando ele era pequeno, a minha mãe tinha uma dificuldade enorme para fazê-lo tomar banho — Will fazia um escândalo dos diabos quando apareciam com a tina —, mas, por outro lado, acho que todos os garotos são assim. E alguns mais velhos também, a julgar pelos rapazes que conheço. Por isso, francamente, fiquei muito surpresa ao ver o efeito que ele tinha sobre as mulheres quando começou a crescer."

Eu balancei a cabeça. Não sabia ao certo se era aquele o rumo que queria dar à conversa, mas havia um pedaço de mim, um pedaço masoquista, que era incapaz de resistir.

"E ele retribuía esse afeto?", perguntei.

"Às vezes. Elas faziam fila. Era impossível passar pelas lojas sem dar com Will desfilando em companhia de uma tresloucada em seu vestido de domingo e com flores no cabelo para impressionar, convencida de que iria conquistá-lo. Eu não conseguia acompanhá-las, tantas eram."

"Ele era bonitão", observei.

"É, acho que sim. Para mim, é difícil saber, já que sou sua irmã. Quase tão difícil quanto para você, imagino."

"Para mim?"

"É, por ser homem."

"Sim."

"Eu o censurava por isso, é claro", prosseguiu Marian. "Mas Will não dava a mínima. Obviamente, qualquer outro rapaz ficaria furioso e diria para eu não meter o bedelho, mas ele apenas ria e dava de ombros. Dizia que gostava de fazer longas caminhadas e, se uma garota quisesse acompanhá-lo, quem era ele para impedi-la? Sinceramente, Will nunca se interessou particularmente por nenhuma delas. Por isso é que era inútil repreendê-lo. Ele realmente não as levava a sério."

"Mas tinha uma noiva, não tinha?", perguntei, enrugando a testa, sem saber o que fazer daquilo tudo.

"Noiva?", perguntou Marian, erguendo a vista e sorrindo para Jane, que acabava de colocar um novo bule entre nós.

"É, Will me contou que tinha namorada aqui e que os dois iam se casar."

Ela parou de servir o chá, mas segurou o bule no ar e me encarou. "Tem certeza?"

"Pode ser que eu tenha entendido mal", disse nervosamente.

Ela olhou para fora e ficou uns instantes calada, pensando. Depois se voltou. "Will contou quem era essa moça?"

"Não sei se vou me lembrar", respondi, muito embora tivesse o nome bem gravado na memória. "Acho que era uma Ann alguma coisa."

"Ann?". Marian sacudiu a cabeça. "Não conheço nenhuma Ann. Tem certeza?"

"Creio que sim. Não, espere. Agora me lembrei. Eleanor. Ele disse que se chamava Eleanor."

Ela arregalou os olhos e me encarou antes de cair na gargalhada. "Eleanor? Elanor Martin, por acaso?"

"Não me lembro do sobrenome."

"Só pode ser ela. É a única. Bom, sim, ele e Eleanor tiveram uma coisa, acho eu, em dado momento. Era uma das garotas que viviam atrás do meu irmão. Imagino que quisesse mesmo se casar com ele. Aliás", Marian bateu várias vezes na mesa como se acabasse de recordar algo importante, "era justamente Eleanor Martin que lhe escrevia aquelas cartas sentimentais."

"Quando nós estávamos lá?", perguntei, surpreso.

"Bom, é possível, mas disso eu não sei. O que estou dizendo é que ela mandava umas cartas extraordinárias lá para casa. Uma coisa horrorosa, cartas perfumadas com flores esmagadas que caíam quando Will abria o envelope e sujavam sua calça, o tapete. Uma vez ele me perguntou o que significava aquilo e eu lembro que disse que não significava nada, só a burrice monumental da garota, porque — e nisso você pode acreditar, Tristan — porque eu conhecia aquela menina desde pequena, e ela nunca teve juízo. Sei que escrevia longos ensaios sobre a natureza — a primavera, o renascimento, os coelhinhos pululantes, essas bobagens — e os enviava, convencida de que iam cativar o meu irmão. Não sei quem ela pensava que ele era, Lorde Byron? Que maluca!". Marian levou a xícara aos lábios e a manteve erguida por um momento. "Mas você afirma que Will dizia que eles eram noivos?", perguntou, franzindo a testa. "Não pode ser. Se *ela* o tivesse dito, eu poderia atribuir isso ao fato de a garota ser completamente idiota, mas ele? Isso não tem lógica."

"Talvez eu tenha entendido mal", repeti. "Nós conversávamos tanto. É impossível lembrar de tudo."

"Tenho certeza de que você entendeu mal, Tristan. O meu irmão tinha muitos defeitos, mas nunca abriria mão da sua vida para compartilhá-la com uma maluca daquelas. Era inteligente demais para isso. Apesar da sua bela aparência e da capacidade de conquistar qualquer mulher que aparecesse, nunca tirou proveito de nenhuma delas. Eu o admirava por isso. Quando os seus amigos saíam feito loucos atrás de garotas, ele dava a impressão de ter perdido todo interesse. Não sei se era por respeito ao nosso pai, que naturalmente não acharia a menor graça se o seu filho fosse o cafajeste da cidade. Quer dizer, sendo ele um vigário. Acho que muitos rapazes bonitos são cafajestes, Tristan. Você concorda comigo?"

Eu dei de ombros. "Não sei, Marian."

"Ah, tenho certeza de que não é verdade", sorriu ela com graça, acho que tentando me provocar. "Pelo que vejo, você é quase igual a Will. Esse lindo cabelo loiro e esses olhos tristes de filhote de cachorro. Digo-o estritamente do ponto de vista estético, Tristan, portanto não se iluda, pois eu tenho idade para ser sua avó, mas você é mesmo um pedaço de mau caminho. Puxa, não precisa ficar tão vermelho."

Marian estava tão bem-humorada, falava com uma alegria tão inesperada, que era impossível não sorrir também. Não era um flerte, eu sabia, longe disso, mas talvez fosse o início de uma amizade. Percebi que ela tinha gostado de mim e sabia que eu também tinha gostado dela. O que era inesperado. Não era para isso que eu estava lá.

"Você não é velha", insisti, murmurando junto à minha xícara. Quantos anos tem afinal? Vinte e cinco? Vinte e seis?"

"A sua mãe não lhe ensinou que é falta de educação perguntar a idade de uma mulher? E você não passa de um menino. Quantos anos tem, dezenove? Vinte?"

"Vinte e um", respondi e ela enrugou a testa, pensando nisso.

"Mas, espere, isso significa..."

"Que eu menti a minha idade", confessei, adiantando-me à pergunta. "Eu tinha só dezessete anos quando fui para lá. Menti para que me aceitassem."

"E eu achando que a louca era Eleanor", gracejou Marian.

"Pois é", murmurei, olhando para o meu chá.

Ela sacudiu a cabeça. "Um menino", repetiu. "Mas diga uma coisa, Tristan", ela prosseguiu, inclinando-se para a frente, "Diga a verdade. Você é um cafajeste?"

"Eu não sei o que sou", disse em voz baixa. "Para falar a verdade, passei a maior parte dos últimos anos tentando achar resposta para isso."

Ela se recostou na cadeira, estreitando os olhos. "Você já esteve na National Gallery?"

"Algumas vezes", respondi, um pouco surpreso com a brusca mudança de assunto.

"Eu vou sempre que estou em Londres. Interesso-me por arte, sabe? O que prova que não sou tão ignorante assim. Oh, não sou pintora, não me entenda mal. Mas adoro pintura. E o que faço é visitar a Gallery e encontrar uma tela que me intrigue, então me sento diante dela e passo uma hora ou mais a olhando, às vezes a tarde toda. Deixo que o quadro se monte diante dos meus olhos. Começo a reconhecer as pinceladas e a intenção do artista. A maioria das pessoas dá apenas uma olhada e segue adiante, conferindo este, aquele, e aquele outro pelo caminho e pensando ter visto realmente a obra, mas como é possível apreciar uma coisa dessa forma? Estou dizendo isso, senhor Sadler, porque o senhor me lembra uma pintura. Essa sua última observação, não sei o que significa, mas sinto que o senhor sabe."

"Não significa nada. Eu falei por falar."

"Isso é mentira", disse ela em tom uniforme. "Mas sinto que, se eu passar algum tempo olhando para o senhor, pode ser que chegue a compreendê-lo. Estou tentando enxergar as suas pinceladas. Faz sentido?"

"Não", disse com firmeza.

"Outra mentira. Mas enfim....". Ela encolheu os ombros e desviou o olhar. "Está esfriando, não?"

"Nem tanto."

"Acho que fiquei meio confusa. Não paro de pensar na história de Eleanor Martin. É tão esquisito Will ter dito isso. Ela ainda mora aqui, sabe?"

"É mesmo?"

"Oh, sim. Bem, é uma garota típica de Norwich, nascida e criada aqui. Aliás, casou-se no ano passado com um sujeito desavisado, mas ele era de Ipswich, e parece que lá o pessoal costuma pegar a primeira que encontra. Eleanor vive circulando por aí. Se estivermos terrivelmente sem sorte, é possível que encontremos com ela mais tarde."

"Tomara que não", disse eu.

"Por quê?"

"Por nada. Eu não... estou tão interessado assim, só isso."

"Como não?", perguntou ela, intrigada. "O meu irmão, o seu melhor amigo, anuncia que vai se casar. Eu lhe digo que nunca soube da existência desse noivado. Como é possível que você não tenha interesse em ver essa Helena de Troia que lhe roubou o coração?"

"Senhorita Bancroft", disse eu, exalando um suspiro, encostando-me na cadeira e esfregando os olhos. Marian se referira a Will como o meu melhor amigo e eu queria saber se o corolário era verdadeiro. Também queria saber por que o seu bom humor agora estava pincelado com uma certa ferocidade. "O que a senhorita quer que eu diga?"

"Quer dizer que agora eu sou senhorita Bancroft outra vez?"

"Há pouco a senhora me chamou de senhor Sadler. Pensei que estivéssemos de volta às formalidades."

"Não, não estamos", retrucou ela abruptamente. "E não vamos brigar, está bem? Eu não suportaria. Você parece ser um rapaz tão agradável, Tristan. Não ligue para a minha esquisitice. Eu o ataco e, um minuto depois, o chamo de pedaço de mau caminho. É um dia estranho, só isso. Mas achei muito bom você ter feito essa viagem."

"Obrigado." Notei que Marian estava olhando para a minha mão, mas para a esquerda, não para a direita espasmódica, e a fitei nos olhos.

"Fiquei curiosa, só isso. Tantos homens da sua idade resolveram casar depois da guerra. Você não se sentiu tentado?"

"Nem um pouco."

"Não tinha uma namorada à sua espera em Londres?"

Eu sacudi a cabeça.

"Bom, sorte sua", disse ela rapidamente. "Minha experiência diz que namoro só serve para criar encrenca. Quer saber? O amor é coisa de louco."

"Mas é a única coisa que importa", disse de repente, surpreso com as minhas próprias palavras. "O que seria de nós sem o amor?"

"Então você é um romântico?"

"Nem sei se eu entendo o que isso significa. Romântico? Só sei que tenho emoções. Que sinto as coisas profundamente

— demasiado profundamente, aliás. Isso é ser romântico? Sei lá. Talvez."

"Acontece que agora vocês, homens, sentem tudo profundamente. Amigos meus, rapazes que combateram. Vocês agora têm uma intensidade, uma tristeza poderosa, até um senso de medo. Completamente diferente de antes. Por que isso? O que você acha?"

"Não é óbvio?"

"É. Até certo ponto. Mas eu gostaria que você me explicasse."

Eu olhei para a mesa e fiquei pensando. Queria ser sincero com Marian, ou tanto quanto me atrevia a ser. Queria que minhas palavras tivessem sentido.

"Antes de ir para lá", disse sem olhar para ela, encarando os talheres usados diante de mim, "eu achava que me conhecia um pouco. Sentia coisas, é claro. Conheci uma pessoa, eu... perdoe, Marian, mas eu me apaixonei, creio. De maneira infantil. E sofri muito por causa disso. Culpa de ninguém, só minha, é claro. Não tinha refletido sobre nada. Pensava que tinha. Pensava que sabia o que estava fazendo e que a outra pessoa sentia o mesmo por mim. Estava enganado, é claro, redondamente enganado. Deixei as coisas escaparem totalmente ao controle. Depois, quando fui para lá e me juntei ao regimento e também a Will, é claro, percebi como tinha sido bobo. Porque, de repente, tudo, a própria vida, se transformou numa experiência extremamente intensa. Foi como viver num plano diferente do de antes. Em Aldershot, não nos ensinaram a lutar, treinaram-nos para prolongar nossa vida ao máximo. Como se já estivéssemos mortos, mas, se aprendêssemos a atirar bem e a usar a baioneta com cuidado e precisão, pudéssemos ter pelo menos uns dias ou semanas a mais. O quartel estava cheio de fantasmas, Marian. Isso faz sentido? Era como se tivéssemos morrido antes mesmo de sairmos da Inglaterra. E, como eu não morri, como fui um dos sortudos... ora, nós éramos vinte no alojamento, entende? Vinte rapazes. E só dois voltaram. Um que enlouqueceu e eu. Mas isso não quer dizer que tenhamos sobrevivido. Eu posso não estar sepultado num campo francês, mas eu continuo lá. Pelo menos o meu espírito continua lá. Acho que apenas respiro, nada mais. E há uma grande diferença entre respirar e estar vivo. De modo que, quando você pergunta se eu sou romântico, se ainda penso em termos de casar e me apaixonar, a resposta é não: não, nada disso. Nada me parece tão inútil, tão completa e absolutamente frívolo. Não sei o que isso revela a meu respeito. Não sei se significa que há algo errado com a minha cabeça. Mas acontece que sempre houve algo errado com a minha cabeça, entende? Desde que sou capaz de me lembrar. E eu nunca soube o que fazer com isso. Nunca. E agora, depois de tudo que aconteceu, depois do que eu fiz..."

"Pare, Tristan", pediu Marian, aproximando subitamente o corpo e segurando-me a mão, que tremia perceptivelmente, constrangendo-me uma vez mais. Percebi que eu estava chorando um pouco, não muito, só umas lágrimas escorrendo pelo rosto, e também senti vergonha disso, e enxuguei a face com o dorso da mão esquerda. "Eu não devia ter perguntado nada", disse ela. "Fui leviana, só isso. Você não precisa me contar nada se não quiser. Santo Deus, você veio lá de Londres para se encontrar comigo, para me dar o presente maravilhoso das histórias do meu irmão, e é assim que eu retribuo. Pode me perdoar?"

Eu sorri e sacudi os ombros. "Não tenho nada que perdoar. É que... Bom, melhor nem começar a falar nessas coisas. Você disse que tem amigos, alguns ex-soldados que voltaram?"

"Sim."

"Eles gostam de falar nisso?"

Marian ficou pensativa e pareceu hesitante. "Difícil de responder", disse. "Às vezes, eu sinto que sim, porque eles falam nisso quase incessantemente. Mas sempre ficam angustiados. Como aconteceu com você agora. Mas, ao mesmo tempo, sinto que não conseguem parar de reviver cada momento muitas e muitas vezes. Quanto tempo você acha que isso vai durar?"

"Não sei", admiti. "Muito tempo."

"Mas acabou. Acabou! E você é jovem, Tristan. Afinal, tem só vinte e um anos. Meu Deus, era apenas um menino quando foi para lá. Dezessete! Não deixe isso acabar com você. Veja Will."

"Como assim?"

"Ora, ele morreu, não?", disse ela com ar de genuína empatia. "Não se angustia com nada. Nem mesmo convive com lembranças ruins."

"É verdade", concordei, aquela pontada de dor familiar reemergindo dentro de mim. Suspirei ruidosamente e esfreguei os olhos com as duas mãos e, quando as afastei, pisquei várias vezes e enfoquei o rosto dela com cuidado. "Vamos sair daqui?", propus. "Sinto que preciso tomar um pouco de ar fresco."

"Naturalmente", disse ela, dando uma palmada na mesa em reconhecimento imediato de que havíamos passado muito tempo ali. "Mas você ainda não precisa voltar para Londres, precisa? Estou gostando da nossa conversa."

"Não, ainda não. Tenho algumas horas."

"Ótimo. O dia está tão bonito, acho que podemos dar uma volta. Posso lhe mostrar alguns dos lugares em que Will e eu fomos criados. Você precisa ver um pouco de Norwich — é uma cidade bonita. Depois podemos almoçar em algum lugar. E queria que você fizesse uma coisa para mim, mas isso eu deixo para contar depois, está bem? Se pedir agora, acho que você vai recusar. E não quero que recuse."

Não disse nada por um ou dois segundos, depois acenei com a cabeça. "Está bem", concordei, levantando-me e tirando o sobretudo do cabide enquanto Marian vestia o dela. "Vou pagar o chá. Encontro você lá fora."

Fiquei observando quando ela foi para a porta e saiu, abotoando o casaco e olhando à sua volta em busca de algum conhecido. Não se parecia fisicamente com Will, é claro. Eram tipos diferentes. Mas havia uma coisa na sua postura, certa confiança mesclada com uma noção de que, embora os outros notassem a sua beleza, ela preferia que não a notassem. Percebi-me sorrindo enquanto a observava, então me voltei para pagar a conta.

"Quero pedir desculpas", disse à garçonete, que pegou o dinheiro e me deu o troco. "Espero não ter incomodado muito."

"Não há por que se desculpar. Quer dizer que o senhor era amigo de Will?"

"Sim. Nós combatemos juntos."

"Foi uma desgraça", bufou ela, inclinando-se, os olhos em fogo. "Quer dizer, o que lhe aconteceu. Uma grande desgraça. Tive vergonha de ser inglesa. Pouca gente concorda comigo a respeito disso, mas eu o conhecia e sabia o tipo de homem que ele era." Eu engoli em seco e assenti, pegando as moedas em silêncio e guardando-as no bolso. "Não são muitas as pessoas a quem eu respeito tanto quanto a Marian Bancroft", prosseguiu Jane. "Ela é uma em um milhão, garanto. Apesar do que aconteceu, ajuda todos ex-soldados que conhece. Considerando-se tudo o que aconteceu, ela poderia detestá-los. Mas não. Eu nunca consegui entendê-la. Ela é um mistério."

Eu enruguei a testa, dando-me conta de que nem chegara a perguntar o que Marian fazia em Norwich, como eram os seus dias, a que se dedicava. Era típico de rapazes como eu; estávamos tão envolvidos em nós mesmos que não imaginávamos que o mundo tivesse lugar para outrem. Ouvi o tilintar do sino da porta quando alguém passou por ela, agradeceu Jane e se despediu.

Antes de sair do café, apalpei os bolsos à procura da minha carteira e do maço de cartas, que continuava no meu sobretudo e, satisfeito por tudo estar em seu lugar, abri a porta e saí. Marian tinha razão: o dia estava lindo. Claro e quente, sem brisa, mas tampouco calor excessivo. Um dia perfeito para passear, e eu tive a súbita visão de Will passando por aquelas ruas calçadas de pedra ao lado de uma pobre garota apaixonada que fazia tudo o que podia para acompanhá-lo, olhando furtivamente para seu belo rosto, sonhando que talvez, na esquina seguinte, onde ninguém os poderia ver, ele faria a coisa mais inesperada e mais natural do mundo: voltar-se, tomá-la nos braços e atraí-la para si.

Sacudi a cabeça para afastar o pensamento e procurei Marian com os olhos. Estava a três ou quatro metros de distância, mas não sozinha. O homem do café a tinha seguido e estava gesticulando vigorosamente diante dela. Sem saber o que fazer, limitei-me a olhar para os dois, então notei algo agressivo no comportamento dele. Aproximei-me rapidamente.

"Olá", disse. "Tudo bem por aqui?"

"Quanto a você", rosnou o sujeito, erguendo a voz e apontando o dedo para o meu rosto enquanto fincava em mim os olhos enfurecidos, "pode voltar para onde estava, amigo, porque nada disto aqui é da sua conta e eu juro que não respondo pelos meus atos se você se aproximar mais um pouco. Entendeu?"

Marian avançou e se colocou entre ele e mim. "Leonard. Ele não tem nada a ver com isso. Deixe-o em paz, é o melhor que tem a fazer."

"Não me diga o que fazer, Marian", rosnou o sujeito, e eu pelo menos pude entender que os dois se conheciam e que ele não era um desconhecido qualquer atacando-a na rua. "Você não responde às minhas cartas, não fala comigo quando eu vou à sua casa e agora sai por aí com outro e fica se exibindo diante dos meus olhos. Quem você pensa que é afinal?", perguntou, dirigindo-se a mim, e eu olhei para ele, estupefato, sem saber o que poderia responder. O homem era cólera pura, trazia as bochechas vermelhas de raiva, e eu vi que estava a ponto de afastar Marian com um empurrão e me esmurrar; instintivamente, recuei um passo. "Isso mesmo, é bom se afastar", acrescentou ele, tão satisfeito com esse lance que começou a avançar mais em minha direção, provavelmente pensando que podia me intimidar. A verdade é que eu não estava com o menor medo dele; simplesmente não queria me envolver numa espécie de briga de rua.

"Leonard, eu já mandei parar!", gritou Marian, agarrando-lhe o paletó e puxando-o para trás. Alguns transeuntes olharam para nós com um misto de interesse e desprezo, mas seguiram caminho, sacudindo a cabeça como se não esperassem nada melhor de gente como nós. "Não é o que você está pensando. Você entendeu tudo errado, como de costume."

"Tudo errado, é?", perguntou ele, virando-se para ela enquanto eu o examinava mais detidamente. Era mais alto que eu, de cabelo castanho e compleição avermelhada. Parecia saber se defender. A única coisa que destoava de sua forte presença física era um par de óculos redondos, que lhe dava uma aparência mais acadêmica. No entanto, o argumento contra isso era a comoção que ele estava causando na rua. "Tudo errado? Então eu não vi vocês dois lá dentro por mais de uma hora, batendo papo feito dois pombinhos arrulhando um para o outro? E vi você segurando a mão dele, Marian, portanto, não venha com essa de que não está acontecendo nada, porque eu sei muito bem o que os meus olhos me dizem."

"E daí se estiver acontecendo alguma coisa?", retrucou ela aos berros, o rubor tingindo-lhe a face também. "E daí? O que é que você tem a ver com isso?"

"Não me venha com essa...", Leonard começou a dizer, porém Marian chegou ainda mais perto, quase encostando o rosto no dele.

"Eu digo o que bem entender, Leonard Legg! Você não manda em mim. Não mais. Você não significa nada para mim."

"Você me pertence", teimou ele.

"Eu não pertenço a ninguém! Muito menos a você. Pensa que vou olhar para a sua cara outra vez? Pensa? Depois do que você fez?"

"Depois do que *eu* fiz?", riu-se ele. "Essa é boa. Ora, o

próprio fato de eu ainda estar disposto a deixar o passado para trás e me casar com você mostra o tipo de homem que eu sou. Misturar-me com uma família como a sua não vai me fazer nenhum bem, vai? Mesmo assim eu estou disposto a fazer isso. Por você."

"Não se preocupe", disse ela, baixando a voz; em um instante, havia recuperado a dignidade. "Porque, se você pensa que eu me casaria com você, se pensa que eu me rebaixaria a esse ponto..."

"*Você* se rebaixar? Ora essa, se os meus pais soubessem que eu conversei com você e que ainda por cima a perdoei..."

"Você não tem nada pelo que me perdoar", gritou ela, erguendo os braços num gesto de frustração. "Eu é que deveria perdoá-lo. Mas não o perdoo." Tornou a se aproximar dele. "Não o perdoo. E nunca vou perdoá-lo."

Leonard olhou para ela com ódio, respirando pesadamente pelo nariz como um touro preparando-se para investir; eu cheguei a pensar que fosse agredi-la e avancei, e então ele se virou para me olhar e toda a fúria que o sacudia se transferiu de Marian para mim. De uma hora para outra, dei comigo no chão, atordoado, a mão pressionando o nariz, o qual — para minha surpresa — não estava sangrando, mas senti a bochecha áspera e sensível e percebi que ele tinha acertado não o meu nariz, mas o lado direito de meu rosto, fazendo-me perder o equilíbrio e cair.

"Tristan!", gritou Marian, correndo em meu socorro e se inclinando para me examinar. "Você se machucou?"

"Acho que não", respondi, sentando-me e olhando para o meu agressor. Cada fibra do meu ser queria se levantar e revidar o golpe, despachá-lo para Lowestoft com um murro se fosse preciso, mas não fiz nada disso. Tal como Wolf, preferi não lutar.

"Venha", disse ele, instigando-me a agir e assumindo uma postura digna de um pugilista profissional, patético palhaço que era. "Levante-se, vamos, me mostre do que é capaz."

"Suma daqui, Leonard", disse Marian, voltando-se para ele. "Vá embora antes que eu chame a polícia."

Ele riu, mas se mostrou um pouco perturbado com tal possibilidade e talvez irritado com o fato de eu me recusar a me levantar e lutar. Sacudiu a cabeça e cuspiu no chão, e o catarro caiu a uns trinta ou quarenta centímetros do meu sapato esquerdo. "Covarde", disse, olhando para mim com desprezo. "Não admira que ela goste de você. Afinal, é disso que os Bancroft gostam, não é?"

"Vá embora daqui, por favor", pediu Marian em voz baixa. "Pelo amor de Deus, Leonard, você não pode me deixar em paz? Eu não quero saber de você."

"Não acabou", disse ele, dando meia-volta. "Não pense que acabou, porque não acabou."

Olhou uma vez mais para nós dois, juntos na calçada, e sacudiu a cabeça com desdém antes de se afastar e desaparecer por uma das ruas transversais. Confuso, eu olhei para Marian e vi que estava quase chorando, o rosto apoiado nas mãos.

"Desculpe", disse. "Eu sinto muito, Tristan."

Mais tarde, quando fiquei de pé, começamos a andar lado a lado pelas ruas do centro de Norwich. Um leve hematoma estava se formando na minha face, mas o dano não era grave. Sem dúvida, no dia seguinte, o sr. Pynton me olharia com ar de censura, tiraria o *pince-nez* e exalaria um fundo suspiro, atribuindo tudo aos excessos da juventude.

"Você deve estar com uma péssima impressão de mim", disse Marian depois de um longo silêncio.

"Por que estaria? Não foi você que me bateu."

"Mas a culpa foi minha. Pelo menos em parte."

"Obviamente, você conhece aquele homem."

"Oh, sim", disse ela com voz pesarosa. "Sim, eu o conheço."

"Ele parece pensar que tem uma espécie de domínio sobre você."

"Tinha. Antigamente. Nós éramos namorados, entende?"

"Sério?", perguntei, tomado de surpresa, pois, embora eu tivesse deduzido isso pela discussão de pouco antes, achei difícil imaginar tanto Marian envolvida com semelhante criatura como um cenário em que um sujeito que tivesse lhe segurado a mão se conformasse em soltá-la.

"Ora, não fique tão chocado", disse ela com uma voz algo divertida. "Eu também tive lá uns pretendentes no meu tempo."

"Não, eu não quis dizer..."

"Nós íamos nos casar. Pelo menos o plano era esse."

"E algo deu errado?"

"Bem, obviamente, Tristan", Marian olhou para mim com ar frustrado. "Desculpe, eu não devia descarregar isso em você", acrescentou pouco depois. "É que... puxa, eu fiquei tão sem jeito com essa agressão, sinto vergonha de mim mesma."

"Não sei por quê. Parece que você rompeu com ele a tempo. Podia ter casado com esse troglodita. Quem há de saber que tipo de vida ele lhe proporcionaria."

"Acontece que quem rompeu não fui eu. Foi Leonard. Oh, não fique surpreso, por favor. A verdade é que, a longo prazo, eu não teria escolha senão me livrar dele, mas foi ele quem tomou a iniciativa, para a minha eterna mágoa. Você deve imaginar por quê, certamente."

"Por causa de Will, não?", disse eu, começando a compreender tudo.

"Sim."

"Separou-se de você por conta do que as pessoas poderiam dizer?"

Marian sacudiu os ombros como se aquilo a embaraçasse, mesmo depois de tanto tempo ter passado.

"E você pensa que eu sou cafajeste", eu disse sorrindo, o que a fez rir. Ela olhou para o mercado em frente, onde um grupo de cerca de quarenta bancas formava um retângulo apertado, cada uma delas coberta por uma lona vivamente colorida; ali vendiam frutas e verduras, peixe e carne. Havia muita gente reunida em volta delas, a maioria mulheres, cesta de compras a postos, entregando seu escasso dinheiro aos vendedores enquanto se entregavam a longas e queixosas conversas.

"Ele não era tão mau, na verdade", disse Marian. "Eu o amava. Antes disso tudo, ou melhor, daquilo tudo..."

"Refere-se à guerra?"

"Sim, à guerra. Antes disso ele era uma pessoa diferente. É difícil explicar. Nós nos conhecemos desde os quinze ou dezesseis anos. Sempre gostamos um do outro. Pelo menos eu gostava muito dele — Leonard estava apaixonado por uma amiga minha, ou seja, tão apaixonado quanto se pode estar nessa idade."

"Tudo é complicado nessa idade."

"Tem razão. Mas, em todo caso, ele trocou essa outra garota por mim, coisa que provocou brigas terríveis entre nossas famílias. E a moça, que era muito amiga minha, nunca mais falou comigo. Foi um escândalo. Sinto vergonha quando me lembro, mas nós éramos jovens, de modo que não vale a pena perder o sono por causa disso. O fato é que eu era louca por ele."

"Mas vocês não parecem combinar em nada."

"Sim, mas você não o conhece. Agora nós somos diferentes. Bom, todo o mundo é, imagino. Mas fomos felizes durante algum tempo. Ele me pediu em casamento e eu disse que sim. Hoje não consigo imaginar coisa pior."

Pensei a respeito, mas fiquei em silêncio. Pouco sabia das relações entre homem e mulher, das intimidades que os uniam, dos segredos capazes de separá-los. Sylvia Carter era a única experiência que eu havia tido com uma garota e era difícil imaginar que aquele beijo, seis anos antes, fosse o fim da coisa para mim, mas foi, é claro.

"Ele esteve lá?", perguntei, considerando que Leonard tinha mais ou menos a idade de Marian, ou seja, era poucos anos mais velho que eu. "O Leonard, quero dizer."

Ela sacudiu a cabeça. "Não, não pôde ir. Leonard é terrivelmente míope, entende? Sofreu um acidente aos dezesseis anos. Caiu da bicicleta, o coitado, e bateu a cabeça numa pedra. Foi encontrado inconsciente na rua e, quando o levaram ao médico, não sabia quem era nem onde estava. O resultado foi que rompeu alguns ligamentos dos olhos. O olho direito é quase completamente cego, ao passo que o esquerdo também ficou muito prejudicado. Leonard detesta isso, é claro, embora ninguém note nenhum defeito quando olha para ele."

"Não admira que tenha errado a pontaria quando tentou acertar o meu nariz", disse eu, tentando reprimir um sorriso, e Marian olhou para mim, cúmplice momentânea do meu riso. "Eu já o tinha visto", acrescentei. "No café. Estava nos observando. Tentou falar comigo quando fui ao banheiro."

"Se eu soubesse que Leonard estava lá, teria ido embora. Agora ele deu para me seguir por aí, tentando consertar as coisas entre nós. É cansativo."

"E não pôde se alistar por causa da vista?"

"Pois é. E, para ser justa, ficou terrivelmente magoado com isso. Acho que sentiu que a deficiência o tornava menos homem. Dos seus irmãos — ele tinha quatro —, dois se alistaram antes de 1916 e os outros dois, os mais novos, entraram por intermédio do Plano Derby. Só um voltou vivo e está muito doente. Sofreu uma espécie de colapso, creio. Passa a maior parte do tempo em casa. Ouvi dizer que seus pais estão sofrendo muito, sinto muito por eles. Enfim, eu sei que Leonard se sente mal com o fato de não ter podido lutar. É um homem valente, sabe, e muito patriota. Foi horrível quando todos partiram e ele foi o único que ficou."

"Horrível?" perguntei, irritado. "Eu diria que foi ótimo para ele."

"Sim, eu entendo por que você diz isso. Mas tento enxergar do ponto de vista de Leonard, que queria ir para lá com vocês, e não ficar aqui com um punhado de mulheres. Ele não se entrosa com os homens que voltaram. Já o vi sentando num canto de bar, sem se aproximar nem dos ex-colegas de escola.

Como se aproximar? Não pode compartilhar suas experiências, não sabe das coisas pelas quais eles passaram. Alguns tentam envolvê-lo, eu acho, mas Leonard fica agressivo e eu creio que já desistiram. Bajulá-lo por quê, imagino que seja a sua atitude. Não podem ser censurados por isso."

Eu dei de ombros. Entendia o que ela queria dizer e estava disposto a reconhecer que Leonard provavelmente sofria com as coisas, mas, mesmo assim, não conseguia simpatizar com um homem que tivera a sorte de se safar das trincheiras simplesmente porque agora ele se sentia emasculado por causa dessa sorte.

"Bem, se ele não conseguiu lutar na guerra, parece que agora está tentando se desforrar. Por que me bateu daquele jeito?"

"Deve ter pensado que havia alguma coisa entre nós. Ele é muito ciumento."

"Mas foi ele que deu o fora em você!", exclamei, arrependendo-me imediatamente da minha falta de cavalheirismo, e ela olhou para mim com expressão carregada.

"Sim, eu sei muito bem disso, obrigada, mas é evidente que está arrependido."

"E você não?"

Marian vacilou brevemente antes de sacudir a cabeça. "Eu lamento que tenha surgido uma situação que o levou a sentir que precisava romper comigo. Mas não lamento que ele o tenha feito. Dá para entender?"

"Mais ou menos."

"Mas agora Leonard me quer de volta. O que é uma chatice. Escreveu-me dizendo isso. Segue-me aonde quer que eu vá e aparece lá em casa quando bebe demais, coisa que acontece pelo menos duas ou três vezes por semana. Eu já lhe disse que não há a menor possibilidade, pedi que se conformasse, mas ele é teimoso como uma mula. Juro que não sei o que fazer. Não posso falar com os seus pais — eles não querem saber de mim. Tampouco posso pedir ao meu pai que fale com Leonard. Para o meu pai, ele simplesmente deixou de existir." Marian respirou fundo antes de expressar em palavras o que nós dois estávamos pensando. "Eu precisava mesmo do meu irmão."

"Talvez eu devesse ter dito alguma coisa", eu disse.

"Dito o quê? Você não o conhece, não conhece as circunstâncias."

"Não, mas se isso a incomoda tanto..."

Ela me olhou com uma expressão que sugeria que não queria ser tratada com condescendência. "Desculpe-me se pareço grosseira, Tristan, mas você mal me conhece. E eu não preciso da sua proteção, por mais que agradeça a sua disposição a oferecê-la."

"Claro que não. Mas sendo amigo do seu irmão..."

"Mas você não percebe? É justamente isso que piora tudo. Foram os pais de Leonard que o pressionaram horrivelmente, entende? Eles têm uma quitanda aqui na cidade e dependem da boa vontade da comunidade para manter o negócio. Ora, é claro que todo mundo sabia que nós íamos nos casar, de modo que, quando Will morreu, a maior parte da cidade parou de fazer compras no estabelecimento dos Legg. Queriam atacar alguém, compreende? E não podiam descontar tudo no meu pai. Afinal de contas, ele era o vigário. Certas convenções tinham de ser preservadas. Assim, os Legg acabaram pagando o pato."

"Marian", disse eu, desviando a vista, desejando que houvesse um banco por perto em que pudéssemos nos sentar tranquilamente. Senti uma grande necessidade de passar um bom tempo em silêncio.

"Não, Tristan. Deixe-me terminar. É bom que você saiba. Nós tentamos continuar durante algum tempo, mas era evidente que não valia a pena. Os Legg me rejeitavam, a cidade rejeitava os Legg, era tudo horrível, tudo, então Leonard decidiu que estava farto e me largou para o bem da sua família. Claro que o seu pai tratou de alardear isso imediatamente e, no dia seguinte, todos voltaram a comprar lá. O negócio continuou de vento em popa, hurra! Pouco importa que eu estivesse passando pela pior fase da minha vida, chorando a perda do meu irmão; pouco importa que a pessoa da qual eu mais precisava naquele momento tenha decidido que não aguentava olhar para a minha cara. Mas agora que as coisas começaram a arrefecer e ninguém mais quer tocar no assunto, Leonard resolveu que me quer de volta. Todos aqui procuram fazer de conta que nada aconteceu e que nunca existiu um rapaz chamado Will Bancroft, que foi criado entre eles, brincava nestas ruas e partiu e lutou por eles naquela maldita guerra...". Marian erguera a voz e eu vi algumas pessoas passarem e olharem para ela com ar de quem estava pensando: *Ah, sim, a filha dos Bancroft, o que mais se pode esperar dela a não ser uma gritaria nas ruas?* "Agora que tudo passou, Tristan, o meu pobre Leonard concluiu que cometeu um grande erro e, dane-se o pai, dane-se a mãe, dane-se a sua bendita caixa registradora, me quer de volta. Mas não vai me ter, Tristan, não vai. Nem hoje, nem amanhã, nem nunca."

"Está bem", disse eu, tentando acalmá-la. "Sinto muito. Agora eu compreendo."

"As pessoas se comportam como se nós fôssemos malditos. Você consegue entender?", prosseguiu ela, agora em voz mais baixa. Seus olhos se encheram de lágrimas. "Pense naquele casal no café. Sua grosseria descarada. Sua insensibilidade. Oh, Tristan, não olhe assim para mim. Não finja que não reparou."

Eu enruguei a testa, lembrando-me apenas do casal que estava sentado em uma mesa próxima e depois se mudou para uma parte mais reservada para continuar conversando.

"Eles trocaram de mesa por minha causa", gritou ela. "Quando eu voltei do toalete e os dois viram quem estava perto deles, levantaram-se e foram para o lugar mais distante possível. É o que eu tenho de tolerar todo dia. É verdade que já foi pior, era horrível, mas, de certo modo, é pior agora que as pessoas voltaram a falar comigo. Significa que esqueceram Will completamente. Mas eu nunca o esquecerei. Elas tratam os meus pais, tratam a mim, como se quisessem dizer que nos perdoam, como se achassem que nós temos algo pelo que ser perdoados. Mas nós é que devíamos perdoá-las pela maneira como nos trataram e como trataram Will. No entanto, eu não digo nada. Estou repleta de boas ideias, Tristan; isso você perceberia se fosse louco a ponto de ficar algum tempo por aqui. Mas não passam disso: boas ideias. No fundo, eu sou tão covarde como todos pensam que o meu irmão era. Quero defendê-lo, mas não posso."

"O seu irmão *não* era covarde", repeti. "Você precisa acreditar nisso, Marian."

"Claro que acredito. Nunca duvidei. Como poderia? Eu, que o conhecia tão bem. Ele era o mais valente de todos. Mas diga isso às pessoas aqui para ver o que acontece. Elas têm vergonha dele, sabe? O único rapaz de todo o condado que, durante a guerra, foi colocado diante de um pelotão de fuzilamento e executado por covardia. Não entendem quem ele é. Quem era. Nunca entenderam. Mas você entende, não, Tristan? Você sabe quem ele era."

OFUSCADO PELO SOL

FRANÇA, JULHO-SETEMBRO DE 1916

Um grito de desespero e fadiga escapa-me da boca do estômago quando a parede atrás de mim começa a ruir e se dissolver num vagaroso rio de lama grossa, preta e infestada de ratos que me escorre pelas costas e penetra o cano das minhas botas. Sinto o lodo infiltrar as não já encharcadas meias e me lanço contra a corrente, ávido por empurrar a barricada de volta ao seu lugar antes que ela me soterre. Um rabo passa rapidamente pelas minhas mãos, açoitando-me com força, depois outro; a seguir, uma mordida aguda.

"Sadler!", grita Henley, a voz rouca, a respiração laboriosa. Está a menos de um metro de mim ao lado de Unsworth, creio, e o cabo Wells é o próximo na fila. A chuva cai em tão pesados lençóis que eu a cuspo junto a bocados de terra fétida e é difícil distinguir uma da outra. "Os sacos de areia — olhe, estão ali — empilhe-os o mais alto possível."

Eu avanço tentando mover as botas em meio a quase um metro de lama. O barulho terrível de sucção que fazem ao emergir lembra o eco do último suspiro de um homem, fundo e frenético, arfando inutilmente em busca de ar.

Abro os braços instintivamente quando um saco de areia cheio de terra escavada despenca sobre mim e quase me derruba ao atingir-me o peito, mas, por mais ofegante que eu esteja, viro-me rapidamente para a parede, jogo o saco no lugar em que suponho estar a base, volto-me para pegar outro, agarro-o, torno a forrar a parede, e pego outro e outro e outro. Agora somos cinco ou seis fazendo a mesma coisa, amontoando bem alto os sacos de areia, pedindo mais, aos berros, antes que o maldito lugar desabe à nossa volta, e parece um trabalho de louco, mas dá certo e termina e nós esquecemos que hoje estivemos muito perto da morte, enquanto esperamos morrer novamente amanhã.

Os alemães usam concreto; nós, madeira e areia.

Há dias que está chovendo, uma torrente infindável faz com que as trincheiras pareçam cochos de porcos, não defesas nas quais o nosso regimento busca cobertura ao lançar seus ataques esporádicos. Quando chegamos, disseram-nos que o solo calcário da Picardia, pelo qual estivemos avançando há dias, é menos sujeito a desmoronar que o de outras partes da linha, particularmente aqueles campos miseráveis da vizinhança da Bélgica, onde os elevados pântanos tornam o entrincheiramento quase impossível. Não posso imaginar lugar pior do que este em que estamos. Só tenho esses sussurros e rumores como base de comparação.

Ao meu redor, aquilo que de manhã era um claro caminho agora é um rio de barro. Chegam bombas e três homens se ocupam delas. Wells grita alguma coisa para todos nós, sua voz áspera se perde no tumulto, e eu o olho, sentindo vontade de rir, uma espécie de histeria incrédula.

"Puta que pariu, Sadler!", berra ele, e eu sacudo a cabeça, tentando deixar claro que não escutei a ordem. "Ande logo!", urra para mim. "Ande logo, senão eu o enterro nesta lama de merda!"

Acima da minha cabeça, no parapeito, ouço o bombardeio recomeçar, um estranho prelúdio, pois ainda não é pesado e, em todo caso, nem de longe tão pesado como nos últimos dias. As trincheiras alemãs ficam a cerca de trezentos metros de nós, ao norte. Nas noites calmas, podemos ouvir o eco de sua conversa, cantorias ocasionais, gargalhadas, gritos de angústia. Não somos tão diferentes, eles e nós. Se os dois exércitos se afogarem na lama, quem restará para travar esta guerra?

"Ali, ali!", grita Wells, agarrando-me o braço e arrastando-me até o lugar em que Parks, Hobbs e Denchley trabalham com as bombas. "Use os baldes, homem! Tudo isto aqui precisa ser drenado!"

Concordo com um gesto rápido e olho para os lados. Surpreendo-me ao ver dois baldes cinzentos de lata à direita, aqueles que geralmente ficam atrás da linha de retaguarda, perto das latrinas. Yates se encarrega de conservá-los tão limpos quanto possível. Sua obsessão pela manutenção da higiene neste lugar beira a psicose. Como, diabos, vieram parar aqui?, pergunto-me, olhando para eles. Yates vai enlouquecer se os vir jogados assim. Não é possível que tenham rolado até aqui na chuva e no deslizamento de terra, pois a trincheira de comando fica entre a de retaguarda e a de frente, e as duas têm mais de dois metros de profundidade. Quem os estava levando de volta ao seu devido lugar deve ter sido atingido no meio do caminho. Se os baldes estão aos meus pés, o soldado que os carregava se encontra poucos metros acima de mim, deitado de costas, olhando para o céu escuro do norte da França, os olhos vidrados, o corpo cada vez mais frio, rígido e livre. E é Yates, percebo então. Claro, só pode ser. Yates morreu e as latrinas ficarão imundas daqui para a frente.

"O que deu em você, Sadler?", grita Wells, e eu me viro para ele, apresso-me a pedir desculpas enquanto me abaixo para pegar os baldes, e minhas mãos ficam cobertas de merda no momento em que toco nas alças, mas que importa, penso, que importa afinal? Colocando um deles no chão, seguro o outro pela borda e pela base, colho um litro de água, olho para o alto e, tendo averiguado o ar, jogo a grande porcaria ao nordeste, rumo a Berlim, na direção em que sopra o vento, observando o sujo líquido voar e cair no chão lá em cima. Terá caído nele?, penso. Será que caiu em Yates? No obsessivamente asseado Yates? Eu joguei merda sobre seu cadáver?

"Continue, homem!", grita uma voz à minha esquerda e, seja quem for — Hobbs? —, bombeia mais água para fora enquanto eu afundo o balde cada vez mais, colhendo a água, atirando-a, curvando-me para pegar mais. E então um corpo pesado, correndo em disparada e escorregando na lama, pragueja, endireita-se e esbarra em mim ao passar, e eu caio de bruços, a cara no barro e na água e na merda, e cuspo a terra espurca ao mesmo tempo que busco apoio para me levantar, mas a minha mão parece simplesmente afundar cada vez mais na lama e eu penso: *Como é possível, como a minha vida pôde ser rebaixada a tanta imundície e sordidez?* Nas tardes quentes, eu costumava nadar com os meus amigos na piscina pública. Jogava *conkers* com as castanhas caídas nos Kew Gardens, cozinhava-as em vinagre para ter mais chance de vitória.

Alguém estende a mão para me ajudar.

Agora se ouvem muitos gritos, nenhum deles tem sentido, então recebo uma enorme golfada de água no rosto, e de onde terá vindo? Acaso o vento aumentou trazendo a chuva? O balde é jogado bruscamente nas minhas mãos e eu me volto para ver quem me auxiliou; seu rosto é escuro e sujo, quase irreconhecível, mas distingo os olhos momentaneamente, o homem que me levantou, o homem que me ajudou, e nós nos entreolhamos, Will Bancroft e eu, sem dizer uma palavra, e então ele se vira e segue adiante, a caminho não sei de onde, enviado não para nos auxiliar, mas para ir mais além na trincheira, rumo a sabe-se lá que tipo de horror a três, seis ou trinta metros daqui.

"Está ficando mais forte", grita Denchley, erguendo a vista para o céu, e eu o imito, fechando os olhos e deixando que a chuva caia em meu rosto, lavando a merda, e sei que só tenho alguns segundos antes que Wells comece a berrar, mandando-me encher o balde e drenar o lugar, drenar o maldito lugar antes que todos nós fiquemos enterrados neste imundo campo francês filho da puta.

E eu retomo o trabalho, como sempre. Focalizo. Encho o balde. Jogo a água por cima do parapeito. Torno a enchê-lo. E acredito que se continuar fazendo isso, o tempo passará e eu acordarei em casa, com o meu pai me abraçando e dizendo que me perdoa. Viro-me para a direita e me dirijo a uma poça mais funda, olhando para a trincheira, para os sessenta ou oitenta metros visíveis para mim — tentando descobrir onde Will se meteu, querendo ter certeza de que está bem e, como sempre faço nesses momentos, eu me pergunto se voltarei a vê-lo vivo.

Outro dia.

Acordo, saio da toca em que passei três ou quatro horas tentando dormir e reúno o meu equipamento, o fuzil e a baioneta, a munição que entra nos meus bolsos dianteiros e traseiros, a pá, o cantil com o resto de um líquido que chamam de água, mas que tem gosto de cloreto de cal e provoca ataques esporádicos de diarreia, no entanto, se algum dia eu tiver que escolher entre a desidratação e a merda, eu opto pela merda. O meu capote me envolve o corpo, as placas curvadas sob a camisa me machucam a pele, pois infelizmente foram feitas para um homem menor que eu, mas porra, Sadler, dizem, isto aqui não é uma loja de departamentos, arranje-se com elas. Digo a mim mesmo que hoje é terça-feira, embora não tenha como sabê-lo. Dar nome ao dia oferece uma pálida ilusão de normalidade.

Graças a Deus, a chuva parou e as laterais das trincheiras estão aguentando e voltando a se solidificar, os sacos de areia empilhados, pretos e lamacentos por causa do enfardamento de ontem. Vou montar guarda em vinte minutos e, se me apressar, consigo chegar ao rancho para um chá com carne enlatada antes de assumir o meu posto. No caminho, topo com Shields, que está em péssimo estado. O olho direito roxo e semicerrado; um risco de sangue coagulado lhe atravessa a têmpora. Tem a forma do Tâmisa, fazendo uma curva para o sul em direção a Greenwich Pier junto à sobrancelha, depois virando para o norte rumo à London Bridge na testa e desaparecendo nas profundezas de Blackfriars em meio à desordem do cabelo infestado de piolhos. Não digo nada; nenhum dos dois está como devia.

"De guarda, Sadler?"

"Vinte minutos."

"Terminei agora. Comida e sono, é disso que eu preciso."

"Estou pensando em ir ao pub mais tarde", digo. "Uns canecos de cerveja e um joguinho de dardos, está interessado?"

Ele não responde, nem se dá conta da piada. Nós todos dizemos coisas assim de quando em quando e há ocasiões em que achamos graça, mas hoje Shields não está para risadas. Separa-se de mim quando chegamos ao Beco de Glover, que dá no Caminho Agradável, que por sua vez se bifurca à esquerda, no alto, e envereda pelo Repouso do Peregrino à direita. Nós vivemos aqui, debaixo da terra, como cadáveres, e esculpimos ruas no terreno, depois lhes damos nomes e erguemos postes de sinalização para ter a ilusão de que ainda fazemos parte da humanidade comum. Isto aqui é um labirinto, a cortadura se ramifica em tantas direções antes de se ligar a um caminho, rejeitar outro, oferecer passagem segura para um terceiro. É fácil se perder para quem não sabe aonde vai, e Deus tenha piedade do homem que não estiver no seu devido lugar quando lá deve estar.

Saio da trincheira de frente e vou para a de comando, onde fica o nosso apoio, a escassa quantidade de auxílio médico que podemos reunir e alguns catres para os oficiais. Mais adiante, sinto cheiro de comida no fogo e avanço com sofreguidão, olhando para a descuidada fila do rancho ao longo do beco da terceira linha, que leva ao sudoeste, e vejo muitas caras conhecidas, algumas novas, algumas que não falam, algumas que não se calam, algumas corajosas, algumas insensatas, algumas à beira da loucura. Algumas de Aldershot, de antes e depois de nós. Algumas com sotaque escocês, algumas com inglês, algumas com irlandês. Ao passar, ouço um murmúrio baixo de conversa, a sugestão de uma saudação talvez, e, quando chego ao rancho, tiro o capacete e coço a cabeça, sem me dar ao trabalho de olhar para o que fica sob as minhas unhas, pois trago o couro cabeludo coberto de piolhos, e as axilas também, e a virilha. Todo o lugar em que possam fazer ninho e procriar. Antigamente eu tinha nojo, mas agora nem penso nisso. Sou um anfitrião generoso e nós vivemos em paz, eles se alimentando da minha pele suja, eu catando-os e esmagando-os entre as unhas encravadas do polegar e do indicador.

Pego o que consigo encontrar e como depressa. O chá está extraordinariamente gostoso; deve ter sido feito há poucos minutos e evoca uma lembrança, algo da infância, e, se eu me empenhar, creio que sou capaz de avivá-la, mas não tenho energia nem interesse. A carne enlatada, por outro lado, é atroz. Só Deus sabe o que enfiaram nessas latas; pode ser texugo ou rato ou um bicho qualquer que tenha a audácia de continuar vivendo aqui, mas nós a chamamos de carne e fazemos de conta que é.

Esforço-me para não olhar à minha volta, para não o procurar, porque isso só me levará à dor. Se eu o vir, terei muito medo da sua rejeição para me aproximar, e é bem possível que, na minha raiva, depois simplesmente me lance sobre o parapeito, vá diretamente para a Terra de Ninguém e receba o que me estiver destinado. E, se não o vir, vou me convencer de que ele foi atingido nas últimas horas e me lançarei do mesmo modo, um alvo fácil para os franco-atiradores, pois qual é o sentido de prosseguir sem Will?

No fim, barriga cheia e gosto de chá na boca, eu me levanto e retorno ao lugar em que comecei, felicitando-me por ter me saído tão bem; por não o haver procurado nem uma vez. Momentos assim podem encadear horas semifelizes.

De volta à trincheira de frente, ouço uma comoção adiante e, embora não me interesse por discussões, sou obrigado a passar por ela para chegar aonde vou, então paro um instante e observo o sargento Clayton, que emagreceu muito nas poucas e breves semanas desde que chegamos, aos berros com Potter, um soldado excepcionalmente alto que ganhou muita popularidade em Aldershot devido às suas habilidades com a mímica. Em tempos melhores, é capaz de imitar perfeitamente não só o nosso chefe como os seus dois apóstolos Wells e Moody, e, certa vez, estando surpreendentemente bem-humorado, Clayton pediu-lhe que apresentasse seus esquetes para todo o regimento, o que ele fez muito bem. Não houve malícia na encenação, ainda que houvesse, pensei, uma pitada. Mas Clayton gostou.

A discussão parece dizer respeito à altura de Potter. Descalço, ele excede a todos nós com seu metro e noventa e cinco, mas, de botas e com o capacete na cabeça abaulada, chega quase aos dois metros. Nós já nos habituamos a ele, é claro, mas isso não lhe facilita a vida, pois as trincheiras têm menos de dois metros e meio de profundidade e cerca de um metro de largura em sua parte mais ao norte. O coitado não pode andar erguido, com a cabeça acima do parapeito, se não quiser que uma bala alemã lhe estoure os miolos. É difícil para ele, mas nós não temos tempo para cuidar disso, e Clayton está berrando na sua cara.

"Você faz questão se ser um alvo permanente! E acaba pondo todo o regimento em perigo. Quantas vezes eu já disse, Potter, para não andar todo empinado?"

"Mas eu não consigo, senhor", é a resposta desesperada. "Tento ficar curvado, mas o meu corpo não aguenta muito tempo. Estou com uma dor terrível nas costas por conta disso."

"E você não acha que uma cabeça vale mais que uma dorzinha nas costas?"

"Não posso ficar o dia inteiro dobrado, senhor", queixa-se Potter. "Vou tentar. Prometo."

E então Clayton grita uma série de obscenidades, investe contra ele e o encosta na parede aos empurrões, e eu penso: *Esse é o espírito. Derrube todos esses sacos de areia, por que não os derruba, deixando-nos em perigo maior ainda? Enquanto isso, por que não jogar fora toda a nossa artilharia?*

A briga ainda ecoa nos meus ouvidos quando me afasto do espetáculo matinal e retorno ao meu posto, onde Tell me espera ansiosamente, olhando em volta e torcendo para que eu apareça, pois, se não aparecer, provavelmente será porque fui burro a ponto de deixar que me matassem durante a noite e ele terá de ficar ali até que Clayton, Wells ou Moody passe e concorde em arranjar quem o substitua. Isso pode levar horas, e ele não tem a menor possibilidade de abandonar o posto, pois significaria deserção e o castigo é uma fila de soldados postados na sua frente, os fuzis apontados para o pedaço de pano pregado à altura do seu coração.

"Porra, Sadler, pensei que você não viria mais", grita ele, afastando-se já e dando-me uma palmada no braço para desejar boa sorte. "Tudo bem por lá?"

"Tudo ótimo, Bill", respondo — Tell é outro que prefere ser tratado pelo nome de batismo; talvez isso faça com que ainda se sinta dono de si — e avanço para me posicionar e puxar o periscópio para o nível dos olhos. Quero lhe perguntar se tem algo a relatar, mas ele já se foi e eu suspiro, estreitando os olhos ao olhar pelo vidro enlameado, tentando distinguir o horizonte dos campos de batalha e das nuvens escuras acima, e faço o possível para lembrar que merda vim vigiar aqui afinal.

Tento contar os dias desde que saí da Inglaterra e decido que são vinte e quatro.

Tomamos o trem de Aldershot a Southampton depois do treinamento e marchamos pelas ruas até o porto de Portsmouth, as famílias saindo de casa para nos saudar e incitar à guerra. A maioria dos homens adorou a homenagem, particularmente quando uma garota saltava da multidão para lhes beijar o rosto, mas eu achei difícil me concentrar, já que minha mente ainda estava presa aos acontecimentos da véspera.

Depois de tudo, Will tinha se vestido às pressas e olhado para mim com uma expressão diferente de todas as que eu conhecia. Uma mescla de surpresa com o que fizéramos e da sua incapacidade de negar que não só havia sido um participante voluntário como o responsável por tomar a iniciativa. Queria pôr a culpa em mim, era evidente, mas não valia a pena. Nós dois sabíamos como tinha começado.

"Will", comecei a dizer, mas ele sacudiu a cabeça e tentou subir na riba que nos cercava; na pressa para se afastar, tropeçou e tornou a escorregar para a parte de baixo antes que conseguisse firmar o pé. "Will", repeti, tentando tocá-lo, mas ele me afastou com um safanão e se virou, olhando fixamente para mim, os dentes arreganhados, um lobo pronto para atacar.

"Não", rosnou, desaparecendo no alto da ribanceira e na noite.

Quando voltei para a minha cama, dei com ele já na sua, de costas para mim, mas eu sabia que ainda estava acordado. Seu corpo se erguia e abaixava controladamente, a respiração mais ofegante que normal: o movimento e a respiração de um homem que quer dar a impressão de estar dormindo, mas não tem talento para a atuação e não consegue convencer inteiramente.

Assim, também tratei de dormir, certo de que nós conversaríamos de manhã, mas, quando acordei, ele tinha saído antes mesmo que Wells ou Moody tocassem o sino. Lá fora, depois da chamada, escolheu um lugar muito à minha frente na fila da marcha final, no centro da coluna, naquele ponto claustrofóbico que ele tanto detestava, cercado de soldados recém-batizados à esquerda, à direita, na frente e atrás, todos oferecendo defesa contra mim, caso fosse necessário.

Tampouco tive oportunidade de lhe falar no trem, pois Will fez questão de se sentar ao lado de uma janela no meio de uma multidão ruidosa, e eu estava a certa distância, confuso e agitado com aquela óbvia rejeição. Só muito mais tarde, naquela noite, quando navegávamos para Calais, foi que o encontrei sozinho junto à balaustrada, segurando o metal com força, a cabeça baixa como se estivesse mergulhado em pensamentos, e eu o observei de longe, sentindo o seu tormento. Não me aproximaria se não estivesse convencido de que talvez nunca mais tivéssemos uma chance de conversar, pois quem sabia que horrores nos aguardavam quando desembarcássemos?

Os meus passos no convés o alertaram para a minha presença e ele levantou um pouco a cabeça, agora de olhos abertos, mas não se voltou. Tive certeza de que ele sabia que era eu. Mantendo certa distância entre nós, olhei em direção à França, tirei um cigarro do bolso e o acendi, antes de lhe oferecer a cigarreira pela metade.

Will primeiro sacudiu a cabeça, depois mudou de ideia e aceitou um. Quando o levou aos lábios, eu lhe ofereci a brasa do meu cigarro para acendê-lo, mas ele voltou a sacudir a cabeça, abruptamente, e enfiou as mãos nos bolsos à procura da caixa de fósforos.

"Está com medo?", perguntei depois de um prolongado silêncio.

"Claro que estou. Você não?"

"Estou."

Fumamos, gratos por termos cigarros e, portanto, não sermos obrigados a conversar. Por fim, ele se virou para mim, a expressão triste, contrita, então olhou para o chão, engolindo em seco nervosamente, o cenho franzido de desespero.

"Olhe, Sadler", disse. "Foi uma besteira. Você sabe disso, não?"

"Claro."

"Não podia ter...". Will titubeou e tentou novamente. "Nenhum de nós está pensando direito, esse é o problema. A maldita guerra. Queria que tudo já tivesse terminado. Nós ainda nem chegamos lá, e eu desejando que acabe."

"Está arrependido?", perguntei em voz baixa, e ele se voltou, a expressão mais agressiva que antes.

"Arrependido do quê?"

"Você sabe."

"Eu já disse, não disse? Foi uma besteira. Vamos fazer de conta que não aconteceu. Pensando bem, não aconteceu mesmo. Isso não vale, a não ser, sabe... a não ser que seja com uma garota."

Eu ri; um breve grunhido involuntário. "Claro que vale,

Will", disse, avançando um passo em sua direção. "E por que você deu para me chamar de Sadler de uma hora para outra?"

"Ora, é o seu nome, não?"

"O meu nome é Tristan. É você quem vive dizendo que detesta essa história de nos chamarem pelo sobrenome. Diz que isso nos desumaniza."

"E é verdade", retrucou ele com aspereza. "Nós não somos mais homens."

"Claro que somos!"

Will sacudiu a cabeça rapidamente. "Não. Não foi isso que eu quis dizer. Digo que agora não podemos pensar que somos homens normais; nós somos soldados, só isso. Temos uma guerra pela frente. Você é o soldado Sadler; e eu, o soldado Bancroft, é isso, ponto final."

"Lá", disse eu, baixando a voz e apontando para o lugar de onde vínhamos, para a Inglaterra, "a nossa amizade era muito importante para mim. Em Aldershot. Nunca fui bom com amizades e..."

"Ah, tenha dó, Tristan", disparou ele, jogando a ponta do cigarro no mar e virando-se para mim com fúria. "Não fale comigo como se eu fosse o seu namorado, está bem? Isso me dá nojo, nojo. Não vou tolerar."

"Will", disse eu, tornando a estender a mão, na mera esperança de evitar que se afastasse de mim, mas ele bateu no meu braço com brutalidade, talvez com mais violência do que pretendia, pois, quando eu tropecei, olhou-me com um misto de remorso e ódio de si mesmo. Então se recompôs e seguiu caminho para o deque, onde a maioria dos nossos camaradas estava reunida.

"A gente se vê lá", disse. "O resto não interessa."

Mas hesitou um instante, deu meia-volta e, vendo minha expressão de dor e confusão, cedeu um pouco. "Eu lamento, está bem? Simplesmente não posso, Tristan."

Depois disso, mal voltamos a nos falar. Nem durante a marcha a Amiens, ocasião em que manteve uma boa distância de mim, nem quando avançamos para Montauban-de-Picardie, que, segundo nos informa o cabo Moody, é a profanada região que os meus olhos enxergam pelo vidro sujo do periscópio da trincheira. E eu tentei esquecê-lo, tentei me convencer de que era assim mesmo, paciência, mas é uma tarefa difícil já que, enquanto o meu corpo está aqui, a dois metros e meio de profundidade na terra do norte da França, o meu coração continua onde o deixei semanas atrás: à beira de um córrego numa clareira da Inglaterra.

Rich morreu. Parks e Denchley também. Vejo seus corpos serem retirados da trincheira e, por mais que queira desviar a vista, não posso. Ontem à noite, mandaram-nos subir para reforçar as nossas defesas com rolos mais grossos de arame farpado, antes que a próxima chuva de bombas se iniciasse, e eles foram atingidos um a um pelos franco-atiradores alemães.

O cabo Moody está assinando os documentos necessários para que os mortos sejam levados para fora e se volta ao ouvir meus passos, surpreso por me ver ali.

"Oh, Sadler. O que você quer?"

"Nada, senhor", respondo, olhando para os cadáveres.

"Então não fique aí parado feito um idiota. Está de folga?"

"Sim, senhor."

"Ótimo. Os caminhões já vão chegar."

"Caminhões, senhor? Que caminhões?"

"Nós encomendamos madeira para as trincheiras novas e para consertar algumas velhas. Quando ela chegar, poderemos tirar a maior parte dos sacos de areia. Reforçar as ruas. Suba e me ajude com isso, Sadler."

"Eu ia dormir um pouco, senhor."

"Você pode dormir a qualquer hora", retruca ele, e não há o menor sarcasmo em sua voz; acho que acredita realmente no que diz. "Mas, quanto mais cedo fizermos isso, mais seguros ficaremos. Vá, Sadler, ande logo, eles não vão demorar."

Eu saio e vou para a linha de retaguarda sem medo de ser baleado; a distância é muito grande para que as armas alemãs nos atinjam aqui. Mais adiante, vejo o sargento Clayton gesticulando furiosamente para três homens e, quando me aproximo mais, percebo que um deles é Will; o outro, Turner; e o terceiro, um sujeito um pouco mais velho, uns vinte e seis anos talvez, o qual nunca vi. Tem cabelo ruivo cortado rente, e sua pele parece áspera e velha. Os quatro se voltam ao me ouvirem chegar, e eu procuro não olhar para Will, não quero saber se sua reação inicial será de prazer ou irritação.

"Sadler", dispara o sargento Clayton, olhando para mim com desprezo, "que diabo você quer aqui?"

"O cabo Moody me mandou para cá, senhor. Disse que o senhor pode precisar de ajuda com os caminhões."

"Claro que vamos precisar de ajuda", responde ele, como se fosse a coisa mais óbvia do mundo. "Aliás, por que estão demorando tanto?". Olha para a estrada tosca aberta no terreno, sacode a cabeça, e consulta o relógio. "Eu vou para a trincheira de comando", resmunga, dando-nos as costas. "Bancroft, avise-me quando eles chegarem, entendeu?"

"Senhor", diz Will, uma breve confirmação antes de se virar e olhar para a estrada. Quero falar com ele, mas é difícil com Turner e o ruivo entre nós.

"Eu sou Rigby", anuncia o desconhecido, acenando a cabeça para mim, mas sem estender a mão.

"Sadler", digo. "De onde você surgiu?"

"Rigby é galinha-branca", explica Turner, mas sem a menor agressão na voz. Aliás, fala como se fosse uma coisa perfeitamente natural.

"É mesmo? Mas veio parar aqui do mesmo jeito."

"O quartel-general me manda a toda parte", conta ele. "Devem ter esperança de que me peguem um dia desses. Uma bala alemã, não uma inglesa, para economizar o preço da pólvora. Passei seis noites seguidas no serviço de padioleiro, acredita? E continuo vivo, o que eu desconfio que é um recorde. A não ser que eu esteja morto e vocês também e isto aqui seja o inferno." Mostra-se notavelmente animado com tudo, de modo que concluo que é completamente louco.

Baixo os olhos enquanto os três homens continuam conversando, calcando o chão com o bico da bota, separando a terra da pedra e vendo os torrões de barro seco se esfacelarem. Já não há hostilidade contra os opositores, pelo menos não contra os que concordam em prestar serviço, mesmo sem lutar. Provavelmente teríamos muito menos simpatia pelos que estão nas fazendas ou na cadeia, mas, é claro, nós nunca os vemos. O fato é que todos os que estão aqui correm perigo. Era diferente em Aldershot. Lá podíamos brincar de fazer política e ter chiliques de patriotismo ultrajado. Podíamos infernizar a vida de Wolf sem o menor remorso. Podíamos arrancá-lo da cama de madrugada e partir-lhe a cabeça com uma pedra. Nenhum de nós sobreviverá aqui, essa é a convicção geral.

Will fica andando em círculos, mantém boa distância de mim, e eu consigo me impedir de correr até ele, sacudi-lo pelos ombros e mandá-lo parar com esse nonsense.

"Rigby é londrino como você", diz Turner, e eu ergo a vista e vejo que está se dirigindo a mim; tenho a impressão de que Rigby já disse isso e Turner foi obrigado a repeti-lo, já que os três estão olhando fixamente para mim.

"É mesmo?", pergunto. "De onde?"

"Brentford. Conhece?"

"Claro que conheço. A minha família mora lá perto."

"Verdade? Será que eu a conheço?"

"Açougue Sadler", digo. "Chiswick High Street."

Ele me olha surpreso. "Está falando sério?", pergunta, e eu faço uma careta, querendo saber por que, diabos, eu não estaria. Reparo que Will se vira para nós ao ouvir a pergunta inesperada e volta a se aproximar cautelosamente.

"Claro que sim."

"Não diga que você é filho de Catherine Sadler!"

Eu me sinto meio atordoado ao ouvir seu nome. Tão longe de casa. Num campo da França. Com os corpos de Rich, Parks e Denchley se decompondo a alguns metros de onde estou. "Exatamente", digo com cuidado, esforçando-me para não perder a compostura. "Como você conhece a minha mãe?"

"Bom, eu não a conheço, não pessoalmente. A minha mãe é que é amiga dela. Alison Rigby. Você deve ter ouvido a sua mãe falar nela."

Penso nisso e sacudo os ombros. O nome me diz alguma coisa, mas acontece que a minha mãe tem uma rede de amigas pela cidade e eu nunca me interessei por nenhuma delas.

"Sim, acho que sim. Já ouvi esse nome em algum lugar."

"Que coincidência! E Margaret Hadley? Você deve conhecer Margaret."

Eu sacudo a cabeça. "Não. Deveria conhecer?"

"Trabalha no Café Croft."

"O Café Croft eu conheço. Mas já faz alguns anos. Por quê? Quem é ela?"

"A minha namorada", responde ele, abrindo um sorriso. "Pensei que você a conhecesse, só isso. Sabe, a mãe dela, a senhora Hadley, que eu espero que um dia seja minha sogra, administra uma arrecadação de fundos para o esforço de guerra com a minha mãe e a sua. Elas são inseparáveis, as três. Não posso acreditar que você não conheça Margaret. Uma garota bonita, morena. A sua mãe gosta muito dela, disso eu sei muito bem."

"Faz tempo que não vou para lá", explico. "Eu não... bom, minha família e eu não nos damos muito bem."

"Oh", diz ele, sentindo talvez que tenha pisado em terreno delicado. "Lamento muito. Caramba, Sadler, eu fiquei chateadíssimo quando soube do seu..."

"Tudo bem", atalho eu, incapaz de mudar o rumo da conversa, mas não preciso fazê-lo, pois Will agora está ao nosso lado, separado de mim apenas por Turner, e eu me surpreendo ao vê-lo ali, ao perceber que está tão interessado.

"Ela vai bem, a senhora Sadler?", pergunta, e Rigby se vira para ele e faz que sim.

"Que eu saiba, vai", responde. "Por quê? Você também a conhece?"

Will sacode a cabeça. "Não. Mas Tristan há de ficar contente em saber que a mãe dele vai bem."

"Vendendo saúde, pelo que sei", diz Rigby, tornando a se dirigir a mim. "Margaret, a minha namorada, bem, ela me escreve com frequência. Dá todas as notícias de lá."

"Que bom", digo, olhando para Will, grato por sua intervenção.

"Foi horrível para eles, é claro", prossegue o ruivo. "Margaret perdeu os dois irmãos logo no começo, nas primeiras semanas. A mãe dela ficou arrasada, ainda está, coitada, e é uma mulher maravilhosa. Naturalmente, nenhuma delas ficou satisfeita quando eu apresentei a minha objeção à Base de Treinamento Militar, mas eu tinha que me manter fiel aos meus princípios, essa é a grande verdade."

"Mas não foi difícil?", pergunta Will, inclinando-se com grande interesse. "Tomar a decisão de aguentar firme depois de tudo isso?"

"Dificílimo", diz ele entre os dentes. "Para ser franco, ainda não sei se fiz a coisa certa. Só sei que faz sentido para mim. Sei que sentiria estar deixando a minha gente na mão se ficasse em casa ou passasse esses anos na cadeia. Aqui, carregando padiola e fazendo o que mandam, pelo menos me sinto útil. Mesmo que me recuse a pegar em armas."

Nós três balançamos a cabeça, mas não fazemos nenhum comentário. Numa turma maior, é possível que esse homem ficasse mais sem jeito para falar em tais coisas, mas aqui, num grupo tão íntimo, não chega a ser difícil. Não temos a intenção de discutir com ele.

"Mas o pessoal está sofrendo muito lá", prosseguiu, voltando-se para mim. "A sua mãe deve ter lhe contado."

"Não muito."

"Sim, morreram centenas de garotos da nossa região. Você conheceu Edward Mullins?"

Faço um gesto afirmativo. Um rapazinho da minha escola, um ano acima do meu. "Conheci", digo, recordando o sujeito gorducho e com acne. "Sim, eu me lembro dele."

"Festubert", diz Rigby. "Morreu gaseado. E Sebastian Carter?"

"Sim."

"Estrepou-se em Verdun. E Alex Mortimer? Você o conhecia?"

Penso um pouco no nome e sacudo a cabeça. "Não. Acho que não. Tem certeza de que ele era do meu bairro?"

"Era novo no lugar. Acho que veio de Newcastle. Mudou para Londres há uns três anos com a família. Andava o tempo todo com Peter Wallis."

"Peter?", pergunto, surpreso. "Eu conheço Peter."

"Batalha de Jutland", diz ele, sacudindo os ombros como se se tratasse de mais uma baixa sem importância, sobre a qual não valia a pena escrever para casa. "Afundou com o *Nestor*. Por outro lado, Mortimer sobreviveu, mas a última notícia que tive é de que foi internado num hospital perto de Sussex. Perdeu as duas pernas, coitado. Também detonaram as bolas dele, só lhe resta ser sopranino no coro da igreja."

Eu o encaro. "Peter Wallis", digo, esforçando-me para controlar o tremor na voz. "O que exatamente aconteceu com ele?"

"Ah, não sei se me lembro de todos os detalhes", responde Rigby, coçando o queixo. "O *Nestor* não foi atingido pelos cruzadores alemães? Sim, isso mesmo. Primeiro pegaram o *Nomad*, depois o *Nestor*. Bangue, bangue, afundados, um atrás do outro. Nem todos morreram, felizmente. Mortimer sobreviveu, como eu disse. Mas Wallis foi um dos que não tiveram essa sorte. Sinto muito, Sadler. Quer dizer que ele era seu amigo?"

Desvio a vista e sinto que vou desmaiar de dor. Então nós nunca nos reconciliaremos. Eu nunca serei perdoado. "Sim", digo em voz baixa. "Sim, era."

"Porra, até que enfim", diz Turner de súbito, apontando para a frente. "Os caminhões chegaram. Quer que eu vá chamar o velho para você, Bancroft?"

"Por favor", pede Will, e eu sinto seus olhos em mim e me volto para ele. "Um bom amigo?", pergunta.

"Antigamente sim", digo sem saber como descrevê-lo, temendo desonrá-lo em sua morte. "Fomos criados juntos. Conhecíamo-nos desde o berço. Éramos vizinhos, sabe? Ele era o único... bem, o melhor amigo que eu tive, acho."

"Rigby", diz Will, "vá perguntar quanta madeira o motorista trouxe. Para avisarmos o sargento Clayton quando ele chegar aqui. Aí nós saberemos quanto tempo levaremos para descarregar."

Rigby olha para nós dois e, então, sentindo o embaraço do momento, assente e se afasta. Só quando o perdemos de vista é que Will se aproxima de mim, e então eu estremeço, tenho vontade de fugir, quero estar em qualquer lugar que não seja este.

"Controle-se, Tristan", diz ele em voz baixa, pousando a mão no meu ombro, os olhos procurando os meus, seus dedos pressionando a minha carne, transmitindo-me uma corrente elétrica, apesar da minha dor; é a segunda vez que me toca desde a Inglaterra — a primeira foi quando ajudou-me a levantar na trincheira alagada — e a única vez que fala comigo desde o navio. "Controle-se, sim? Pelo amor de Deus."

Eu me acerco mais e Will me dá uma palmada de consolação no braço, deixando a mão ali mais tempo que o necessário.

"A que Rigby se referiu quando disse que ficou chateadíssimo quando soube do seu... bem, ele não concluiu a frase."

"Não importa", digo, avançando mais um pouco para apoiar a cabeça no seu ombro, e ele me acolhe por um momento, a mão na minha nuca, e eu tenho quase certeza de que roça os lábios na minha cabeça, mas eis que aparecem Turner e o sargento Clayton, que, como sempre, se queixa aos gritos de um desastre qualquer, e nós tratamos de nos separar. Enxugo as lágrimas e o encaro, mas ele já se virou para o outro lado, e eu volto a pensar no meu velho amigo, morto como tantos outros. Santo Deus, me pergunto por que fui olhar os cadáveres de Rich, Parks e Denchley, se podia ter passado todo esse tempo na minha toca, garimpando alguns minutos de sono sem saber nada disso, sem nada saber de Londres ou da Cheswick High Street, da minha mãe, do meu pai, de Peter ou de toda aquela merda.

Avançamos para o norte e, tendo tomado uma longa e estreita fila de trincheiras alemãs com um mínimo de baixas — pelo menos do nosso lado —, a notícia do nosso sucesso suscita uma visita do general Fielding.

O sargento Clayton passa a manhã transtornado de ansiedade e faz questão de inspecionar todos os homens para garantir que apresentemos o equilíbrio perfeito entre a limpeza exigida pelas normas de higiene e a sujeira que confirme que estamos fazendo o nosso trabalho. Pede que Wells e Moody o acompanhem enquanto percorre a fila, um com um balde de água, o outro com um de lama, e esfrega ou suja pessoalmente a cara de qualquer homem que não lhe pareça atingir seus rigorosos padrões. É uma cena extraordinária. Claro que, ao passar, ele uiva e berra uma ladainha de impropérios ou elogios exagerados, e eu temo por sua sanidade mental. Williams me contou que Clayton era trigêmeo e que seus dois irmãos morreram nas primeiras semanas da guerra, vítimas de granadas de mão que explodiram antes da hora quando lhes retiraram o pino. Não sei se é verdade, mas isso decerto enriquece a mitologia do homem.

Mais tarde, quando o general chega, com atraso de mais de duas horas, ninguém consegue localizar o sargento e descobre-se que ele está na latrina. Robinson é incumbido de procurá-lo e Clayton só reaparece dez minutos depois, vermelho e furioso, olhando feio para cada soldado por que passa como se, de alguma forma, fosse nossa a culpa de ele ter escolhido justo aquele momento para cagar. É difícil não rir, mas nós damos um jeito de nos controlar; o castigo seria participar da ronda do arame farpado quando escurecesse.

Ao contrário de Clayton, o general Fielding parece ser um sujeito bastante agradável, racional até, e se mostra preocupado com o bem-estar dos soldados sob seu comando e interessado pela nossa sobrevivência. Inspeciona as trincheiras e as tocas, falando com os homens no caminho. Nós nos enfileiramos como se estivéssemos recebendo a visita de um monarca, e de certo modo estamos mesmo, e ele para diante de cada terceiro ou quarto soldado, dizendo: "Estão tratando você bem, estão?" ou "Dando o melhor de si, ouvi dizer", mas, ao passar por mim, limita-se a sorrir de leve e acenar a cabeça. Fala com Henley, que é seu conterrâneo, e, em menos de dois minutos, os dois se põem a enaltecer as glórias do time de críquete First XI de um estabelecimento em Elephant & Castle. O sargento Clayton, se esgueirando sobre o ombro direito do general, escuta com atenção e se mostra meio apreensivo, como se quisesse controlar tudo quanto lhe dizem.

Nessa noite, quando Fielding se despede e vai se abrigar na segurança do quartel-general, chega o barulho seco de um bombardeio contínuo cerca de cinquenta ou sessenta quilômetros a sudoeste de nós. Contrariando momentaneamente as ordens, eu viro o periscópio para o céu e observo as súbitas explosões de faíscas elétricas indicando uma chuva de bombas na cabeça de soldados alemães, ingleses ou franceses — tanto faz. Quanto mais cedo todos morrerem, mais cedo tudo isto acaba.

O bombardeio aéreo lembra um pouco fogos de artifício, e eu me recordo de uma ocasião, cinco anos atrás, a única vez em que vi tal espetáculo na vida real. Foi em junho de 1911, a noite da coroação de Jorge V. Laura, a minha irmã, estava doente, com febre, de modo que a minha mãe foi obrigada a ficar em casa cuidando dela enquanto o meu pai e eu percorremos Londres rumo ao palácio de Buckingham e, no centro da multidão, esperamos a passagem do rei e da rainha Maria quando voltassem da abadia de Westminster. Não gostei daquilo. Ainda não completara doze anos e era pequeno para a minha idade. Enfiado como estava no meio daquela turba, não conseguia ver nada, só os casacos dos homens e mulheres que me empurravam para lá e para cá. Era difícil respirar, e tentei explicar isso ao meu pai, mas ele soltou a minha mão e começou a conversar com quem estava ao seu lado. As carruagens começaram a passar e eu corri atrás delas no entusiasmo de ver o casal real, e logo descobri que estava completamente perdido e não sabia o caminho de volta.

Não me desesperei, e me pus a procurar o meu pai e a gritar o seu nome, e, quando ele finalmente me achou, uma hora depois, deu-me uma bofetada tão forte e inesperada que eu nem consegui chorar. Simplesmente fiquei ali plantado, atônito, e uma mulher avançou, gritando com ele, e lhe deu um soco no braço em retaliação, mas meu pai não fez caso do golpe, apenas me arrastou em meio à aglomeração, repetindo várias vezes que, se eu voltasse a me perder dele, o castigo seria muito pior. Não tardamos a chegar ao memorial da rainha Vitória e, quando escureceu e os fogos de artifício começaram, quando a minha face já estava inchando e ficando roxa, o meu pai me surpreendeu ao me erguer e colocar nos ombros, de modo que, pelo menos uma vez, eu fiquei acima da multidão, vendo a cabeça dos outros espectadores abaixo de mim. As luzes, os rojões e as cores explodiram no ar, e eu olhei para aquele mar de homens e mulheres que se estendia até onde a vista podia alcançar e para todas as outras crianças montadas nos ombros dos pais, entreolhando-se, rindo no êxtase do momento.

"Sadler!", grita Potter, com os seus mais de dois metros de altura de botas e capacete, agarrando-me o ombro e arrastando-me para o fundo da trincheira. "Que diabo deu em você? Tire essa merda de cabeça das nuvens."

"Desculpe", digo, recolocando o periscópio na posição adequada e vistoriando o terreno à frente. Apavora-me a ideia de que, por ter perdido a concentração por alguns minutos, avistaria repentinamente um grupo de vinte alemães de bruços, arrastando-se em minha direção feito cobras, e seria tarde demais para disparar o alarme, mas não, lá fora está tudo tranquilo, ainda que o céu pareça um inferno, e o pedaço de terra que separa os dois grupos de rapazes aterrorizados de lados opostos do Mar do Norte continua deserto.

"Não deixe o velho pegar você sonhando acordado", diz Potter, acendendo um cigarro e dando uma longa tragada antes de esfregar os braços para espantar o frio. "E, se você puser a cabeça para fora mais uma vez, garanto que o Fritz não vai vacilar em estourá-la."

"Eles não conseguiriam me atingir a essa distância."

"Está querendo testar esta hipótese?"

Deixo escapar um suspiro exasperado. Potter e eu não somos íntimos, a sua popularidade aumentou com o aprimoramento da mímica e agora ele não escuta nada a não ser a sua própria voz. Potter não é superior a mim, mas pensa que é, pois tem um duque qualquer na sua árvore genealógica, ao passo que a minha família, diz ele com frequência, é de comerciantes.

"Tudo bem, Potter", digo. "Vou ficar com a cabeça abaixada, mas a sua gritaria infernal também não ajuda muito, não acha?"

Viro-me para esquadrinhar o horizonte, certo de que ouvi alguma coisa lá fora, mas tudo parece estar quieto. No entanto, sinto um mal-estar; alguma coisa deve estar errada, por mais que tudo pareça em ordem.

"Eu falo quanto quiser, Sadler", dispara Potter. "E gente como você não me manda calar a boca."

"Gente como eu?", pergunto, voltando-me para ele, pois hoje não estou com paciência para essas besteiras.

"Ora, vocês são todos iguais. Vocês não têm juízo, nenhum de vocês?"

"O seu pai é carpinteiro, Potter", digo, pois ouvi dizer que ele tem uma serraria em Hammersmith. "Você não é nenhum Jesus Cristo."

"Pare de blasfemar, Sadler", retruca ele com raiva, endireitando o corpo de modo que a sua cabeça fica para fora, exatamente como ele disse que eu não devia fazer. Ergue o cigarro e a brasa fica visível acima do parapeito, e eu bufo de pavor.

"Potter, o seu cigarro..."

Ele se vira, percebe o que está fazendo, e eu sou cegado imediatamente por algo que parece um balde de muco incandescente despejado no meu rosto. Cuspo e pestanejo, vomitando na lateral da trincheira quando me atiro no chão, limpando a imundície que me atingiu os olhos, e eis que vejo o corpo de Potter estendido aos meus pés, um buraco enorme na cabeça no lugar por onde a bala entrou, um olho arrancado — e arremessado em mim, suspeito eu —, o outro pendendo inutilmente da órbita.

O barulho do bombardeio a cinquenta quilômetros parece mais alto, e eu fecho os olhos um instante, imaginando-me em outro lugar, e então ouço a voz da mulher que se irritou quando o meu pai me bateu, cinco anos atrás, na noite da coroação. "O menino não fez nada de errado", disse. "O senhor devia aprender a tratar bem o seu filho."

As semanas transcorrem, nós avançamos, paramos, entrincheiramo-nos, disparamos os Sorridentes, lançamos granadas, e nada parece mudar. Um dia nos dizem que a linha que atravessa a Europa está avançando e agora já não vai demorar, no dia seguinte, a notícia é que as coisas vão mal e vale a pena nos prepararmos para o pior. O meu corpo já não é meu: os piolhos o sublocaram aos ratos e outros bichos, para os quais sou um mastigatório. Consolo-me pensando que este, afinal, é o território natural deles; e eu, o intruso. Agora, quando acordo e dou com um parasita mordiscando o meu tronco, movendo o focinho e o bigode enquanto prepara o ataque, já não me sobressalto nem grito, limito-me a afastá-lo com a palma da mão, tal como enxotaria uma mosca que estivesse zumbindo junto à minha cabeça no parque de St. James. Essa é a nova rotina e eu mal penso nela, entrego-me ao meu dia a dia, ficando em meu posto, resistindo aos ataques, indo lá para cima quando é a minha vez de arriscar a vida, comendo quando posso, fechando os olhos e tentando dormir, deixando os dias escoarem, acreditando que cedo ou tarde ou isso tudo acaba, ou acabo eu.

Já faz semanas que o cérebro de Potter espirrou na minha farda, e é claro que ela foi lavada, mas as manchas avermelhadas e cinzentas nas lapelas me incomodam. Consultei os outros a respeito delas, mas eles sacodem a cabeça e dizem não ver nada. Claro que estão enganados. As marcas são evidentes. Eu sinto o cheiro delas.

Terminei um turno de mais de dez horas e estou caindo de sono quando vou para a retaguarda. É tarde e nós esperamos ser bombardeados ainda esta noite; por isso, a maioria das velas está apagada, mas avisto alguém sozinho no canto do rancho e me aproximo, ávido por conversar um pouco antes de dormir. Mas vacilo ao perceber que é Will. Está debruçado sobre umas folhas de papel, a caneta torcida de modo esquisito no punho, e, pela primeira vez, percebo que é canhoto. Olho para ele, morrendo de vontade de falar, mas dou meia-volta e me afasto, as minhas botas fazendo barulho no chão, e então ele me chama em voz baixa.

"Tristan."

"Desculpe", digo, virando-me, mas sem me acercar. "Não quero incomodar."

Will sorri. "Não está incomodando. De folga?"

"Faz um minuto. Acho melhor dormir um pouco."

"É lá que a gente dorme", diz ele, apontando para o lugar de onde vim. "Que está fazendo aqui?"

Faço menção de responder, mas não encontro o que dizer. Não quero lhe contar que precisava de companhia. Ele torna a sorrir e aponta para o lugar ao seu lado. "Sente-se aqui uns minutos. Há séculos que não conversamos."

Obedeço, tentando não me irritar com a sua insinuação de que esta foi uma decisão mútua. Mas é inútil zangar-me; Will me ofereceu a dádiva da sua companhia, e eu não desejo muito mais do que isso da vida. Talvez a hostilidade enfim acabe.

"Escrevendo para casa?", pergunto, apontando para os papéis.

"Tentando", responde, juntando-os e organizando-os na mesa antes de guardá-los no bolso. "A minha irmã, Marian. Mas eu nunca sei o que dizer, entende? Contar-lhe a verdade sobre como vão as coisas aqui só lhe causaria preocupação. E, se for para mentir, nem vale a pena escrever. Complicado, não?"

"O que você faz então?"

"Falo sobre outras coisas. Faço perguntas a respeito da família. É conversa fiada, mas enche as páginas e ela sempre responde. Eu enlouqueceria se não contasse com as cartas de Marian."

Eu balanço a cabeça e desvio o olhar. A barraca do rancho está completamente deserta, o que me surpreende. Quase sempre há gente aqui, comendo, tomando chá, com a cabeça inclinada sobre os talheres.

"Você não escreve para casa?", ele pergunta.

"Quem disse que não?"

"Ninguém, é que eu nunca o vi escrevendo. Os seus pais, com certeza gostariam de ter notícias suas."

Eu sacudo a cabeça. "Duvido. Eu fui expulso de casa, sabe?"

"Sei. Mas você não me contou por quê."

"Não?", pergunto, e deixo a resposta no ar.

Will passa alguns minutos calado, toma um gole de chá, e então ergue os olhos, como se acabasse de se lembrar de alguma coisa. “E a sua irmã? Laura, não?”

Sacudo a cabeça novamente e olho para o chão, fechando os olhos um instante, querendo lhe falar de Laura, mas incapaz de fazê-lo; seria preciso mais tempo do que provavelmente temos.

“Você soube de Rigby, imagino?”, pergunta ele depois de algum tempo, e eu faço que sim.

“Soube. Fiquei chateado.”

“Ele era um sujeito íntegro”, diz Will com gravidade. “Mas, palavra, toda vez que mandam um galinha-branca para a Terra de Ninguém, estão simplesmente rezando para que o peguem. Também não ligam para o pobre coitado que ele foi resgatar.”

“Quem era, aliás?”, pergunto, virando-me para ele. “Não fiquei sabendo.”

“Não tenho certeza”, responde Will. “Tell, talvez? Ou Shields? Um desses.”

“Mais um dos nossos”, digo, imaginando os rapazes na cama no alojamento de Aldershot.

“Sim. Agora só restam onze de nós. Nove se foram.”

“Nove?”, pergunto, erguendo a vista e enrugando a testa. “Eu contei oito.”

“Soube de Henley?”

“Sim, mas eu o incluí”, respondo com dor no coração ao saber que mais um se foi; acompanho de perto os garotos do quartel, os que ainda estão conosco, os que morreram. Yates e Potter. Tell, Shields e Parks.

“Denchley”, diz Will.

“Sim, Denchley, com ele são seis. Rich e Henley. Oito.”

“Você está esquecendo Wolf.”

“Ah, sim”, digo, sentindo o rosto corar um pouco. “Claro. Wolf.”

“Com Wolf, são nove.”

"Tem razão. Desculpe."

"Em todo caso, Rigby ainda está lá fora, creio. Pode ser que mandem uma equipe buscá-lo durante a noite, mas é provável que não. Que perda de tempo, hein? Mandar um padioleiro buscar um padioleiro. Aí, com toda certeza o matam e nós temos de mandar outro para ir buscá-lo. É um ciclo de merda infindável, não?"

"O cabo Moody diz que mais oitenta homens estão marchando para cá, de modo que teremos reforço daqui a um ou dois dias."

"Como se fosse adiantar", diz ele em tom sombrio. "O puto do Clayton. E eu o digo literalmente, Tris. O puto do sargento James Filho da Puta Clayton."

Tris. Uma única sílaba de intimidade e o mundo entra nos eixos.

"A culpa não é dele. Ele só obedece a ordens."

"Ah!". Ele grunhe, sacudindo a cabeça. "Você não vê como ele manda os que detesta para além dos sacos de areia? Coitado do Rigby, não sei como sobreviveu tanto tempo, o número de vezes que foi lá para fora. Clayton tinha ódio dele desde o começo."

"Os caras não gostam dos galinhas-brancas", digo sem convicção.

"No fundo, nós todos somos galinhas-brancas", retruca ele. Aproxima a mão da vela acesa à sua frente. Está quase se apagando e ele mantém o indicador no ar, passando-o pela chama rapidamente, depois mais devagar, depois mais devagar ainda.

"Pare, Will."

"Por quê?", pergunta ele com um leve sorriso, mantendo o dedo cada vez mais tempo na chama.

"Você vai se queimar."

Will dá de ombros. "Não faz mal."

"Pare com isso!", eu insisto, agarrando-lhe a mão, afastando-a da vela, que tremula um instante, projetando sombras no nosso rosto enquanto lhe seguro, sentindo a pele áspera, calejada, que todos nós desenvolvemos. Ele olha para a minha mão, depois seus olhos encontram os meus. Noto que o seu rosto está sujo, há barro endurecido sob os dois olhos. Abre um lento sorriso e as covinhas aparecem — nem a guerra nem as trincheiras são capazes de impedi-las —, e retira a mão lentamente, muito lentamente, deixando-me inquieto, confuso e, acima de tudo, excitado.

"Como vão as suas?", pergunta, apontando para as minhas mãos. Eu as espalmo no ar, todos os dedos imóveis como se estivessem paralisados. Isso se tornou meu pequeno show entre os homens; o meu recorde é oito minutos sem nem um movimento. Will ri. "Continuam firmes como rocha. Não sei como você consegue."

"Nervos de aço", sorrio.

"Você acredita no céu, Tristan?", pergunta ele com voz mansa, e eu sacudo a cabeça.

"Não."

"É mesmo?" ele diz, surpreso. "Por que não?"

"Porque é uma invenção humana. Fico pasmo quando as pessoas começam a falar no céu e no inferno e no lugar em que vão parar quando a vida chegar ao fim. Ninguém se pergunta por que afinal nos foi dada a vida, isso seria heresia, mas são tantos os que se dizem completamente seguros do que lhes vai acontecer quando morrerem. É absurdo."

"Que o meu pai não o ouça dizer isso", graceja ele.

"O vigário", digo, lembrando-me agora.

"É um bom homem. Eu acredito no céu, sabe? Não sei bem por quê. Talvez simplesmente por querer acreditar. Não sou muito religioso, mas é impossível ser criado por um pai como o meu e não ter um pouco disso no sangue. Principalmente sendo ele um homem tão decente."

"Não sei nada a respeito disso", digo.

"Ah, sim, o açougueiro de Brentford."

"Chiswick."

"Brentford fica pertinho. E é um nome mais bonito."

Eu faço que sim e esfrego os olhos. Estou com muito sono; talvez tenha chegado a hora de me despedir, voltar para a minha toca e dormir um pouco.

"Naquela noite", diz Will, e eu não viro a cabeça nem ergo os olhos, fico imóvel, tão firme como as minhas mãos agora há pouco. "Quer dizer, antes."

"Em Aldershot?"

"É." Ele hesita antes de prosseguir. "Coisa engraçada, não?"

Eu respiro fundo pelo nariz e fico pensando. "A gente estava com medo, imagino. Quer dizer, do que estava por vir. Não foi planejado."

"Não. Não, claro que não. É que eu sempre achei que queria casar um dia. Ter uns filhinhos, essas coisas. Você não quer isso, Tristan?"

"Não, na verdade."

"Eu quero. E sei que os meus pais também querem."

"E eles são tão importantes assim?", digo com azedume.

"Para mim, são. Mas, naquela noite..."

"Sim, o que é que tem?", pergunto, frustrado.

"Você já tinha pensado nisso?", pergunta, fitando-me diretamente e, à luz da vela, vejo os seus olhos marejarem e tenho vontade de abraçá-lo e lhe dizer que, se ele quiser voltar a ser meu amigo, eu não preciso de mais nada; posso viver sem o resto, se for necessário.

"Tinha", digo em voz baixa, balançando a cabeça. "Sim, acho que está... bem, que está presente, entende? Na minha cabeça. Eu tentei me livrar disso, é claro." Vacilo e ele olha para mim, esperando que eu continue. "Mas não vale a pena", reconheço. "Já estava presente antes que eu soubesse o que era."

"A gente ouve falar em homens", diz Will. "Há casos nos tribunais, é claro. A gente lê no jornal. Mas parece tão... asqueroso, não acha? O segredo envolvido. O subterfúgio. A própria natureza imunda, sórdida, disso."

"Mas essa não é a vontade deles", contraponho, escolhendo o pronome com cuidado. "Eles não têm escolha senão levar uma vida clandestina. A sua liberdade depende disso."

"Sim", concorda ele. "Sim, eu já pensei nisso. Mas sempre achei que seria bom ser casado, você não? Com uma moça decente de boa família. Alguém que queira um lar feliz."

"Com uma moça convencional."

"Ah, Tristan", suspira Will, aproximando-se de mim — a terceira vez que usa essas palavras — e, antes que eu responda, sua boca já está na minha, sôfrega, e eu quase caio de costas de tanta surpresa, mas consigo me firmar e deixar que aconteça, perguntando-me até que ponto posso me deixar levar e saborear o beijo.

"Espere", diz ele, afastando-se e sacudindo a cabeça, e eu penso que vai desistir, mas a mescla de desejo e urgência estampada em seus olhos sugere outra coisa. "Aqui não. Alguém pode chegar. Venha."

Will sai da barraca e eu o sigo, praticamente correndo para não correr o risco de perdê-lo na escuridão da noite, para longe das trincheiras, andando tão depressa e afastando-se tanto que uma parte de mim chega a recear que isso seja considerado deserção; outra parte se admira com a facilidade com que ele encontra este trecho de território oculto. Acaso já esteve aqui? Com outra pessoa? Com Milton ou Sparks talvez? Ou com um dos garotos novos? Mas, enfim, parece se sentir seguro e se volta para mim, e nós nos deitamos e, por mais que eu queira isso, por mais que queira Will, lembro aquela noite em Aldershot e o modo como ele me olhou depois. E que, desde então, mal voltou a me dirigir a palavra.

"Desta vez vai ficar tudo bem, não?", pergunto, soltando-me momentaneamente, e ele me encara com ar atônito e balança a cabeça.

"Vai, vai", diz, e começa a descer as mãos pelo meu corpo, tocando cada parte dele, e dessa vez eu decido não dar ouvidos à voz, dentro de mim, que diz que são apenas alguns minutos de prazer em troca de quem sabe quanta hostilidade da parte dele, pois não importa; pelos menos nesses minutos, posso acreditar que já não estamos em guerra.

Vou me arrastando e ergo um pouco o corpo, depois tropeço e caio em cima de um cadáver que mal reconheço, o de um rapaz novo aqui, e me estatelo ruidosamente no barro. Afundando os calcanhares no chão, levanto-me, cuspindo terra e pedrisco, ignorando-o, avançando com dificuldade. É inútil limpar a sujeira, há meses que não sei o que é estar limpo.

Lançar-me na Terra de Ninguém é cada vez mais apavorante. Pura roleta-russa: a cada puxada do gatilho, diminui a chance de sobreviver ao próximo tiro.

Ouço Wells ou Moody, um dos dois, dando ordens num ponto qualquer da fila, mas é difícil entender exatamente o que diz; a combinação da forte ventania com o granizo impede-nos de agir a não ser por instinto. É loucura avançar em tais condições, mas as ordens vieram do quartel-general e não devem ser questionadas. Petulante como sempre, Unsworth questionou a sensatez da ação e eu cheguei a pensar que Clayton o espancaria, mas ele logo pediu desculpas e foi correndo para as escadas, aparentemente com mais medo da fúria do sargento que das armas do inimigo. Desde a visita do general Fielding, Clayton parece ter perdido de vez o pouco que lhe restava de juízo. Quase não dorme e parece a morte em pessoa. Seus urros podem ser ouvidos de qualquer posição em que se esteja. Eu me pergunto por que Wells ou Moody não tomam uma providência; convém afastá-lo do comando antes que ele faça alguma coisa que nos ponha a todos em perigo.

Continuo me arrastando, o fuzil em punho e, com o olho esquerdo bem fechado, espio pelo visor à procura de alguém que venha em minha direção. Imagino-me dando de cara com um garoto da minha idade, os dois em pânico no instante em que matamos um ao outro. O céu está coalhado de aviões, e o azul-escuro que abre caminho à força entre as nuvens cinzentas guarda uma certa beleza, mas é perigoso olhar para cima, por isso sigo adiante, o coração saltando no peito, a respiração escoando do meu corpo em breves arfadas.

Ontem à noite, Will e Hobbs saíram em patrulha de reconhecimento e demoraram tanto que eu pensei que nunca mais os veria vivos. Quando enfim retornaram, contaram ao cabo Wells que as trincheiras alemãs estavam uns dez quilômetros ao norte das nossas, mas foram construídas em lotes separados, sem conexão entre si, como era em outros lugares. Se tivermos cuidado, podemos tomá-las uma a uma, avaliou Hobbs. Will ficou calado e, quando o sargento Clayton gritou: "E você, Bancroft, seu burro de merda? O que tem a dizer?", ele se limitou a balançar a cabeça e declarar que concordava com o soldado Hobbs.

Eu virei a cara ao ouvir a sua voz. Sinto que seria uma felicidade nunca mais tornar a ouvi-la.

O nosso segundo encontro foi há três semanas, Will não voltou a falar comigo nem a responder quando me dirijo a ele. Sempre que me vê chegando — isto é, caminhando em sua direção, não à sua procura —, dá meia-volta e se afasta no rumo oposto. Quando entra na barraca do rancho e eu estou comendo, desiste imediatamente e volta para o seu inferno particular. Não, ele falou comigo uma vez, quando viramos uma esquina, demos um com o outro e estávamos a sós. Eu abri a boca para dizer algo e ele simplesmente sacudiu a cabeça, ergueu as mãos para criar uma barreira entre nós e rosnou: "Dê o fora daqui, porra", e nada mais.

Há um som de fogo de artilharia lá na frente. *Mantenham a forma*, a ordem passa de homem a homem, dezenove ou vinte de nós aproximando-nos da trincheira inimiga numa fila irregular. Os disparos cessam; vê-se uma luz fraca, provavelmente uma ou duas velas, e vozes abafadas. O que há com eles afinal? Por que não nos veem chegando e nos fuzilam um a um? Por que não *acabam* conosco de uma vez?

Mas acho que é assim que se ganha a guerra. Um lado baixa a guarda momentaneamente, o outro se aproveita. E, nesta noite particular, a sorte está do nosso lado. Num minuto, não mais que um minuto, e ficamos todos de pé, os fuzis erguidos e engatilhados, as granadas de mão preparadas, e então irrompe um barulho constante de tiros e a luz explosiva das nossas balas atravessa a noite e mergulha nas trincheiras. Ouve-se uma gritaria lá embaixo, um barulho de madeira jogada para o lado — imagino um grupo de alemães esquecidos do seu posto e jogando baralho para aliviar a tensão —, e eles fervilham como formigas, levantando as armas tarde demais, pois nós temos a vantagem do terreno mais alto e do elemento surpresa, e continuamos a disparar e recarregar, a fila se desfazendo um pouco à medida que nos deslocamos para cobrir a extensão da trincheira que, segundo garantiram Will e Hobbs, não tem mais de quinhentos metros de comprimento.

Um zumbido passa pelo meu ouvido e eu sinto uma pontada e penso que fui atingido, mas, quando levo a mão à cabeça, a dor passa sem uma gota de sangue e, na minha confusão, fico com mais raiva e ergo o Sorridente e o aponto indiscriminadamente para os homens lá embaixo, puxando muitas vezes o gatilho.

Um barulho como de uma bexiga estourando, e o homem ao meu lado tomba com um grito de angústia, e eu não posso parar para socorrê-lo, mas me passa pela cabeça que é Turner que acaba de cair, Turner que certa vez me venceu três vezes seguidas no xadrez e foi o mais grosseiro dos campeões.

Dez se foram, sobram dez.

Avanço com ímpeto, para o lado, tropeço e caio em outro cadáver e penso, *Oh, meu Deus, que não seja Will*, mas não, quando olho para baixo, incapaz de me deter, vejo Unsworth estendido com a boca escancarada, a angústia estampada no rosto, Unsworth que teve a audácia de questionar a sensatez da estratégia. Já está morto. Há quinze dias, fiquei de guarda com ele, os dois várias horas sozinhos e, embora não fôssemos muito amigos, ele me contou que a sua garota descobriu que estava grávida, e eu o parabenizei e disse que não sabia que ele era casado.

"Eu não sou", resmungou Unsworth, cuspindo no chão.

"Ah. Bom, essas coisas acontecem."

"Deixe de ser idiota, Sadler. Faz seis meses que eu não volto para casa. Essa história não tem nada a ver comigo, porra. Aquela puta encardida."

"Ora, melhor ainda. Neste caso você não precisa se preocupar."

"Mas eu queria casar com ela", gritou ele, corando de humilhação e dor. "Tenho adoração por aquela mulher. Basta eu me ausentar por cinco minutos para acontecer uma coisa dessas."

Onze — nove.

Tornamos a investir e saltamos lá dentro, minha primeira vez numa trincheira alemã, berrando como se nossa vida dependesse disso enquanto corremos por veredas desconhecidas, e dou comigo atirando indiscriminadamente à medida que avanço e, em certo ponto, viro-me, derrubo um homem mais velho com o cano do fuzil, e ouço o barulho do seu nariz ou maxilar quebrando na queda.

Não sei há quanto tempo estamos aqui, e não tardamos a tomá-la. Nós ocupamos a trincheira alemã. Todos eles estão mortos à nossa volta, do primeiro ao último, e eis que o sargento Clayton surge das entranhas do inferno, como Lúcifer, reúne-nos e diz que somos bons homens, que cumprimos o nosso dever tal como ele nos treinou para fazer, que esta é uma importante vitória do Bem sobre o Mal, mas hoje ainda temos de prosseguir, precisamos continuar avançando, há uma trincheira menor um quilômetro e meio a noroeste da nossa posição, e nós temos de ir para lá imediatamente, do contrário, perdemos a vantagem.

"Quatro de vocês ficarão aqui para defender esta terra", diz, e cada um de nós roga em silêncio para ser escolhido. "Milton, Bancroft, Attling, Sadler, vocês quatro, certo? Agora deve estar tudo tranquilo, mas tomem cuidado. Milton, fique com a minha pistola. E assuma o comando. Os outros três terão que se virar com o fuzil se houver algum problema. Pode ser que vocês sejam atacados por outro regimento vindo do leste."

"E se isso acontecer, senhor", pergunta Milton irrefletidamente, "como vamos nos defender?"

"Usem a cabeça, homens. Vocês foram treinados para isso. Mas, se depois eu voltar e descobrir que o Fritz recuperou esta trincheira, fuzilo pessoalmente cada um de vocês."

No desvario do momento, eu caio na gargalhada, pois a ameaça é absolutamente vã; em tal eventualidade, nós já teremos passado desta para melhor há muito tempo.

"Vou dar uma olhada por aí", anuncia Will, desaparecendo numa esquina com o fuzil desleixadamente pendurado no ombro.

"Nem pude acreditar quando o velho disse que nós íamos ficar", sorri Milton, olhando para mim. "Que sorte, hein?"

"Não acho", diz Attling, um magricelo de olhos enormes e aspecto anfíbio. "Eu preferia ter ido com eles."

"Falar é fácil", retruca Milton com desdém, "agora que você sabe que não vai. O que acha, Sadler?"

"Falar é fácil", repito, olhando à minha volta. A madeira usada pelos alemães nos degraus de tiro é melhor que a nossa. As paredes são feitas de concreto tosco, e eu me pergunto se eles contavam com um engenheiro quando se entrincheiraram aqui. Estamos cercados de cadáveres, mas isso já não me causa repulsa.

"Veja só essas tocas", diz Milton. "Eles bem que se cuidam, não é? Isto aqui é um luxo em comparação com as nossas. Bastardos imbecis, deixar a gente tomá-las assim."

"Baralho." Attling se agacha e pega um oito de espadas e

um quatro de ouros; a minha ideia do que estava se passando aqui se mostra estranhamente correta.

"Quanto tempo você acha que eles levam para tomar a próxima trincheira?", pergunta Milton, dirigindo-se a mim, e eu sacudo os ombros e tiro um cigarro da bolsa dianteira.

"Sei lá", digo, acendendo-o. "Algumas horas talvez. Se é que conseguirão tomá-la."

"Não diga isso, Sadler", dispara ele agressivamente. "Claro que vão tomá-la."

Eu concordo com um gesto e desvio a vista, perguntando-me por que Will está demorando e, nesse instante, ouço pisadas no barro e ele reaparece dobrando a esquina. Mas não está sozinho.

"Puta merda!", exclama Milton, e a expressão de prazer estampada em seu rosto sugere que ele mal pode acreditar no que vê. "O que foi que você encontrou, Bancroft?"

"Ele estava escondido num dos abrigos da retaguarda." Will empurra um rapazinho que olha para cada um de nós com expressão de pavor. É extremamente magro, o sujeito, e tem uma cabeleira loira com uma franja que parece ter sido cortada recentemente, na horizontal, para que não lhe tapasse os olhos. Está tremendo, embora procure mostrar coragem. Por baixo da lama e da sujeira, exibe uma cara agradável, infantil.

"Quem é você afinal, Fritzy?", pergunta Milton como se o garoto fosse idiota, falando em voz alta e amedrontadora, avançando, ameaçando-o, fazendo-o inclinar-se para trás de medo.

"Bitte, tut mir nichts", diz ele, e as palavras lhe saem atropeladamente.

"O que ele disse?", pergunta Milton, voltando-se para Attling como se este soubesse a resposta.

"Não faço a menor ideia."

"Então você não tem nenhuma utilidade para mim, certo?", diz Milton.

"Ich will nach Hause", diz então o garoto. *"Bitte, ich will nach Hause"*.

"Cale a boca, seu merda", rosna Milton. "Ninguém entende uma palavra do que você diz. Ele é o único que sobrou?", pergunta a Will.

"Acho que sim. Não há mais nada por lá. Há muitos corpos, é claro. Mas ele foi o único que encontrei vivo."

"Melhor amarrá-lo", digo. "Podemos levá-lo conosco quando sairmos daqui."

"Levá-lo conosco?", pergunta Milton. "Para quê, porra?"

"Porque ele é prisioneiro de guerra", interfere Will. "O que você propõe, que a gente o solte?"

"Não, claro que eu não proponho soltar o filho da puta", diz Milton com sarcasmo. "Mas não precisamos desse peso nas costas. Vamos nos livrar dele agora mesmo e pronto."

"Você sabe que não podemos fazer isso", diz Will com firmeza. "Nós não somos assassinos."

Milton ri e olha à sua volta, apontando para os inúmeros alemães mortos no chão; são dezenas. Nesse momento, vejo que o rapazinho alemão também olha, e sua expressão diz que reconhece todos, que alguns eram seus amigos, que se sente perdido sem eles. Quer que ressuscitem para protegê-lo.

"Was habt ihr getan?", pergunta, virando-se para Will, que — talvez ele suspeite — há de protegê-lo, uma vez que o descobriu.

"Fique quieto", diz Will, sacudindo a cabeça. "Sadler, você pode ver se encontra uma corda por aí?"

"Nós não vamos amarrar ninguém, Bancroft", insiste Milton. "Pare de bancar o santinho de merda, está bem? Que saco!"

"Não se meta", replica Will, erguendo a voz. "O alemão é meu prisioneiro, certo? Eu o capturei. Portanto eu decido o que fazer com ele."

"Mein Vater ist in London zur Schule gegangen", diz o garoto, e eu olho para ele, desejando que fique quieto, pois, no momento, seus apelos só servem para aumentar o perigo da

situação. "Piccadilly Circus!", acrescenta com alegria simulada. "Trafalgar Square! Palácio de Buckingham!"

"Piccadilly Circus?", pergunta Milton, virando-se para ele, desconcertado. "A bosta do Trafalgar Square? O que deu nesse maluco?". De repente, desfere uma bofetada em seu rosto com o dorso da mão, com tanta força que um de seus dentes podres — nós todos temos dentes podres — salta da boca e aterrissa sobre um dos cadáveres.

Will avança sobre ele "Pelo amor de Deus, Milton. Que merda você está fazendo?"

"Ele não é alemão? Não é o filho da puta do inimigo? Você sabe muito bem qual é a ordem. Matar o inimigo."

"Não os que nós capturarmos. É isso que nos distingue ou pelo menos deveria nos distinguir. Nós tratamos os outros com respeito. Tratamos a vida humana com..."

"Oh, claro", grita Attling, interferindo finalmente. "Eu tinha esquecido que o seu velho é vigário. Será que você passou muito tempo bebendo o vinho do altar, Bancroft?"

"Cale a boca, Attling", dispara Will, e Attling, um covarde, obedece.

"Olhe aqui, Bancroft", diz Milton. "Eu não vou discutir com você. Mas só há uma saída."

"Will tem razão", digo. "Nós o amarramos agora, depois o entregamos ao sargento Clayton e deixamos que ele decida o que fazer."

"Quem pediu a sua opinião, Sadler?", pergunta Milton, escarnecendo. "Claro, é a única coisa que você podia dizer. Se o merda do Bancroft disser que a lua é feita de queijo, você diz me passe a bolacha."

"Cale essa boca", diz Will, avançando.

"Não calo porra nenhuma", responde Milton com raiva, olhando para nós dois como se fôssemos tão insignificantes que ele poderia nos matar com o mesmo descaso com que esbofeteou o alemão.

"Bitte, ich will nach Hause", repete o garoto com voz entre-

cortada pela emoção, e nós três nos voltamos enquanto ele, muito devagar, com muita cautela, leva a mão ao bolso do peito da túnica. Nós o observamos, intrigados. O bolso é tão pequeno e estreito que é difícil imaginar que haja alguma coisa lá dentro, mas, pouco depois, tira um cartãozinho e o estende para nós com a mão trêmula. Eu o pego e examino. Um casal de meia-idade sorri para a câmara e, entre eles, um menininho loiro parece ofuscado pelo sol. É difícil distinguir as fisionomias, pois a fotografia é bastante granulosa; obviamente, está no seu bolso há muito tempo.

"*Mutter!*", diz, apontando para a mulher na foto. "*Und Vater*", acrescenta, apontando para o homem. Eu olho para o casal e depois para ele, que nos endereça um olhar suplicante.

"Ora, vá se foder", diz Milton. Agarrando-o pelos ombros e puxando-o, dá alguns passos na lama até o outro lado da trincheira. Will, Attling e eu permanecemos no lado oposto. Milton saca a pistola que o sargento Clayton lhe deu e verifica se está carregada.

"*Nein!*", grita o rapaz, a voz titubeando de pavor. "*Nein, bitte!*"

Eu olho desesperadamente para ele. Não passa dos dezessete ou dezoito anos. A minha idade.

"Guarde isso, Milton", diz Will, levando a mão à sua pistola. "Estou falando a sério. Guarde isso."

"E se eu não a guardar? O que você faz, reverendo Bancroft? Me mata?"

"Guarde essa arma e solte o garoto", responde ele com calma. "Pelo amor de Deus, pense bem no que você vai fazer. Ele é uma criança."

Milton hesita e olha para o alemão e, por um momento, eu vejo certo grau de compaixão em sua expressão, como se estivesse recordando a pessoa que era antes que tudo isto começasse, antes que se tivesse transformado na pessoa que está agora diante de nós. Mas, bem nesse momento, o alemão perde o controle da bexiga e um forte jorro de urina escurece a perna de sua calça, justamente a perna que está encostada em Milton, que olha para baixo e sacode a cabeça com nojo.

"Ora, vá se foder!", torna a exclamar e, antes que um de nós possa fazer ou dizer alguma coisa, ergue a pistola até a cabeça do rapaz, engatilha-a — *"Mutter!"*, grita novamente o alemão — e lhe estoura o cérebro nas paredes da trincheira, tingindo de vermelho uma placa que aponta para o leste e diz FRANKFURT, 380 MEILEN.

Na noite seguinte, Will volta a me abordar. Estou exausto. Faz quarenta e oito horas horas que não durmo. Além disso, devo ter comido alguma coisa estragada, pois as contrações na minha barriga pioram de hora em hora. Pela primeira vez, não sinto entusiasmo nem esperança ao vê-lo, apenas tensão.

"Tristan", diz, alheio aos três outros homens sentados perto de mim. "Podemos conversar?"

"Eu estou passando mal. Estou descansando."

"Só um minuto."

"Já disse que estou descansando."

Ele olha para mim e sua expressão fica um pouco mais branda. "Por favor, Tristan", diz em voz baixa. "É importante."

Eu suspiro e me levanto. Quem me dera poder resistir a ele. "O que é?", pergunto.

"Aqui não. Venha comigo, sim?"

Não espera resposta, simplesmente dá meia-volta e sai andando, o que me irrita extremamente, mas é claro que eu o sigo. Ele não vai para a nova trincheira de retaguarda, segue mais à frente, até o lugar em que há várias padiolas enfileiradas, sobre elas corpos cobertos com as túnicas dos mortos.

Taylor está sob uma delas; doze — oito.

"O quê?", pergunto quando ele olha para mim. "O que há com você?"

"Eu conversei com o velho."

"Com o sargento Clayton?"

"Sim."

"Sobre quê?"

"Você sabe muito bem sobre quê."

Eu o encaro sem compreender o que ele quer dizer. Não é possível que tenha contado o que nós andamos fazendo juntos, claro que não; nós dois seríamos submetidos à corte marcial. A menos que pretenda pôr a culpa em mim, fazer com que me expulsem do regimento. Mas ele vê a minha incredulidade e cora um pouco, sacudindo rapidamente a cabeça para dissuadir-me dessa ideia.

"Sobre o alemão", diz. "Sobre o que Milton fez."

"Oh", digo eu, balançando a cabeça devagar. "Isso."

"Sim, isso. Foi homicídio a sangue-frio, você sabe que foi. Você viu."

Torno a suspirar. Surpreende-me que ele queira tocar neste assunto. Pensei que fosse caso encerrado. "Sei lá", digo enfim. "Sim, suponho que tenha sido."

"Ora, vamos, não há nada que supor. Aquele garoto, aquele menino, era prisioneiro de guerra. E Milton o matou. Ele não era ameaça para ninguém."

"Foi errado, Will, claro que foi. Mas isso acontece. Eu já vi coisa pior. Você também viu." Ofereço-lhe uma risada breve, amarga, e olho para as padiolas que nos cercam. "Olhe em volta. Que diferença faz um a mais, um a menos?"

"Você sabe que faz muita diferença. Eu o conheço, Tristan. Você sabe a diferença entre certo e errado, não sabe?"

Endurecendo a expressão, eu o encaro com raiva da sua presunção de achar que me conhece depois da maneira como se comportou comigo. "O que você quer de mim, Will?", pergunto, passando o dorso das mãos nos olhos cansados, a voz carregada de exaustão. "Diga logo, está bem?"

"Quero que você confirme o meu relato. Não, não é isso. Eu quero que você simplesmente conte ao sargento Clayton o que aconteceu. Quero que lhe diga a verdade."

"Fazer isso para quê?", pergunto, confuso. "Você acabou de me dizer que já lhe contou."

"Ele se recusa a acreditar em mim. Diz que nenhum soldado inglês se comportaria dessa forma. Mandou chamar Milton e Attling, e os dois negaram tudo. Reconhecem que havia um alemão vivo quando o resto do regimento partiu, mas afirmam que ele tentou nos atacar e que Milton não teve saída senão atirar em legítima defesa."

"Disseram isso?", pergunto, ao mesmo tempo surpreso e não surpreso.

"Eu vou levar o caso para o general Fielding", continua Will. "Mas o velho diz que isso está fora de cogitação se ninguém confirmar o meu relato. Eu contei que você viu tudo."

"Santo Deus, Will", digo entre os dentes. "Por que você quer me meter nisso?"

"Porque você *estava* presente", grita ele. "Puxa vida, como é possível que eu tenha de lhe explicar isso? Agora diga, você vai confirmar ou não?"

Eu penso um pouco e sacudo a cabeça. "Não quero me envolver", digo.

"Já se envolveu."

"Olhe, deixe-me fora disso, está bem? Você tem muita coragem, Will, isso eu reconheço. Tem muita coragem."

Ele enruga a testa e me olha, inclinando um pouco a cabeça para o lado para me estudar. "E o que isso quer dizer?"

"Você sabe o que quer dizer."

"Pelo amor de Deus, Tristan. Está me dizendo que vai mentir e proteger Milton simplesmente porque está magoado? Vai fazer uma coisa dessas para se vingar de mim?"

Eu sacudo a cabeça. "Não. Não é nada disso. Por que você faz tanta questão de distorcer o que eu digo? Eu estou dizendo que, por um lado, não quero me envolver com essa história porque há tanta coisa acontecendo e não sei por que um soldado morto a mais há de ter importância neste contexto. E, por outro lado..."

"Um a mais…?", ele começa a dizer, parecendo assombrado com a naturalidade com que falei, embora não esteja mais chocado do que eu estou ao ouvir o que acabo de dizer.

"E, por outro lado, já que você finalmente se dignou a me dirigir a palavra, não quero saber de você, Will. Dá para entender? Quero que você me deixe em paz, pode ser?"

Passamos algum tempo sem dizer nada, e eu sei que agora só há duas alternativas. Ou Will fica agressivo, ou se arrepende. Para minha surpresa, ele escolhe a última.

"Desculpe", diz. Então fala mais alto: "Estou pedindo desculpas, ouviu?"

"Você está pedindo desculpas."

"Tristan, você não enxerga como é difícil para mim? Para que ser tão ridiculamente dramático com tudo? Nós não podemos simplesmente... você sabe... simplesmente ser amigos quando estamos sozinhos e soldados o resto do tempo?"

"'Amigos'?", pergunto já quase a ponto de rir. "Esse é o nome que você dá a isso?"

"Pelo amor de Deus", atalha Will, olhando nervosamente para os lados. "Fale baixo. Podem ouvir."

Tenho certeza de que o desconcertei. Ele parece querer me dizer alguma coisa em troca e avança um passo na minha direção, faz menção de aproximar a mão do meu rosto, mas desiste e recua como se mal nos conhecêssemos.

"Quero que você venha comigo. Quero que a gente fale agora mesmo com o sargento Clayton, e você vai lhe contar exatamente o que aconteceu ao alemão. Vamos relatar tudo e pedir que o caso seja levado ao general Fielding."

"Eu não vou, Will.", disse eu, categórico.

"Não percebe que, se você não for, o assunto está encerrado e Milton se safa?"

"Percebo. Mas não me importo."

Ele me olha longa e duramente, engole em seco, e quando finalmente volta a falar, a voz soa baixa, cansada: "Essa é a sua última palavra?".

"É."

"Ótimo", diz ele, balançando a cabeça com resignação. "Então você não me deixa outra escolha."

E, com essas palavras, tira o fuzil do ombro, abre o carregador, despeja as balas na lama e depõe a arma no chão.

Depois vira as costas e se vai.

OPINIÕES IMPOPULARES

NORWICH, 16 DE SETEMBRO DE 1919

Marian e eu almoçamos à mesa da janela do restaurante Murderers, em Timber Hill. Tínhamos esquecido o incidente com Leonard Legg, embora o hematoma no meu rosto servisse de lembrete do que acontecera em frente ao café.

"Está doendo?", perguntou Marian ao ver me tocar o inchaço com cuidado.

"Não muito. Amanhã vai estar melhor."

"Desculpe", disse ela, tentando não rir da minha situação.

"Você não tem culpa."

"Seja como for, é um absurdo e eu vou lhe dizer na próxima vez que me encontrar com ele. Provavelmente se enfurnou em algum lugar para lamber as feridas. Se tivermos sorte, não voltaremos a vê-lo hoje."

Torci para que fosse assim e tratei de me ocupar com a comida. Quando estávamos a caminho do restaurante, procuramos evitar os assuntos polêmicos, e travamos uma conversa amena e corriqueira. Então, tendo acabado de almoçar, lembrei-me de que não tinha ideia do que a irmã de Will fazia de fato em Norwich.

"Não foi ruim para você encontrar-se comigo num dia útil?", perguntei, erguendo os olhos. "Quer dizer, pôde faltar ao trabalho?"

"Não foi difícil", respondeu ela sacudindo os ombros. "Geralmente trabalho meio período. E é voluntário, de modo que pouco importa se eu aparecer ou não. Bem, não é isso. Só quero dizer que isso não afeta o meu padrão de vida, já que não sou paga."

"Posso perguntar o que você faz?"

Ela afastou o resto da torta com uma careta e pegou um

copo de água. "Geralmente trabalho com ex-soldados como você. Homens que estiveram na guerra e têm dificuldade para lidar com as suas experiências."

"E este é um emprego de meio período?", perguntei, esboçando um sorriso, e ela riu e baixou os olhos.

"Bem, acho que não", reconheceu. "A verdade é que eu poderia trabalhar com eles vinte e quatro horas por dia, sete dias por semana, e não chegaria nem a arranhar a superfície do que é preciso fazer. Claro que não passo de uma ajudante dos médicos, e eles realmente sabem o que fazem. Acho que é o que chamam de emocionalmente exaustivo. Mas faço o que posso. Seria melhor se eu fosse uma profissional da área."

"Você pode fazer um curso de enfermagem."

"Posso fazer um curso de medicina", corrigiu ela. "Não é uma ideia tão esquisita assim, não acha, Tristan?"

Eu corei um pouco. "Não, claro que não. Só quis dizer que..."

"Eu estou provocando você. Não precisa ficar sem jeito. Mas, se eu pudesse retroceder alguns anos, estudaria medicina. Teria gostado de me envolver com o estudo da mente."

"Mas você ainda é muito jovem. Não é tarde. Em Londres..."

"Em Londres, claro", atalhou ela, erguendo as mãos. "Por que é que vocês, londrinos, acreditam que Londres é o centro do Universo? Nós também temos hospitais aqui em Norwich, sabe? E rapazes feridos. Aliás, não são poucos."

"Claro que sim. Parece que eu não faço outra coisa senão dar foras, não acha?"

"É dificílimo para as mulheres, Tristan", explicou Marian, inclinando-se para a frente. "Talvez você não se dê conta disso. Afinal é homem. Tudo é mais fácil."

"Você acredita mesmo?"

"Que é difícil para as mulheres?"

"Que para mim é fácil."

Ela exalou um suspiro e deu de ombros, evasiva. "Bom,

eu não o conheço, é claro. Não sei das suas circunstâncias particulares. Mas, acredite, as coisas não são tão difíceis para você quanto para a gente."

"Os últimos cinco anos provam a falsidade dessa afirmação."

Dessa vez foi ela que ruborizou. "Sim, você tem toda razão. Mas deixe a guerra de lado um instante e examine a nossa situação. O modo como as mulheres são tratadas neste país é quase insuportável. E, a propósito, você não acha que a metade de nós teria lutado com prazer junto com os homens nas trincheiras se nos deixassem? Eu sei que iria para lá voando."

"Às vezes, acho mais sensato deixar a ação e a discussão para os homens."

Marian me encarou; não ficaria mais surpresa se eu tivesse subido na mesa para apresentar a minha versão de "Pack Up Your Troubles in Your Old Kit Bag". "Como?", perguntou com frieza.

"Não", disse eu, rindo. "Não são palavras minhas. São de *Howards End*. Já leu Forster?"

"Não. Nem pretendo ler se esse é o tipo de porcaria que ele escreve. Ele parece ser um tipo dos mais inaceitáveis."

"Acontece, Marian, que é uma mulher quem profere esta frase. A senhora Wilcox a diz num almoço em sua homenagem. Os convidados ficam horrorizados, se me lembro corretamente."

"Já disse que não leio romances modernos, Tristan... Os homens que fiquem mesmo com a ação e a discussão! Nunca ouvi uma coisa dessas. A tal senhora Wilton..."

"Wilcox."

"Wilton, Wilcox, tanto faz. Ela trai o seu sexo com semelhante afirmação."

"Então você não vai gostar do que ela diz a seguir."

"Vá em frente. Escandalize-me."

"Não vou me lembrar exatamente. Mas tem a ver com o

fato de que há bons argumentos contra o sufrágio universal. Ela observa que está muito satisfeita em não precisar votar."

"Extraordinário", Marian sacudiu a cabeça. "Eu estou chocada. Sinceramente, estou chocada."

"Bem, ela morre pouco depois dessa fala, de modo que suas opiniões vão para a cova com ela."

"Do que ela morre?"

"De opiniões impopulares, imagino."

"Como o meu irmão."

Eu permaneci em silêncio, recusando-me a aceitar a observação, e Marian ficou um bom tempo olhando para mim, antes de desviar a vista e relaxar a expressão.

"Eu estive envolvida com o movimento sufragista, sabe?", disse depois de um momento.

"Não posso dizer que isso me surpreenda", eu disse sorrindo. "O que fazia?"

"Oh, nada muito substancial. Participava de passeatas, distribuía panfletos, essas coisas. Nunca me amarrei nas grades das casas do Parlamento nem fiquei aos berros em frente à residência de Asquith, exigindo igualdade. Mesmo porque o meu pai não teria permitido. Embora ele acreditasse no movimento e muito. Mas também tem a forte convicção de que é preciso preservar a dignidade."

"Ora, você acabou conseguindo. O direito de voto foi conquistado."

"O direito de voto *não* foi conquistado, Tristan", replicou ela com aspereza. "*Eu* não tenho esse direito. E só o terei quando completar trinta anos. E, mesmo assim, apenas se eu for proprietária de um imóvel. Ou se for casada com um proprietário. Ou tiver diploma universitário. Mas você já o tem e é mais novo que eu. Então, por acaso isso é justo?"

"Claro que não. Aliás, eu queria publicar um tratado justamente sobre isso, escrito por um homem e, pode acreditar, apontando a desigualdade do sufrágio. É notavelmente relevante e causaria sensação, tenho certeza."

"E o publicou?"

"Não. O senhor Pynthon não quis saber disso. Ele não é moderno, entende?"

"Pois é isso. Você tem os seus direitos, nós ainda precisamos conquistar os nossos. É impressionante que todo o mundo esteja disposto a ir a outro país lutar pelos direitos de estrangeiros e, ao mesmo tempo, não dê a mínima para os de seus próprios compatriotas. Mas, olhe, é melhor mudar de assunto. Se eu começar a falar nas desigualdades que nós simplesmente aceitamos sem contestação neste país, passaríamos a tarde toda aqui."

"Eu não estou com pressa", disse eu, e ela aparentemente gostou do meu posicionamento, pois sorriu e me afagou a mão, deixando a sua sobre a minha mais tempo que necessário.

"Algum problema?", perguntou pouco depois.

"Não", respondi, afastando a mão. "Por quê?"

"Você parece ter ficado contrariado de repente."

Eu sacudi a cabeça e me virei para olhar pela janela. A verdade é que o contato da sua mão na minha fez-me pensar tanto em Will que cheguei a ficar atordoado. Ela tinha muitos traços dele, é claro. Particularmente nas expressões, no modo como às vezes inclinava a cabeça e sorria, nas covinhas que subitamente se revelavam nas bochechas, mas eu nunca percebera que o toque também podia ser uma característica da família. Ou eu estava me iludindo? Acaso era uma coisa que eu lhe atribuía simplesmente por desejar me sentir perto de Will e reparar os meus atos?

"Deve ser gratificante", disse eu enfim, encarando-a novamente.

"O quê?"

"Ajudar os soldados. Os que estão sofrendo."

"Você acha?". Marian pensou um pouco. "Olhe, é horrível dizer isso, mas eu tenho muito ressentimento contra tantos deles. Dá para entender? Quando eles falam nas coisas por que passaram e falam em lealdade nas fileiras e no senso de companheirismo, isso me dá vontade de gritar tanto que às vezes preciso sair do quarto."

"Mas *havia* lealdade", protestei. "Por que você pensa o contrário? E, às vezes, havia um senso de companheirismo quase esmagador. Chegava a ser sufocante."

"E onde estava o companheirismo quando eles fizeram o que fizeram ao meu irmão?", disparou ela, os olhos repletos da mesma fúria que, imaginei, a obrigava a sair daquelas enfermarias ou consultórios controlando sua cólera. "Onde estava a camaradagem quando o colocaram contra a parede e apontaram os fuzis?"

"Não", eu supliquei, levando a mão aos olhos na esperança de que, ao fechá-los, afastaria as imagens da minha mente. "Por favor, Marian." A repentina enxurrada de palavras suscitou lembranças terríveis que atravessaram meu o corpo.

"Desculpe", disse ela em voz baixa, talvez surpresa com a violência da minha reação. "Mas você não pode me culpar por sentir que há dois pesos e duas medidas entre esses supostos irmãos de armas. Enfim, não faz sentido insistir nisso. Você ficou com ele até o fim, eu sei. Vejo como se altera toda vez que eu menciono a sua morte. Claro, eram amigos. Conte, vocês dois fizeram amizade imediatamente?"

"Sim", sorri eu, recordando. "Sim, nós tínhamos o mesmo senso de humor, creio. E as nossas camas eram vizinhas, de modo que formamos uma aliança naturalmente."

"Coitado de você."

"Por quê?"

"Porque o meu irmão era muitas coisas, mas de limpo não tinha nada. Lembro-me de que antes de ele ir para lá, quando eu entrava no seu quarto de manhã para acordá-lo, quase desmaiava com o fedor. Vocês, rapazes, e o seu cheiro terrível."

Eu achei graça. "Disso eu não sei. Eram vinte rapazes no alojamento, de modo que não devia ser um lugar particularmente asseado. Embora o Esquerda e o Direita, como você os chama, como ele os chamava, nos obrigassem a manter as camas em ordem. Mas, sim, nós ficamos amigos depressa."

"E como ele estava? Quer dizer, nesses primeiros dias. Estava contente lá?"

"Não sei se ele pensava as coisas nesses termos", respondi, refletindo com cautela sobre a pergunta. "Na verdade, aquilo era simplesmente uma parte da vida que era preciso enfrentar. Para alguns homens mais velhos, acho que era mais difícil do que para nós. No nosso caso, por mais idiota que possa parecer em retrospecto, era como se fosse uma grande aventura, pelo menos no começo."

"Sim, eu ouvi outros usarem exatamente essas palavras. Alguns homens com quem trabalhei, os mais jovens, falavam nisso como se só tivessem compreendido realmente o que os aguardava quando chegaram lá."

"Mas é isso mesmo, entende?", concordei. "Nós treinávamos, mas isso não era muito diferente de jogar futebol ou rúgbi no colégio. Talvez acreditássemos que, se aprendêssemos tudo quanto nos ensinavam, cedo ou tarde seríamos mandados para a trincheira para uma boa e alegre escaramuça e, quando tudo acabasse, trocaríamos apertos de mão e iríamos chupar laranja e tomar banho no vestiário."

"É claro que agora você sabe que não era bem assim", murmurou Marian.

"Agora eu sei."

Um garçom se aproximou e levou os pratos, e ela bateu na mesa um momento e olhou para mim. "Vamos sair daqui, Tristan?", propôs. "Está fazendo um calor terrível, não acha? Eu estou quase desmaiando."

"Sim, claro", concordei, e nesse instante Marian pediu a conta e, quando saímos à rua, eu a segui, supondo que ela soubesse aonde íamos agora.

"Quando foi que as suas tendências começaram a aparecer?", perguntou ela enquanto caminhávamos.

Surpreso, eu me voltei, sem compreender a pergunta. "Como?"

"O meu irmão. Que eu saiba, ele não era tão pacifista antes de partir. Vivia se metendo em encrencas horríveis na escola, se me lembro bem. Mas, depois que resolveu não lutar mais, eu recebi cartas assustadoras dele, cheias de raiva e decepção a respeito do que estava acontecendo lá. Ficou tão desiludido com as coisas."

"É difícil saber exatamente quando começou", disse eu, pensativo. "A verdade é que, ao contrário do que os jornais e os políticos querem que a gente acredite, nem todo soldado queria lutar. Cada um de nós se situava num ponto diferente do espectro entre o pacifismo e o sadismo total. Sujeitos sanguinários, saturados de um senso exagerado de patriotismo, que, se pudessem, ainda estariam lá matando alemães. Sujeitos introspectivos que cumpriam o seu dever, qualquer coisa que lhes pedissem, mas não davam a menor importância àquilo. Nós já falamos de Wolf..."

"O garoto assassinado?"

"Bem, sim, talvez", disse eu, ainda relutante, por alguma razão, em ceder nesse ponto. "Quero dizer, ele certamente influenciou o modo de pensar de Will."

"Então eles também eram amigos íntimos?"

"Não, não tão íntimos. Mas, sem dúvida alguma, ele intrigava Will."

"E a você, Tristan, ele o intrigava?"

"Wolf?"

"É."

"Não, de jeito nenhum. Eu o achava um tanto afetado. O pior tipo de galinha-branca."

"Surpreende-me ouvir você dizer isso."

"Por quê?", perguntei, enrugando a testa.

"Ora, a julgar pelo seu modo de falar, parece que você concordaria com tudo que esse Wolf dizia. Olhe, eu sei que nós acabamos de nos conhecer, mas você não aparenta ser um grande antagonista. Nem revidou quando Leonard o agrediu. O que o impediu de se interessar por Wolf tanto quanto o meu irmão?"

"Bem, ele era... quer dizer, se você o conhecesse...". Eu não sabia o que dizer. A verdade é que não tinha resposta a essa pergunta. Esfreguei os olhos e me perguntei se acreditava de fato no que tinha dito a respeito de Wolf, que ele era afetado, ou se o simples fato de Will e ele terem se dado tão bem é que me fazia desprezá-lo tanto. Será que eu era injusto a esse ponto? O mero ciúme teria me levado a condenar um homem decente e bom? "Olhe, pode ser que nós guardássemos opiniões parecidas no coração", disse eu enfim, "mas um irritava o outro. E acontece que ele morreu, foi assassinado, seja qual for a expressão correta. Coisa que decerto afetou profundamente o seu irmão."

"E foi assim que começou?", quis saber Marian.

"Foi. Mas lembre-se que tudo isso ocorreu aqui na Inglaterra. Mas as coisas só ficaram críticas na França. Houve um incidente, sabe, que precipitou a decisão de Will de largar as armas. Contudo, olhando para trás, eu não acho correto atribuir tudo a um fato isolado. Aconteceram outras coisas, tenho certeza. Algumas eu presenciei, outras não. Foi uma confluência de acontecimentos durante um longo período, meses a fio, de tensão sem trégua. Dá para entender?"

"Mais ou menos. Mas acho que deve ter sido uma coisa específica que o tornou tão agressivamente contrário à guerra. Você disse que um incidente precipitou as coisas?"

"Sim, foi logo depois de tomarmos uma trincheira alemã. Não é uma história agradável, Marian. Não sei se você quer ouvi-la."

"Conte, por favor", pediu ela, olhando para mim. "Pode ser que ajude a explicar as coisas."

"Nós éramos quatro, entende?", disse eu, nervoso com o que estava prestes a contar. "Capturamos um alemão que ainda estava vivo, o último do seu regimento." Narrei a história de Milton e Attling, contei que Will achou o garoto escondido e o levou para onde estávamos. Não omiti nada, desde a determinação de Will a levá-lo ao quartel-general como prisioneiro de guerra até o momento em que o rapaz urinou na calça, provocando a ira de Milton.

"Desculpe a minha linguagem", pedi ao terminar o relato. "Mas você queria saber como tudo aconteceu."

Ela fez que sim e olhou para o outro lado, perturbada. "Você acha que ele se culpou?", perguntou.

"Pela morte do rapaz?"

"Pelo assassinato do rapaz", corrigiu Marian.

"Não, não creio que tenha sido simplesmente isso. Mesmo porque Will não foi responsável. Não atirou no rapaz. Aliás, fez o que pôde para salvá-lo. Não, acho que ele simplesmente não tolerou aquilo, a absoluta crueldade daquilo, e teve vontade de estourar os miolos de Milton imediatamente depois do que aconteceu, se você quer a verdade. Foi o que ele me disse."

"Mas foi Will que encontrou o garoto", insistiu ela. "Capturou-o. Se não tivesse feito isso, não teria acontecido nada."

"Sim, mas ele não esperava que aquilo acabasse como acabou."

"Eu acho que Will se sentiu culpado", disse Marian com voz decidida, irritando-me um pouco, pois não estava presente e não sabia o que tinha ocorrido. Não tinha visto a expressão de Will quando o cérebro do alemão salpicou a farda de Attling. A única coisa em que podia se basear era a minha tosca tentativa de descrever o horror. "Tenho certeza disso", acrescentou.

"Não, Marian. Você não pode atribuir tudo a uma coisa só. É muito simplista."

"Muito bem, e você, Tristan?", perguntou, encarando-me de modo agressivo. "Não ficou abalado com o que presenciou?"

"Claro que fiquei. Tive vontade de pegar uma pedra e quebrar a cabeça de Milton. Que homem íntegro não ficaria? O garoto estava apavorado, fora de si. Passou os últimos minutos de vida em estado de puro medo. É preciso ser muito sádico para se divertir com isso. Mas nós todos estávamos apavorados, Marian. Todos, sem exceção. Era a guerra, tenha dó."

"Mas não se comoveu a ponto de apoiar Will. Não se deixou afetar tanto quanto ele. Continuou com o fuzil em punho. Continuou lutando."

Eu hesitei, tentei pensar. "Creio que você tem razão", reconheci. "A verdade é que o incidente não me abalou tanto quanto ao seu irmão. Não sei o que isso diz a meu respeito, se quer dizer que eu sou mais calejado ou simplesmente desumano, um monstro incapaz de compaixão. Sim, achei aquilo injusto e injustificável, mas também acreditei que era apenas mais uma daquelas coisas que aconteciam por lá todos os dias. O fato é que eu testemunhava constantemente homens morrendo da maneira mais horrenda. Passava os dias e as noites com medo de ser atingido por um franco-atirador. É horrível dizê-lo, mas acabei ficando imune aos atos de violência gratuitos. Meu Deus, se não tivesse ficado imune a isso, acho que não teria conseguido...". Calei-me e parei na rua, assombrado com a frase que quase proferira.

"Não teria conseguido o quê, Tristan?"

"Seguir adiante... acho", respondi, tentando salvar a situação, e ela me olhou, estreitando os olhos, como se desconfiasse que não era aquilo que eu pretendia dizer. Mas, por alguma razão, decidiu não me pressionar. "Onde nós estamos?", perguntei, olhando à minha volta, pois não estávamos mais no centro da cidade e nos aproximávamos de Tombland e da catedral em que eu havia iniciado o dia. "Não acha melhor voltarmos?"

"Eu disse que queria que você fizesse uma coisa para mim. Lembra?"

"Lembro", respondi, pois era o que ela tinha dito quando saímos do café, mas eu não a levara muito a sério. "É por isso que estou aqui, afinal. Se eu puder fazer algo que facilite as coisas para você..."

"Não é o meu bem-estar que me preocupa. São os meus pais."

"Os seus pais?", perguntei e, a seguir, olhando ao meu redor, percebi aonde estávamos chegando. "Você não mora aqui perto, mora?", perguntei, apreensivo.

"O vicariato fica logo ali", disse Marian, apontando para a curva no fim da rua, onde um caminho estreito dava num beco sem saída. "A casa em que fui criada. Em que Will foi criado. E onde meus pais ainda moram."

Eu me detive, com a sensação de ter colidido com um muro de pedra. "A minha filha inventou uma coisa", disse o pai dela, quando o encontrei inadvertidamente junto ao túmulo da enfermeira Cavell. "Lamento", disse eu, sacudindo a cabeça. "Não, não posso fazer isso."

"Mas você ainda não sabe o que eu quero."

"Quer que eu visite os seus pais. Que converse com eles sobre o que aconteceu. Sinto muito, Marian, mas a resposta é não. Está fora de cogitação."

Ela me encarou, a testa franzida numa série de linhas confusas. "Mas por que não? Se você pode falar comigo sobre isso, por que não com eles?"

"É completamente diferente", disse eu, embora não soubesse muito bem por quê. "Você era irmã de Will. A sua mãe o pôs no mundo. O seu pai... Não, lamento, Marian. Simplesmente não tenho coragem. Por favor, você tem de me levar para longe daqui. Eu quero voltar para casa. Por favor."

Ela suavizou a expressão. Percebeu o quanto era difícil para mim e, estendendo as mãos, pousou-as nos meus braços, bem acima dos cotovelos. "Tristan", disse tranquilamente. "Você não sabe o que significa para mim estar com alguém que fala tão bem do meu irmão como você. As pessoas aqui" — abarcou a rua com um gesto — "nunca falam nele. Têm vergonha dele. Conhecê-lo faria muito bem aos meus pais. Ouvir o carinho com que você fala de Will."

"Por favor, não me peça isso", implorei, o pânico crescendo dentro de mim à medida que eu compreendia que não me restava outra saída senão fugir. "Eu não saberia o que dizer."

"Então não diga nada. Não precisa falar em Will se não quiser. Mas deixe que eles o conheçam, lhe ofereçam um chá e saibam que o rapaz que está diante deles era amigo do seu filho. Eles também morreram lá, Tristan. Consegue entender isso? Foram fuzilados diante daquele muro exatamente como o meu irmão. Pense na sua família, no seu pai, na sua mãe. Se, Deus o livre, algo lhe tivesse acontecido lá, não acha que os dois iam querer que alguém lhes tranquilizasse a mente? Eles devem amá-lo como os meus pais amavam Will. Por favor, não vai demorar. Meia hora no máximo. Diga que vem."

Eu olhei para a rua e compreendi que não tinha escolha. *Faça-o*, pensei. *Seja forte. Faça-o de uma vez. Depois vá embora. E nunca conte a verdade sobre o fim.*

Porém, mesmo ao pensar em tais coisas, eu estava atordoado com o que ela havia dito a respeito da minha mãe e do meu pai. E se *eu* tivesse morrido lá, perguntei? Eles sofreriam? Pelo jeito como as coisas terminaram entre nós, acho que não. Tudo o que se passara entre Peter e mim, o papel de palhaço que fiz, o erro que me custou o meu lar. Afinal, o que foi que o meu pai disse quando me despedi?

"Seria melhor para todos nós se os alemães matassem você de cara."

Peter e eu éramos amigos de infância. Sempre fomos só nós dois até o dia em que os Carter chegaram, espalhando os seus móveis e tapetes na rua enquanto se apossavam do imóvel que era vizinho ao açougue do meu pai e ficava a duas portas da casa de Peter.

"Olá, meninos", disse o sr. Carter, um mecânico obeso

com tufos de pelo que saltavam das orelhas e do colarinho da camisa demasiado justa. Estava com meio sanduíche na mão e o enfiou na boca enquanto nos assistia chutar uma bola de um para o outro. "Passem-na!", gritou, alheio aos suspiros de exasperação da esposa. "Passem-na para cá, moleques. Passem-na para mim!"

Peter parou, olhou-o um instante, e chutou a bola para o alto com o bico da botina, fazendo com que caísse com precisão invejável nos braços dele.

"Pelo amor de Deus, Jack", reclamou a sra. Carter.

Ele deu de ombros e se aproximou da mulher, que era igualmente corpulenta, e foi nesse momento que Sylvia apareceu. Era uma surpresa aquele casal ter produzido uma criatura tão linda.

"Deve ser adotada", cochichou Peter. "É impossível que seja filha deles."

Antes que eu pudesse falar, a minha mãe surgiu com sua roupa de domingo — devia saber que os vizinhos novos chegariam naquele dia e estava à espera deles — e entabulou uma conversa que era um misto de boas-vindas e curiosidade. A batalha para saber quem tinha a sorte de morar ao lado de quem começou, e Sylvia ficou olhando para Peter e para mim como se nós fôssemos um par de bichos raros, totalmente diferentes dos meninos que ela conhecera no bairro anterior.

"Carne não vai me faltar", riu-se a sra. Carter, apontando para a nossa vitrine, onde havia alguns coelhos pendurados pelo pescoço. "Vocês sempre os expõem assim?"

"Assim como?"

"Para o mundo. Para que qualquer um os veja."

A minha mãe franziu a testa, sem saber onde mais um açougue poderia expor a mercadoria, mas não disse nada.

"Para ser franca", prosseguiu a sra. Carter, "eu prefiro peixe."

Entediado com aquela conversa, eu tentei atrair Peter de volta ao nosso jogo, mas ele me repeliu, sacudiu a cabeça, deixou a bola cair e então fez uma dúzia de embaixadas com o joelho enquanto Sylvia o observava em silêncio. A seguir, ignorando-o, ela voltou a atenção para mim e chegou a ensaiar um sorriso; mas desviou a vista e desapareceu pela porta da frente para explorar a sua nova morada.

E, no que me dizia respeito, esse foi o fim do episódio.

Mas Sylvia não tardou a se tornar uma presença quase constante em nossas vidas. Peter estava louco por ela e eu logo percebi que, se eu tentasse excluí-la da nossa companhia, acabaria sendo excluído da dele, ideia muito dolorosa para mim.

Mas então ocorreu uma coisa estranhíssima. Talvez o motivo tenha sido a evidente devoção de Peter ou a minha aparente indiferença, mas Sylvia começou a direcionar toda a sua atenção a mim.

"Vamos chamar Peter?", perguntava eu quando ela batia na minha porta, cheia de ideias para uma tarde divertida.

Sylvia sacudia a cabeça vigorosamente. "Hoje não, Tristan", dizia. "Ele é tão chato."

Eu ficava furioso quando ela o insultava assim. Procurava defendê-lo, mas acho que me sentia lisonjeado por sua atenção. Afinal, Sylvia tinha algo de exótico — para começar, não crescera em Chiswick, e tinha uma tia que morava em Paris — e, obviamente, era linda. Todos os garotos queriam namorá-la; Peter vivia desesperado pelos seus favores. No entanto, ela preferia concedê-los a mim. Como não ficar lisonjeado?

Peter percebeu tudo, é claro, e quase enlouqueceu de ciúme, o que me deixou num dilema sobre como resolver o problema. O fato é que, quanto mais eu a estimulava, menos possibilidade havia de ela me trocar pelo meu amigo.

Fui ficando mais atormentado à medida que se aproximava o meu décimo sexto aniversário. Na época, já tinha bem claro na cabeça o meu sentimento por Peter — eu o reconhecia tal como era —, e ele apenas se amplificava com a minha incapacidade de verbalizá-lo ou de lidar com ele. De noite, ficava na cama, enrolado nas cobertas, em parte entregue às fantasias mais extravagantes para energizar as horas mortas, em parte aflito por me livrar delas, temendo suas implicações. Quando o verão chegou, Peter e eu fomos para as ilhas além de Kew Bridge; nas margens do rio, eu fazia de tudo para forçar o contato físico entre nós, mas o medo de ser descoberto me obrigava a recuar nos momentos de emoção mais intensa.

Assim, deixei Sylvia me beijar debaixo da nogueira e tentei convencer-me de que era isso que eu queria.

"Você gostou?", perguntou ela ao se afastar, inebriada com o que considerava ser o seu poder de atração.

"Muito", menti.

"Quer outro?"

"Talvez mais tarde. Podem nos ver aqui."

"E daí se nos virem? Que importa?"

"Talvez mais tarde", repeti.

Pude constatar que essa não era a resposta que ela esperava, e a minha indiferença contínua, a minha recusa total a me deixar seduzir enfim a levaram a encerrar abruptamente a campanha. Sylvia simplesmente sacudiu a cabeça, como que para me afastar da mente de uma vez por todas.

"Então eu vou para casa", disse, partindo pelos campos sem mim, deixando-me sozinho para ponderar a minha vergonha. Compreendi imediatamente que a tinha perdido e não dei a mínima para isso. *Vá embora*, pensei. *Volte para o lugar de onde veio. Vá morar com a sua tia em Paris se quiser. Vá embora e nos deixe em paz.*

E, um ou dois dias depois, Peter me procurou. Estava radiante de entusiasmo.

"Preciso lhe perguntar uma coisa, Tristan", disse, mordendo o lábio e tentando conter a empolgação. "Promete responder sinceramente?"

"Claro."

"Você e Sylvia. Não há nada mesmo entre vocês?"

Eu suspirei e sacudi a cabeça: "Claro que não. Quantas vezes eu tenho de repetir?".

"Bom, eu precisava perguntar", ele disse abrindo um sorriso, incapaz de guardar a grande notícia para si. "Olhe, acontece que ela e eu, bem, agora nós estamos juntos, Tristan. Ficou decidido."

Lembro que eu estava me levantando na ocasião e à minha esquerda havia uma mesinha na qual, à noite, antes de ir para a cama, minha mãe deixava uma bacia e um jarro para a higiene matinal. Apoiei instintivamente a mão nessa mesa com medo de que as minhas pernas cedessem.

"É mesmo?", perguntei, olhando fixamente para ele. "Puxa, sorte sua."

Disse comigo que aquilo não duraria, que cedo ou tarde ele acabaria fazendo um comentário idiota, e ela ficaria irritada e o largaria — mas não, era impossível, percebi, pois quem em sã consciência haveria de conquistar a afeição de Peter para depois jogá-la fora? Não, Sylvia o trairia com outro e então ele a deixaria e voltaria para mim e entenderia que as garotas não prestavam e que seria melhor nós dois ficarmos juntos dali por diante.

Claro que isso não aconteceu. Algo mais real, um verdadeiro romance, desdobrou-se diante dos meus olhos, e era doloroso observá-lo. Foi assim que cometi o meu grande erro, aquele que, em poucas horas, me levaria a ser expulso da escola, de casa, da família e da única vida que eu conhecia.

Era dia de aula, uma quinta-feira, e eu fiquei sozinho com Peter na classe, uma situação rara naqueles dias, pois Sylvia estava quase sempre ao seu lado, ou melhor, ele estava quase sempre ao lado dela. Peter estava me falando sobre a noite anterior, contou que tinha ido passear com Sylvia à margem do rio e, como não havia ninguém por perto, ela o deixara pôr a mão no algodão macio da sua blusa. "Boliná-la", como ele disse.

"Não me deixou ir além disso, é claro. Ela não é esse tipo de garota, não a minha Sylvia." *A minha Sylvia!* As palavras me revoltaram. "Mas disse que nós podemos voltar para lá no fim de semana, se estiver fazendo sol e se ela conseguir arranjar uma desculpa para escapar daquele dragão que é a sua mãe."

E continuou tagarelando, incapaz de se conter na intensidade do que sentia. Era evidente que ela significava muito para ele, e, sem pensar nas consequências dos meus atos, dominado pelo poder dos seus desejos, eu lhe segurei o rosto entre as mãos e o beijei.

O beijo durou um ou dois segundos, não mais. Peter recuou, chocado, arfando, tropeçando no próprio pé, e eu fiquei imóvel à sua frente. Ele me encarou, confuso, depois enojado, esfregou a mão na boca e olhou para ela como se eu tivesse deixado uma mancha em sua pele. Claro que eu compreendi imediatamente que havia cometido um terrível erro de cálculo.

"Peter", disse, sacudindo a cabeça, disposto a me entregar à sua misericórdia, mas era tarde demais: ele saiu da sala correndo, batendo as botinas no corredor, procurando aumentar ao máximo a distância entre nós.

Que coisa impressionante: éramos amigos da vida inteira, mas, depois disso, eu nunca mais tornei a vê-lo. Nem uma vez.

Não voltei à aula naquela tarde. Fui para casa queixando-me à minha mãe de dor de barriga, e pensei em pegar uma mala e fugir antes que descobrissem o que eu tinha feito. Deitei-me na cama, as lágrimas já escorrendo depressa, depois dei comigo no banheiro, vomitando muito, sentindo a tensão da transpiração e da humilhação se combinando para me castigar. Provavelmente ainda estava lá quando o nosso diretor apareceu no açougue, não para comprar um pernil de cordeiro ou costeletas para o chá da tarde, mas para informar o meu pai da queixa apresentada contra mim, da queixa mais horrenda e infame, e comunicar que eu não era mais bem-vindo na escola e que, se dependesse da sua vontade, seria levado aos magistrados para responder à acusação de grave atentado ao pudor.

Fiquei no meu quarto, e uma curiosa sensação de calma me dominou como se eu já não estivesse no meu corpo. Durante pouco tempo, habitei um plano diferente, uma presença etérea observando aquele menino totalmente confuso sentado na beira da cama, perdido para o mundo, mas interessadíssimo em descobrir o que aconteceria a seguir.

Fui posto fora de casa naquele mesmo dia, e, poucas semanas depois, a maior parte dos hematomas e vergões que meu pai me infligira começou a sarar, e as cicatrizes nas minhas costas e no rosto passaram a arder menos. O meu olho esquerdo desinchou e se abriu e eu voltei a enxergar normalmente.

Não protestei quando me jogaram na rua, onde a sra. Carter olhou para mim enquanto regava suas hortênsias, e sacudiu a cabeça, decepcionada com o lugar a que a vida a levara, pois sabia no fundo do coração que tinha nascido para coisa melhor.

"Tudo bem com você, Tristan?", perguntou.

O vicariato lembrava uma imagem de cartão-postal. Ficava no fim de um pequeno beco sem saída ao qual se chegava por uma ruazinha orlada de árvores que acabavam de se desfolhar, e suas janelas eram cercadas por um exuberante ramo de hera verde-escura. Olhei para a imaculada relva fronteira, que abrangia a fileira de samambaias e folhagens plantadas junto a um jardim de pedra. Era idílico, um forte contraste com o apartamentozinho acima do açougue em que eu tinha passado os primeiros dezesseis anos da minha vida.

No hall, um cachorrinho entusiasmado veio correndo ao meu encontro com um ar inquisitivo e, quando eu estendi a mão para afagá-lo, ele se equilibrou nas patas traseiras, pousando as dianteiras nos meus joelhos, e aceitou com paciência as palmadas e carícias que eu estava disposto a fazer, balançando a cauda, extasiado com a atenção.

"Desça, Bobby", ordenou Marian, enxotando-o. "Você não tem medo de cachorro, tem, Tristan? Leonard não os tolerava perto dele."

Eu olhei para ela, rindo um pouco; Bobby estava longe de ser uma presença intimidadora. "Nem um pouco", respondi. "Embora nós nunca tenhamos tido um. De que raça é? *Spaniel*?"

"Sim, bem, *king charles*. Está ficando velho, é claro. Quase nove anos já."

"Ele era de Will?", perguntei, surpreso por nunca tê-lo ouvido mencionar o nome de Bobby. Lá alguns homens falavam de seus cães com mais carinho que da própria família.

"Não. É da mamãe, se é que é de alguém. Basta não lhe dar atenção para que não o incomode mais. Vamos para a sala, vou avisar mamãe que você chegou."

Marian abriu a porta para uma confortável sala de estar, e eu entrei — Bobby atrás de mim — e olhei à minha volta. Era tão confortável quanto eu esperava, e a firmeza dos sofás sugeria que a sala provavelmente ficava reservada aos visitantes especiais, e eu, aparentemente, era um deles. Olhei para baixo e dei com o cachorro farejando os meus tornozelos. Bastou uma olhada para que ele parasse imediatamente, sentando-se no chão e olhando para mim, aparentemente ainda sem saber se me aprovava. Inclinou a cabeça para a esquerda, como que decidindo, e então recomeçou o processo de tentar subir em mim.

"Senhor Sadler", disse a sra. Bancroft, que entrou um momento depois, parecendo um pouco nervosa. "É muita bondade sua nos visitar. Tenho certeza de que o senhor é muito ocupado. Desça, Bobby."

"É um prazer", menti eu, sorrindo, contente porque Marian entrou quase imediatamente atrás da mãe com um bule de chá. Mais chá.

"Lamento que meu marido ainda não tenha chegado. Ele prometeu vir, mas às vezes se distrai com os paroquianos a caminho de casa. Sei que quer muito conhecê-lo."

"Ora, não se preocupe", disse eu, inquieto com as lindas xícaras de porcelana de asinhas minúsculas que estavam sendo postas na mesa. Assim que a mãe de Will entrou, meu indicador direito voltou a tremer daquele modo incontrolável e eu receei que, se tentasse beber em uma delas, acabaria derramando o chá na camisa.

"Tenho certeza de que ele não demora", murmurou ela, olhando rapidamente pela janela como se isso garantisse a sua presença a tempo. Sem dúvida, era a mãe da filha que tinha, um bela mulher de cinquenta e poucos anos, serena, bem feita, elegante. "Vocês tiveram um bom dia?", perguntou enfim, como se aquela não passasse de uma visita social.

"Um ótimo dia, obrigado. Marian me mostrou a cidade."

"Não há muito que ver, infelizmente. Um londrino deve nos achar terrivelmente enfadonhos."

"De modo algum", disse eu, embora Marian exalasse um audível suspiro na poltrona ao lado da minha.

"Ora, por que você diz isso, mamãe?", perguntou. "Por que nós sempre temos de acreditar que somos inferiores àqueles que moram a cento e cinquenta quilômetros daqui?"

A sra. Bancroft olhou para ela e então sorriu para mim. "Por favor, desculpe a minha filha", pediu. "Às vezes ela fica agitada com as coisas mais triviais."

"Eu não estou agitada. Mas é que... Oh, não importa. É que isso me irrita. Sempre nos rebaixando assim."

Agora Marian parecia uma adolescente mal-humorada, completamente diferente da moça autoconfiante com a qual eu passara a maior parte do dia. Olhei de relance para o aparador, onde uma série de retratos de Will, tirados em diversos momentos da vida, me chamou a atenção. No primeiro, ele era um menininho de sorriso insolente com uniforme de futebol; a seguir, um pouco mais velho, virando-se e olhando como se tivesse sido pego de surpresa. E, no terceiro, estava se afastando, o rosto invisível, as mãos nos bolsos, a cabeça baixa.

"Quer olhar mais de perto?", ofereceu a sra. Bancroft, notando o meu interesse; eu concordei com a cabeça e, aproximando-me do aparador, peguei e examinei cada fotografia. Foi difícil resistir a passar o dedo no contorno do seu rosto.

"Vejo que a senhora não tem nenhuma foto dele fardado."

"Não. Eu tinha uma. De quando se alistou. Nós ficamos muito orgulhosos, é claro, e a foto parecia adequada. Mas a tirei daí. Não quero me lembrar dessa parte da sua vida, entende? Está numa gaveta, mas..."

A sua voz falhou e eu não insisti. Não devia ter feito aquela pergunta. Entretanto, logo depois, reparei em outro retrato, este de um homem de farda, mas diferente da que Will ou eu usávamos. Tinha uma expressão plácida, como se estivesse resignado com o que quer que o Destino lhe reservasse, e tinha um bigode extraordinário.

"O meu pai", sorriu a sra. Bancroft, tirando a fotografia do aparador e olhando-a com um leve sorriso. Com a outra mão, acariciou-me o braço num gesto inconsciente que me fez sentir confortado. "Nem Marian nem William o conheceram, é claro. Ele combateu no primeiro conflito do Transval."

"Ah, sim", disse eu, balançando a cabeça. Na minha infância, a Guerra dos Bôeres e a sua predecessora eram a grande lembrança de conflito da geração dos meus pais, e ainda se falava muito nelas. Todo o mundo tinha um avô ou um tio que lutara em Ladysmith ou em Mafeking, que havia sacrificado a vida nas escarpadas montanhas de Drakensberg ou tido um fim horrível nos rios contaminados do Modder. Falava-se nos bôeres — uma raça que preferira não se sujeitar aos invasores vindos do outro hemisfério — como o último grande inimigo do povo britânico; e na sua guerra como o nosso último conflito. Uma ironia amarga, suponho.

"Eu mal conheci o meu pai", murmurou a sra. Bancroft. "Tinha apenas vinte e três anos quando o mataram; e eu, três. A minha mãe e ele eram muito jovens quando se casaram. Não guardo muitas lembranças dele, mas as poucas que tenho são boas."

"Essas malditas guerras têm o hábito de acabar com todos os homens da nossa família", observou Marian da poltrona.

"Marian!", exclamou a sra. Bancroft, olhando rapidamente para mim como se eu pudesse ter me ofendido.

"Ora, é verdade, não? E não só os homens. A minha avó — a mãe da minha mãe — também foi morta no Transval."

Eu enruguei a testa, convencido de que ela não poderia estar certa a respeito disso.

"Não seja ridícula, Marian", ralhou a sra. Bancroft, recolocando a fotografia no lugar e olhando para mim com inquietude. "A minha filha é emancipada, senhor Sadler, e eu não sei se isso é bom. Nunca tive interesse em ser emancipada." Eu me lembrei uma vez mais da sra. Wilcox, que passou vergonha num almoço dos Schlegel.

"Está bem, ela não morreu exatamente no Transval", admitiu Marian, cedendo um pouco. "Mas não sobreviveu à morte do meu avô."

"Faça o favor, Marian!", repreendeu a sra. Bancroft.

"Ora, por que ele não pode saber? Nós não temos nada a esconder. Tristan, a minha avó não aguentou viver sem o meu avô e se suicidou."

Eu desviei a vista, certo de que não queria ser incluído naquela confidência.

"Nós não gostamos de falar nisso", explicou a sra. Bancroft, com a voz menos irritada e mais carregada de tristeza. "Ela era muito jovem, a minha mãe, quando ele morreu. E só tinha dezenove anos quando eu nasci. Imagino que simplesmente não suportou a responsabilidade e a dor. Eu nunca a culpei, naturalmente. Sempre tentei entender."

"Mas não há motivo para culpá-la, senhora Bancroft. Essas coisas, quando acontecem, são tragédias. Ninguém faz algo assim por querer; fazem-no por estar doentes."

"Sim, acho que o senhor tem razão", concordou ela, voltando a se sentar. "Mas isso foi uma vergonha para a nossa família na época, uma ironia terrível, já que o meu pai nos deu tanto orgulho com os seus atos na guerra."

"Curioso, não, Tristan?", comentou Marian, "Considerar a morte de um soldado um motivo de orgulho, não de vergonha nacional. Mesmo porque nós nem tínhamos por que estar no Transval."

"O meu pai cumpriu o seu dever. Ponto final."

"Sim, e isso lhe fez muito bem", observou Marian, levantando-se e indo para a janela, olhando para as dálias e os crisântemos que, sem dúvida, sua mãe havia plantado em filas perfeitas ao longo das bordas do canteiro.

Eu tornei a me sentar, desejando nunca ter estado naquela casa. Era como se tivesse entrado no palco em plena representação de um drama em que os personagens já estavam envolvidos numa batalha de anos, e que só agora, à minha chegada, podia atingir o clímax.

Ouvi a porta da rua se abrir e fechar; o cachorro se levantou imediatamente, atento a uma presença familiar, e eu tive a sensação de que a pessoa que estava lá fora hesitava em abrir a porta.

"Senhor Sadler", disse o reverendo Bancroft, entrando na sala em seguida, apertando com as duas mãos a minha e retendo-a diante dele enquanto me fitava nos olhos. "Que bom que o senhor pôde vir nos visitar."

"Infelizmente não posso demorar", respondi, sabendo que era grosseiro dizê-lo de pronto, mas sem me importar muito com isso. Senti que já tinha passado tempo suficiente em Norwich e estava ansioso por voltar à estação, a Londres e à solidão do meu lar.

"Sim, desculpe o atraso", disse consultando rapidamente o relógio. "Eu pretendia chegar antes das quatro, mas tive de resolver uma questão da paróquia e perdi a hora. Espero que a minha esposa e filha o tenham entretido nesse ínterim."

"Ele não estava aqui para se entreter, papai", disse Marian parada junto ao vão da porta, de braços cruzados. "E duvido muito que tenha se entretido."

"Eu ia perguntar das cartas ao senhor Sadler", interferiu a sra. Bancroft, e todos nos voltamos para ela. "A minha filha contou que o senhor estava guardando algumas cartas", acrescentou, e eu me apressei a fazer que sim, aliviado com a mudança de assunto.

"É verdade", disse, pondo a mão no bolso. "Eu devia tê-las entregado a você, Marian. Afinal, esse era o motivo da minha visita."

Coloquei o maço na mesa à minha frente. Marian olhou para ele — uma coleção de envelopes atados com uma fita vermelha, a sua bonita caligrafia visível na superfície do primeiro deles — mas não se aproximou. Tampouco a mãe os pegou; ficou olhando fixamente para eles como se fossem uma bomba capaz de explodir se a manuseassem bruscamente.

"Com licença", pediu Marian enfim, saindo da sala feito um furacão, sempre de costas para mim, Bobby correndo atrás dela em busca de aventura. Seus pais a observaram sair com expressão estoica, soturna.

"A nossa filha às vezes dá a impressão de ser um pouco rude, senhor Sadler", disse a sra. Bancroft, virando-se para me olhar com expressão compungida. "Principalmente quando está comigo. Mas ela adorava o irmão. Eles sempre foram muito unidos. A sua morte a abalou muito."

"Ela não dá a impressão de ser rude", repliquei. "Claro que só a conheço há algumas horas. Mesmo assim, acho que posso entender a sua dor e sofrimento."

"Foi muito difícil para ela. Naturalmente, foi difícil para todos nós, mas cada um lida com a adversidade à sua maneira, não é mesmo? A minha filha tem um modo muito contundente de expressar o sofrimento, ao passo que eu prefiro não expor as minhas emoções. Não sei se isso é bom ou ruim, é simplesmente a maneira como fui criada. O meu avô me adotou, entende? Quando os meus pais morreram. Ele era viúvo, o único parente que me restava. Mas não era emotivo, disso ninguém o podia acusar. E acho que me criou do mesmo jeito. O meu marido, por outro lado, deixa transparecer seus sentimentos com mais facilidade. Eu até o admiro por isso, senhor Sadler. Tentei aprender com ele durante anos, mas não adiantou.

Creio que os adultos que nos tornamos talvez sejam formados na infância, e não há como mudá-los. O senhor concorda?"

"É possível", respondi. "Embora possamos lutar contra isso, não? Podemos tentar mudar."

"E contra o que o senhor está lutando, senhor Sadler?", perguntou o marido dela, tirando os óculos e limpando as lentes com o lenço.

Eu desviei o olhar, suspirando. "Na verdade, senhor, eu estou cansado de lutar, e prefiro nunca mais ter de fazê-lo."

"Mas não terá mesmo", disse a sra. Bancroft, enrugando a testa. "A guerra acabou."

Eu sorri. "Logo haverá outra, creio. Sempre há."

Ela não respondeu, mas estendeu as mãos para segurar as minhas. "O nosso filho se alistou com tanto entusiasmo. Talvez tenha sido um erro deixar o retrato do meu pai exposto aqui durante todos estes anos."

"Não, Julia", disse o reverendo Bancroft, sacudindo a cabeça. "Você sempre se orgulhou do sacrifício do seu pai."

"Sim, eu sei, mas William sempre foi fascinado por isso, esse é o problema. Fazia perguntas, queria saber mais a respeito dele. Eu lhe contei tudo o que pude, é claro, mas a verdade é que sabia muito pouco. Continuo sabendo muito pouco. Mas às vezes temo que William tenha se alistado por minha culpa. Podia ter esperado, sabe? Até que o convocassem."

"Mas seria só uma questão de tempo", disse eu. "Não faria diferença nenhuma."

"Acontece que ele estaria em outro regimento. Seria mandado para lá em outro dia. O curso da sua vida seria alterado. Ele ainda poderia estar vivo. Como você."

Recolhi a mão e olhei para o lado. Havia uma acusação, nas duas últimas palavras, que me atingiu em cheio.

"Quer dizer que o senhor conhecia bem o nosso filho, senhor Sadler?", perguntou o reverendo Bancroft pouco depois.

"Conhecia, senhor."

"Era amigo dele?"

"Muito amigo. Nós treinamos juntos em Aldershot e..."

"Sim, sim", disse ele rapidamente com um gesto de desdém. "O senhor tem filhos, senhor Sadler?"

"Não" respondi, sacudindo a cabeça, um tanto surpreso com a pergunta. "Não, não sou casado."

"Gostaria de ter? Quer dizer, um dia."

"Não sei", disse eu, sacudindo os ombros, incapaz de olhá-lo nos olhos. "Não penso muito nisso."

"O homem deve ter filhos. Nós estamos no mundo para propagar a nossa espécie."

"Não faltam homens que se encarregam disso", retruquei alegremente. "Eles compensam os mais preguiçosos."

O reverendo Bancroft franziu o rosto; vi que não gostou da leviandade da minha observação. "E o senhor é isso, senhor Sadler?", perguntou. "Um preguiçoso?"

"Não, não creio. Eu fiz a minha parte."

"Claro que fez. E está aqui outra vez, são e salvo."

"O fato de não ter morrido não significa que não lutei", disse eu, incomodado com o seu tom de voz. "Nós todos lutamos. Estivemos em lugares terríveis. Vimos coisas horrendas. Nunca vamos esquecê-las. E, quanto às coisas que fizemos, bem, prefiro nem lhe contar."

"Mas precisa me contar", disse ele, inclinando-se. "Sabe onde eu estive esta tarde? Sabe por que cheguei atrasado?". Eu sacudi a cabeça. "Pensei que nos tivesse ouvido. Hoje de manhã, digo. Na catedral."

Baixei os olhos e senti o rosto corar. "Quer dizer que o senhor me reconheceu. Eu não sabia."

"Sim, imediatamente. Aliás, de manhã, quando você fugiu, eu tive uma ideia muito clara de quem era. A minha filha já me havia falado na sua visita iminente. De modo que o senhor estava na minha cabeça. E tem a mesma idade que William. Para não dizer que eu soube imediatamente que o senhor esteve na guerra."

"É tão evidente assim?"

"É como se você não estivesse inteiramente convencido de que o mundo para o qual voltou é o mesmo que deixou para trás. Eu vejo isso no rosto dos rapazes na paróquia, dos que voltaram, dos que Marian atende. Sou uma espécie de conselheiro para alguns deles, sabe? Não só para assuntos espirituais. Eles me procuram em busca de uma espécie de paz que, infelizmente, eu estou mal equipado para oferecer. Às vezes, penso que, de alguma forma, muitos acreditam que morreram lá e que isto aqui é uma espécie de sonho esquisito. Ou o purgatório. Ou mesmo o inferno. Compreende, senhor Sadler?"

"Mais ou menos."

"Eu nunca combati, é claro", prosseguiu. "Nada sei dessa vida. Tive uma existência muito pacífica na Igreja e aqui em casa com a minha família. Nós estamos acostumados a ver a geração mais velha olhar para a mais jovem e dizer que ela nada sabe do mundo, mas agora as coisas estão meio desequilibradas, não acha? É a sua geração que entende a desumanidade do homem, não a nossa. São jovens como o senhor que têm de conviver com as coisas que viram e fizeram. Vocês se tornaram a geração da resposta. Ao passo que os seus pais só podem olhar para vocês e fazer perguntas."

Eu voltei a me sentar. "O senhor ia me contar onde esteve hoje à tarde."

"Com um grupo de paroquianos", sorriu ele com amargura. "Há um plano de erigir um monumento, sabe? Aos rapazes de Norwich que morreram na guerra. Uma grande escultura de pedra com o nome de cada garoto que sacrificou a vida. Está acontecendo na maioria das cidades da Inglaterra, o senhor deve ter ouvido falar."

"Claro que sim."

"E geralmente é organizado pela Igreja. O conselho paroquial se encarrega da campanha de arrecadação de fundos. Nós encomendamos projetos a um escultor, um deles é escolhido, levanta-se os nomes de todos os que morreram e, em breve, num ateliê qualquer, um homem se senta num banquinho de três pés diante de um bloco de pedra, martelo e cinzel nas mãos, e grava linhas na pedra para homenagear os meninos que perdemos. Hoje foi o dia em que as decisões finais foram tomadas. E é claro que eu, sendo o vigário, precisava estar presente."

"Ah", disse eu, acenando calmamente, já imaginando onde ele ia chegar.

"O senhor tem ideia do que significa isso?", perguntou com os olhos cheios de lágrimas.

"Certamente não."

"Ouvir que o seu filho, que deu a vida por este país, não pode ser representado na pedra por causa da sua covardia, por causa da sua falta de patriotismo, por causa da sua traição? Ouvir essas palavras ditas sobre um menino que o senhor criou, carregou nos ombros nas partidas de futebol, alimentou, lavou e educou? É monstruoso, senhor Sadler. Monstruoso."

"Eu lamento muito", disse eu, consciente da impotência das minhas palavras.

"E de que serve lamentar-se? Acaso traz o meu filho de volta? Um nome numa pedra não significa absolutamente nada, mas, mesmo assim, significa *alguma coisa*. O senhor entende?"

"Entendo. Deve ser difícil de aguentar."

"Nós temos a nossa fé para nos sustentar", disse a sra. Bancroft, e o seu marido lhe endereçou um olhar penetrante, sugerindo que não estava totalmente convencido de que esse fosse o caso.

"Infelizmente, eu não entendo muito disso."

"O senhor não é religioso, senhor Sadler?", indagou o vigário.

"Não. Não sou."

"Desde o começo da guerra, eu acho que os jovens estão ou se aproximando de Deus, ou dele se afastando inteiramente. Fico confuso, não sei como orientá-los. Creio que estou perdendo o contato com a época.

"É difícil ser padre?", perguntei.

"Provavelmente não é mais difícil que as outras profissões. Há dias em que a gente sente que está indo bem. E outros em que sente que não tem nenhuma utilidade para ninguém."

"O senhor acredita no perdão?"

"Acredito na busca do perdão, sim. E acredito em oferecê-lo. Por que, senhor Sadler, de que o senhor precisa ser perdoado?"

Eu sacudi a cabeça e desviei a vista. Pensei que, mesmo que passasse o resto da vida naquela casa, nunca seria capaz de olhar aquele homem e a sua esposa diretamente nos olhos.

"Não sei por que Marian o trouxe aqui", continuou ele quando ficou claro que eu não responderia. "O senhor sabe?"

"Eu nem sabia que ela tinha tais planos. Só soube quando já estávamos aí na rua. Presumo que achou que seria uma boa ideia."

"Boa ideia para quem? Oh, por favor, não me entenda mal, senhor Sadler, não tenho a intenção de fazer com que se sinta mal recebido, mas o senhor não pode fazer nada para trazer o nosso filho de volta. Se muito, é apenas mais um lembrete do que aconteceu na França."

Eu balancei a cabeça, reconhecendo a verdade.

"Mas há muita gente, sabe, inclusive a nossa filha, que vive fuçando por aí, fuçando, na tentativa de descobrir por que as coisas aconteceram. Eu não faço isso e não acredito que a minha mulher o faça. Afinal, saber os porquês não muda absolutamente nada. Talvez estejamos simplesmente procurando em quem pôr a culpa. Pelo menos...". Ele hesitou um instante e sorriu para mim. "Alegra-me que o senhor tenha sobrevivido a tudo, senhor Sadler. Alegra-me de verdade. O senhor parece ser um bom rapaz. Os seus pais devem ter ficado contentes em vê-lo retornar são e salvo."

"Isso eu não sei", disse eu, encolhendo os ombros, uma

observação dispensável que chocou a sua esposa mais que qualquer outra coisa que eu havia dito até então.

"Como assim?", perguntou ela, erguendo os olhos.

"É que nós não nos damos bem", expliquei, arrependido de ter entrado nesse assunto. "Não importa. Não chega a ser uma coisa que eu..."

"Mas isso é ridículo, senhor Sadler", atalhou ela, levantando-se e me olhando com cólera, as mãos nos quadris numa atitude de desespero.

"Bem, não foi escolha minha."

"Mas eles sabem que o senhor está bem? Que está vivo?"

"Acho que sim. Eu lhes escrevi, é claro. Mas não tive resposta."

Ela me encarou com expressão de enorme ferocidade. "Às vezes, eu custo a entender o mundo, senhor Sadler", disse com voz entrecortada. "Os seus pais têm um filho que está vivo, mas que eles não veem. Eu tenho um filho que desejo ver, mas ele está morto. Que tipo de gente são os seus pais afinal? Monstros?"

Passei a última semana antes de Aldershot tentando decidir se devia visitar a minha família antes de partir. Era perfeitamente plausível que eu morresse lá, e, embora não tivéssemos nos falado nos últimos dezoito meses, sentia que havia uma possibilidade de reconciliação em face de um futuro tão incerto. E assim, resolvi visitá-los na tarde anterior à viagem para o campo de treinamento. Desembarquei na Estação Kew Bridge numa quarta-feira gelada e segui a pé até a Chiswick High Street.

As ruas se fundiam numa mescla de familiaridade e distância; era como se eu tivesse sonhado com aquele lugar, mas agora me fosse dado visitá-lo outra vez em estado de vigília. Sentia-me estranhamente calmo, e atribuí isso ao fato de ter sido basicamente feliz ali na infância. É verdade que o meu pai costumava me tratar com violência, mas não havia nada de extraordinário nisso; afinal, ele não era mais violento que os pais da maioria dos meus amigos. E a minha mãe sempre foi uma presença bondosa na minha vida, ainda que distante. Senti que seria bom revê-la. Creditei a sua recusa em falar comigo ou responder às minhas cartas à exigência do meu pai de que cortasse totalmente a comunicação comigo.

No entanto, à medida que me aproximava de casa, comecei a sentir o nervosismo me dominando. Avistei a série de lojas e, no fim, o açougue do meu pai. Perto dele, as casas em que moravam as famílias de Sylvia e a de Peter. O apartamento em que fui criado estava bem visível, e eu vacilei, me refugiei por alguns minutos num banco, e tirei um cigarro do bolso para criar coragem.

Consultei o relógio, perguntando-me se não seria melhor desistir de tudo, tomar o primeiro ônibus e voltar à tranquilidade do meu apartamento em Highgate para um último jantar solitário e uma noite de bom sono antes que, no dia seguinte, o trem me levasse para a vida nova de soldado; decidi fazer isso, cheguei até a me levantar e tomar o rumo oposto, o da Kew, quando colidi com uma pessoa que vinha em sentido contrário e, surpresa, deixou cair a cesta de compras.

"Desculpe", disse, agachando-me para pegar as maçãs, o litro de leite e a caixa de ovos que haviam caído no chão, mas continuavam milagrosamente intactos. "Eu estava distraído." Então ergui a vista quando percebi que a pessoa não havia respondido, e levei um susto ao ver quem estava diante de mim. "Sylvia", disse.

Ela me encarou. "Tristan? Não pode ser."

Dei de ombros, indicando que sim, era eu; Sylvia desviou a vista um momento, colocando a cesta no banco ao nosso lado, e mordeu o lábio. Ficou um pouco corada, talvez constrangida, talvez confusa. Eu não senti nenhum embaraço, apesar do que ela sabia a meu respeito. "Que bom revê-la", disse enfim.

"E você", sorriu ela, oferecendo um desajeitado aperto de mão. "Você não mudou nada."

"Tomara que não seja verdade. Já faz um ano e meio."

"É mesmo?"

"É." Eu a examinei, notando as diferenças. Continuava linda, é claro, estava mais bonita aos dezessete anos do que fora aos quinze, mas isso era de se esperar. O cabelo loiro como o sol se espalhavam soltos pelos ombros. Estava mais magra e o vestido lhe realçava o talhe. O batom vermelho dava-lhe um ar exótico, e eu me perguntei onde o havia conseguido; os meus colegas na construtora viviam atrás de batom e meias para as namoradas; era dificílimo encontrar artigos de luxo desse tipo.

"Puxa, que coisa esquisita", disse Sylvia depois de algum tempo, e eu fiquei admirado com a sua franqueza.

"Pois é. Um pouco."

"Às vezes você não fica com vontade de que o chão se abra e o engula?"

"Às vezes", admiti. "Mas não tanto como antigamente."

Ela pensou um pouco, talvez tentando descobrir o que eu queria dizer exatamente; nem eu mesmo sabia. "Mas como vai? Você parece bem."

"Vou bem. E você?"

"Trabalho numa fábrica, dá para acreditar? Você imaginou que eu ia acabar virando operária?"

"Você ainda não acabou virando nada. Tem só dezessete anos."

"É detestável, mas sinto que preciso fazer alguma coisa."

"Claro.", assenti.

"E você?", perguntou ela com cuidado. "Ainda não...?"

"Amanhã. Bem cedo. Aldershot."

"Oh, eu conheço uns garotos que foram para lá. Dizem que é bom, muito bom."

"Logo eu vou saber", disse eu, perguntando-me quanto tempo aquilo ia durar. Sentia-me artificial e constrangido, e suspeitava que os dois preferíssemos baixar a guarda e conversar sem artifícios.

"Imagino que você tenha vindo se despedir da sua família."

"É. Achei bom visitá-los antes de partir. Afinal, pode ser que seja a última vez."

"Não diga isso, Tristan", ela disse, tocando-me o braço. "Dá azar. Você não quer atrair mau agouro, quer?"

"Desculpe. Só quis dizer que achei certo voltar. Já faz... bom, eu já disse quanto tempo faz."

Ela ficou atrapalhada. "Vamos nos sentar um pouco?", propôs, olhando para o banco, e eu sacudi os ombros quando nos sentamos juntos. "Eu pensei em lhe escrever. Quer dizer, não logo no começo, é claro. Mas depois. Quando me dei conta do que nós lhe fizemos."

"Você não teve a menor culpa."

"Não, mas estava envolvida. Lembra aquela vez que nos beijamos? Debaixo da nogueira?"

"Como se fosse ontem", respondi, quase rindo. "Nós éramos crianças."

Ela retribuiu o sorriso. "Pode ser. Mas eu senti que havia algo errado em você."

"É mesmo?"

"Ah, sim. Você foi a minha paixão, a que mais durou."

Isso me deixou pensativo. Era esquisito ouvi-la dizer tal coisa. "Sempre achei que era de Peter que você gostava mais."

"Não sei por quê. Claro, Peter era adorável, eu gostava muito dele, mas só o namorei porque você me rejeitou. Agora, tudo isso parece uma tolice, não acha? Uma coisa tão trivial. O modo como nos comportamos. Mas era tão importante na época. Acho que isso é que é crescer, virar adulto."

"Sim", disse eu, ainda sem acreditar que ela pudesse ter gostado mais de mim que de Peter, que qualquer um pudesse ter gostado mais de mim. "E ele?", perguntei com cautela. "Ainda está...?"

"Oh, não. Peter partiu há uns oito meses. Está fazendo o treinamento da marinha, você não soube? Mas às vezes eu converso com a sua mãe. Ela diz que ele vai bem. Não, agora só há mulheres por aqui. É um horror. Você poderia escolher a que quisesse."

Percebi que se arrependeu do que tinha dito, pois ficou vermelha e desviou a vista, sem saber como salvar a situação. Eu também me senti constrangido e não consegui olhar para ela.

"Eu preciso perguntar", disse Sylvia então. "Toda aquela história. Quer dizer, você e Peter. Não foi o que andaram dizendo, foi?"

"Depende. O que andaram dizendo?"

"Peter... bem, ele me contou uma coisa. Uma coisa que você fez. Eu disse que ele deve tê-la interpretado mal, que não podia ser, mas ele insistiu que..."

"Peter disse a verdade."

"Oh", ela disse. "Entendo."

Eu não sabia como explicar, nem sabia se queria ou precisava explicar alguma coisa, mas fazia tanto tempo que não falava naquilo que senti uma súbita necessidade de fazê-lo e me virei para ela. "Peter não teve culpa nenhuma. Não sentia a mesma coisa que eu. Mas isso sempre esteve presente. Quer dizer, na minha mente. Sempre houve algo errado comigo nesse aspecto."

"Algo errado? É assim que você vê?"

"Claro", respondi, como se fosse a coisa mais óbvia do mundo. "Você não?"

"Não sei. Aliás, nem sei se isso tem importância. Eu me apaixonei recentemente por alguém totalmente inconveniente. Ele me deu o fora assim que obteve o que queria. Disse que eu não tinha potencial para esposa, seja lá o que isso for."

Eu ri um pouco. "Desculpe", disse. "Quer dizer que você e Peter...?"

Sylvia sacudiu a cabeça. "Oh, não. Não, aquilo não durou

nada. A verdade é que ele era um mero substituto. E, já que você tinha partido, não fazia o menor sentido continuar com ele. Só fiz aquilo para que você ficasse louco de ciúme, por mais idiota que possa parecer.

"É assombroso, Sylvia", disse eu com incredulidade. "Ouvi-la dizer isso."

"Só porque você não consegue entender alguém que não achasse Peter a oitava maravilha do mundo. Ele era egoísta, pensando bem, egoísta mesmo. E mau-caráter. Vocês eram amigos íntimos e, no momento em que descobriu o que você... o que você sentia de fato, deixou-o na mão. E depois de tantos anos. Sórdido."

Eu dei de ombros. O meu sentimento por Peter não desaparecera totalmente, embora pelo menos eu já pudesse reconhecer que ele não passava de uma paixão adolescente. No entanto, não gostava de pensar nele naqueles termos. Preferia pensar que Peter continuava sendo meu amigo, em algum lugar do mundo, e que, se voltássemos a nos encontrar, o que eu esperava que acontecesse um dia, esqueceríamos toda a inimizade passada. Claro que nunca nos reencontramos.

"Em todo caso", prosseguiu Sylvia, "ele não se conformou. Passou meses me perseguindo, até que o meu pai tomasse uma atitude. Então deixou de falar comigo. Mas eu o vi pouco antes da sua partida, e nós tivemos uma conversa decente, mas não foi a mesma coisa. O problema é que nada deu certo entre nós três, não acha? Peter me amava, mas eu não sentia o mesmo. Eu amava você, mas não era correspondida. E você..."

"Sim, eu", balbuciei, virando o rosto para o outro lado.

"Há alguém atualmente?", perguntou ela, e eu a encarei, surpreso com a sua ousadia. Não podia imaginar nenhuma outra pessoa fazendo uma pergunta tão escandalosa.

"Não", apressei-me a responder. "Claro que não."

"Por que 'claro que não'?"

"Por favor, Sylvia", disse eu com irritação. "Como poderia haver? Eu vou ficar sozinho."

"Isso você não sabe, Tristan. E nunca deve dizê-lo. Pode aparecer alguém e..."

Eu me levantei de um salto e soprei ar morno nos punhos cerrados, que tinham congelado durante o tempo em que ficamos sentados. Estava farto daquela conversa. Não queria a condescendência de Sylvia.

"Eu preciso ir."

"Sim, claro", respondeu ela, levantando-se também. "Espero não tê-lo aborrecido."

"Não. É que preciso ir ao açougue e depois voltar para casa. Ainda tenho muito o que fazer antes de viajar amanhã."

"Está bem." Ela se inclinou e me beijou de leve no rosto. "Cuide-se, Tristan. E trate de sobreviver, ouviu?"

Eu sorri e fiz que sim. Gostei do modo como ela o tinha formulado. Virei a cabeça e olhei para o açougue, de onde um antigo freguês saía com um embrulho de carne debaixo do braço.

"Certo. Vou arriscar. Espero que pelo menos um dos três se alegre com a minha visita." Uma nuvem caiu sobre seu rosto quando eu disse isso, e sua expressão se tornou inicialmente confusa, depois cheia de compreensão, de horror até, e eu fiquei olhando para ela, já sem sorrir. "O quê?", perguntei. "O que aconteceu?"

"'Um dos três'?", repetiu ela. "Oh, Tristan." Sylvia me abraçou inesperadamente, despertando a lembrança daquela tarde debaixo da nogueira em que ela me beijou e eu fingi amá-la.

Não havia clientes no açougue e ninguém atrás do balcão. Naquele momento, o meu estômago deveria estar se revirando, mas eu não senti nada. Quando muito, talvez uma sensação de alívio. Reconheci os odores imediatamente, a azeda mistura de sangue com desinfetante que logo me levou de volta à infância. Fechando os olhos por um instante, cheguei a me ver menino, descendo a escada dos fundos correndo e entrando na câmara fria nas manhãs de segunda-feira, quando o sr. Gardner chegava com as carcaças que o meu pai passava a semana carneando e vendendo aos fregueses, sem nunca errar um corte, sem jamais roubar na pesagem. Foi dessa câmara fria que ele emergiu enquanto eu me lembrava de tudo isso. Veio carregando uma bandeja de costeletas e fechou a porta com o ombro.

Numa bancada fora do alcance dos clientes, vi a sua bela coleção de facas de desossar e de fatiar, mas desviei a vista para que não me inspirassem ideias malignas.

"Um momentinho, senhor", disse ele sem olhar para mim, abrindo a tampa de vidro do mostrador à sua frente e depositando a bandeja num espaço vazio. Hesitou uma fração de segundo, a bandeja pairando no ar, então voltou a fechar a tampa, ergueu a vista e endireitou o corpo, engolindo em seco, e pareceu não saber o que dizer.

Nós nos entreolhamos. Eu procurei sinais de remorso em seu rosto, qualquer coisa que indicasse vergonha, e, por um segundo, cheguei a acreditar tê-los visto. Mas desapareceram com a mesma rapidez, dando lugar a um olhar frio, um olhar de indignação, e a uma atitude de repugnância pelo fato de uma criatura como eu ter sido engendrada por ele.

"Eu viajo amanhã", disse-lhe. "Passo nove semanas treinando em Aldershot. Depois vou. Achei que você gostaria de saber."

"Pensei que já estivesse lá", respondeu ele, limpando as mãos num pano manchado de sangue. "Ou você não queria ir?"

"Passei muito tempo sem poder me alistar por causa da minha idade", expliquei, percebendo o desprezo nas suas palavras.

" E que idade você tem agora?"

"Dezessete. Eu menti. Disse que tinha dezoito e eles me aceitaram."

Meu pai pensou um pouco e balançou a cabeça. "Ora, não sei por que você achou que eu estava interessado, mas imagino que valha a pena saber. Bom, a não ser que você tenha vindo comprar um pouco de carne moída ou..."

"Por que você não me contou?", perguntei, esforçando-me para manter a voz firme.

"Contar? Contar o quê?"

"Pelo amor de Deus, ela era minha irmã."

Ele teve a decência de desviar a vista, de olhar para as peças de carne espalhadas à sua frente e não responder de pronto. Vi-o engolir em seco outra vez, ponderar uma resposta, voltar-se para me fitar com uma leve expressão de arrependimento e então, talvez sentindo justamente isso, passar a mão suja de sangue nos olhos e nas bochechas e sacudir a cabeça.

"Não era assunto seu. Era assunto da família."

"Ela era minha irmã", repeti, sentindo as lágrimas se formarem.

"Assunto da família."

Passamos alguns momentos sem dizer nada. Uma mulher diminuiu o passo ao se aproximar da vitrine, examinou as carnes expostas, depois ergueu os olhos e, parecendo ter desistido, seguiu caminho.

"Aliás, como você soube?", perguntou ele enfim.

"Eu me encontrei com Sylvia. Agora há pouco. Logo que desci do ônibus. Nós nos encontramos por acaso. Ela me contou."

"Sylvia", bufou ele com raiva. "Essa nunca prestou. Andava com tudo quanto era homem naquele tempo e anda com tudo quanto é homem agora."

"Você podia ter me escrito", disse eu, recusando-me a falar de qualquer um a não ser de Laura. "Podia ter me encontrado e me contado. Quanto tempo ela ficou doente?"

"Alguns meses."

"Sentia dor?"

"Sim, muita."

"Meu Deus", disse eu, curvando-me ligeiramente, sentindo uma pontada na boca do estômago.

"Ora essa, Tristan", disse ele, saindo de trás do balcão e parando diante de mim; o máximo que consegui foi não recuar com asco. "Você não podia fazer nada por ela. Foi uma dessas coisas. Espalhou-se pelo corpo como fogo."

"Eu queria tê-la visto. Sou irmão dela."

"Não, não é. Pode ser que tenha sido, admito. Mas isso foi há muito tempo. Acho que ela já o tinha esquecido no fim."

Para minha surpresa, ele passou o braço pelo meu ombro e eu pensei que fosse me abraçar, mas ao invés disso me virou e me conduziu lentamente até a porta.

"A verdade, Tristan", disse, guiando-me até a rua, "é que você não era mais irmão dela, assim como não é mais meu filho. Esta não é a sua família. Você não tem nada o que procurar aqui, não mais. Seria melhor para todos nós se os alemães matassem você de cara."

Fechou a porta na minha cara e eu me virei. Ainda o vi hesitar por um momento diante do mostrador, examinando os vários cortes de carne, contando-os mentalmente, antes de desaparecer outra vez na câmara fria e sair definitivamente da minha vida.

"Talvez eu tenha cometido um erro", disse Marian enquanto atravessávamos a cidade a caminho da estação ferroviária. "Eu o peguei de surpresa, não? Levando-o para conhecer os meus pais daquele jeito."

"Não faz mal", disse eu, acendendo um cigarro realmente necessário e deixando que a fumaça enchesse meus pulmões e acalmasse meus nervos. O único prazer comparável seria um caneco de cerveja gelada. "Eles são pessoas decentes."

"Sim, acho que são. Nós enlouquecemos uns aos outros

cotidianamente, mas acho que é normal. Se eu pudesse, teria a minha própria casa. Então eles iriam me visitar e nós seríamos amigos e não haveria mais esses confrontos diários."

"Com certeza você vai se casar um dia."

"A minha própria casa", frisou Marian. "Não a de outra pessoa. Como a que você tem."

"A minha não passa de um apartamento pequeno. É confortável, mas, acredite, não chega aos pés do que você tem aqui."

"Mas é seu, não é? Você não deve satisfação a ninguém."

"Olhe, não precisa me acompanhar até a estação", disse eu. "Não quero parecer ingrato, mas tenho certeza de que consigo achar o caminho."

Ela sacudiu a cabeça. "Tudo bem. Eu não me importo. Afinal, nós já viemos até aqui."

Eu concordei com um aceno. Começava a anoitecer, o céu estava ficando mais escuro; e o ar, mais frio. Abotoei o casaco e dei outra tragada no cigarro.

"O que você vai fazer agora?", perguntou ela alguns minutos depois, e eu me virei, franzindo a testa.

"Vou voltar para Londres, é claro."

"Não, não é isso. Eu quis dizer amanhã, depois de amanhã e depois de depois de amanhã. Quais são os seus planos, agora que a guerra acabou?"

Isso me fez pensar um pouco. "Amanhã de manhã, eu estarei de volta à minha escrivaninha na Whisby Press", respondi. "Haverá um monte de manuscritos para ler, cartas de rejeição para despachar, livros para editar. Na semana que vem, vamos apresentar os títulos novos a alguns livreiros, de modo que preciso preparar algumas notas sobre cada um deles."

"Você gosta do seu trabalho, não?"

"Gosto", disse eu com entusiasmo. "Gosto de lidar com livros."

"Então acha que vai ficar onde está? Fazer carreira? Tornar-se um editor?"

Eu hesitei. "Pode ser que tente escrever alguma coisa", respondi. Foi a primeira vez que admiti isso em voz alta para alguém. "É uma coisa que explorei um pouco nos últimos anos. Sinto que agora quero levá-la mais a sério."

"Já não há romances suficientes no mundo?", provocou ela, rindo.

"Um a mais não fará mal a ninguém. Sei lá, em todo caso, pode ser que isso não dê em nada."

"Mas você vai tentar?"

"Vou tentar."

"Claro, Will era um grande leitor", disse Marian.

"Sim, eu o via com um livro de quando em quando. Às vezes, um ou outro camarada trazia um consigo, que acabava passando de mão em mão."

"Will lia desde os três anos de idade. E também gostava de escrever. Tinha só quinze anos quando escreveu um desfecho muito criativo para *O mistério de Edwin Drood*."

"Como acabava?"

"Exatamente da maneira que devia", respondeu Marian. "Edwin voltava são e salvo para sua casa e família. Felizes para sempre."

"Você acha que esse era o fim que Dickens pretendia?"

"Acho que é o fim que Will considerava mais satisfatório. Por que paramos?"

"Esta é a pensão da senhora Cantwell", expliquei, olhando para os degraus que levavam à porta de entrada. "Vou pegar minha mala. Podemos nos despedir aqui, se você quiser."

"Eu espero. A estação fica logo ali, do outro lado da rua. Quero ter certeza de que você vai chegar bem."

Eu assenti. "Só vou levar um ou dois minutos", disse, subindo a escada correndo.

Lá dentro, não vi a sra. Cantwell, mas o seu filho estava atrás do balcão de recepção consultando um mapa, a ponta do lápis pressionada contra a língua.

"Senhor Sadler", disse, erguendo a vista. "Boa noite."

"Boa noite. Eu só vim buscar a mala."

"Naturalmente". Abaixou-se, pegou a mala atrás do balcão e a passou para mim. "E então, teve um bom dia?"

"Tive, obrigado. Nós já acertamos a conta, não?"

"Já, senhor", disse ele, acompanhando-me até a porta. "Voltaremos a vê-lo aqui em Norwich?"

Eu sorri. "Não, acho que não. Acho que esta foi a minha primeira e última visita."

"Nossa. Será que nós o decepcionamos tanto assim?"

"Não, de modo algum. É que... Bem, duvido que o meu trabalho me faça vir para cá outra vez. Adeus, senhor Cantwell." Eu lhe ofereci a mão, e ele a olhou por um momento antes de apertá-la.

"Saiba que eu também tentei lutar", disse ele, e eu fiz que sim e dei de ombros. "Eles disseram que eu era muito novo. Mas não havia coisa que eu quisesse mais neste mundo."

"Então o senhor é louco." Eu abri a porta e saí.

Marian me deu o braço enquanto caminhamos até a estação, e eu me senti ao mesmo tempo incomodado e lisonjeado com o gesto. Havia demorado tanto a lhe escrever, tinha passado tanto tempo planejando aquele encontro, e cá eu estava agora, pronto para voltar a Londres, sem ainda ter tido coragem de lhe contar sobre as últimas horas do seu irmão. Mas caminhamos em silêncio, e ela devia estar pensando na mesma coisa, pois quando entramos na estação ela parou, tirou o braço do meu e voltou a falar.

"Eu sei que ele não era covarde, senhor Sadler. Eu sei. Preciso saber o que aconteceu de fato."

"Por favor, Marian", disse eu, desviando o olhar.

"Há algo que você não me contou. Algo que passou o dia todo tentando contar, mas não conseguiu. Eu sei, não sou boba. Você está louco para contar. Pois bem, nós estamos aqui, Tristan. Só nós dois. Quero que me diga tudo."

"Eu preciso ir embora", disse eu, nervoso. "O meu trem..."

"Parte só daqui a quarenta minutos", disse Marian, consultando o relógio da estação. "Temos tempo. Por favor."

Eu respirei fundo, pensando: *Vou lhe contar? Posso lhe contar?*

"A sua mão, Tristan", disse ela. "O que há com ela?"

Espalmei a mão à minha frente e observei o indicador que tremia erraticamente. Observei-o com interesse, depois o recolhi.

"Eu posso lhe contar o que aconteceu", disse enfim em voz baixa. "Se você quiser mesmo saber."

"Mas é claro que quero. Duvido que eu consiga prosseguir se não souber."

Eu a encarei e fiquei pensando.

"Posso responder às suas perguntas", disse calmamente. "Posso contar tudo. Tudo o que aconteceu no último dia. Mas não sei se isso vai lhe servir de consolo. E você decerto não poderá perdoar."

"Não importa." Marian se sentou num banco. "O pior é não saber."

"Então está bem", disse eu, sentando-me ao seu lado.

O SEXTO HOMEM

FRANÇA, SETEMBRO-OUTUBRO DE 1916

Hobbs enlouqueceu. Fica plantado diante da minha toca, me encara com os olhos saltados, depois tapa a boca e solta risadinhas de normalista.

"O que deu em você?", pergunto, olhando-o, sem humor para brincadeiras. Em resposta, ele ri ainda mais histericamente, com um alvoroço incontrolável.

"Todos abaixados!", grita uma voz num lugar depois da esquina, e Hobbs se vira nessa direção, para instantaneamente de rir e faz um comentário obsceno antes de sair correndo. Não penso mais nele e trato de fechar os olhos, porém, minutos depois, há uma violenta comoção em outro ponto da trincheira, e parece improvável que eu consiga pegar no sono.

Talvez a guerra tenha acabado.

Dirijo-me ao lugar de onde vem o barulho, e encontro Warren, que está aqui há seis ou sete semanas, acho, e é primo-irmão do falecido Shields, sendo contido por um grupo de homens enquanto Hobbs se encolhe no chão em atitude de súplica. Mas continua rindo, e mesmo os poucos homens que se aproximam para levantá-lo estão com cara de medo, sem saber o que pode acontecer se o tocarem.

"Que diabo está acontecendo?", pergunto a Williams, que está ao meu lado, observando tudo com ar de tédio.

"É Hobbs", diz ele, sem se dar ao trabalho de olhar para mim. "Parece que endoidou. Aproximou-se de Warren, que estava dormindo, e mijou nele."

"Minha nossa", digo, sacudindo a cabeça e tirando um cigarro do bolso. "Por que ele fez isso?"

Williams dá de ombros. "Só Deus sabe."

Fico assistindo ao espetáculo até a chegada de dois paramédicos, que convencem Hobbs a se levantar. Ele começa a balbuciar num dialeto desconhecido, e os paramédicos o levam embora. Quando os três desaparecem na esquina, eu o ouço erguer a voz outra vez, gritando os nomes dos reis e rainhas ingleses de Haroldo em diante, em ordem perfeita, talvez um resquício do tempo de escola, mas a sua voz começa a falhar na Casa de Hanôver e some totalmente logo depois de Guilherme IV. Hobbs é levado à barraca médica, presumo, e de lá será transportado a um hospital de campanha: ou ficará lá apodrecendo, ou será curado e mandado de volta para a frente de batalha.

Do nosso grupo, foram-se treze, sobraram sete.

Volto à minha toca e consigo dormir um pouco, mas quando acordo, bem quando o sol começa a se pôr, descubro que estou tremendo incontrolavelmente. Todo o meu corpo sofre espasmos e, embora eu passe frio desde o dia em que cheguei à França, isto é inteiramente diferente. Sinto como se me tivessem deixado por uma semana num monte de neve e o gelo tivesse penetrado meus ossos. Robinson me encontra e se assusta com o que vê.

"Meu Deus", ouço-o dizer; a seguir, ele grita, "Sparks, venha ver isto aqui!"

Alguns momentos de silêncio, então uma segunda voz.

"Ele está morrendo."

"Eu o vi faz uma hora. Parecia bem."

"Olhe só a cor dele. Não vai durar até amanhã."

Em breve, sou levado à tenda médica e me vejo estendido num catre pela primeira vez em não sei quanto tempo, agasalhado com cobertores quentes, uma compressa na testa, um soro improvisado preso no braço.

Perco e recupero a consciência várias vezes, acordo e vejo a minha irmã Laura perto de mim, dando-me de comer, algo quente e doce.

"Olá, Tristan", diz.

"Você", respondo, mas antes que eu possa continuar a

conversa, sua bela fisionomia se dissolve na face bem mais tosca e barbada de um enfermeiro cujos olhos afundaram muito nas órbitas, dando-lhe a aparência de um morto-vivo. Torno a perder os sentidos e, quando finalmente volto a mim, vejo um médico à beira do leito; ao seu lado, incapaz de controlar a irritação, está o sargento Clayton.

"Ele não tem serventia para o senhor", diz o doutor, examinando o fluido em mim injetado e batendo bruscamente no tubo com o indicador da mão direita. "Pelo menos, no momento não. O melhor é embarcá-lo à Inglaterra para a convalescença. Mais ou menos um mês, não mais que isso. Aí ele pode voltar."

"Pelo amor de Deus, homem, se ele pode convalescer lá, pode convalescer aqui", teima Clayton. "Não vou mandar um homem de volta à Inglaterra para ficar de cama."

"Está aqui deitado há mais de uma semana, senhor. Nós precisamos do leito. Pelo menos, se ele for para casa..."

"O senhor não me ouviu, doutor? Eu disse que não vou mandar Sadler para a Inglaterra. O senhor mesmo me disse que ele está dando sinais de melhora."

"Sim, de melhora. Mas não de recuperação. Pelo menos, não de recuperação plena. Olhe, eu posso perfeitamente assinar a documentação da transferência se é isso que o preocupa."

"Esse homem", insiste Clayton, e eu sinto seu punho batendo com força no cobertor, machucando-me o tornozelo, "não há nada de errado com ele, nada em comparação com os que já perderam a vida. Ele pode ficar aqui por enquanto. Dê-lhe de comer, reidrate-o, faça com que fique de pé. Então mande-o de volta para mim. Entendeu?"

Um prolongado silêncio e, a seguir, o que me pareceu um aceno frustrado. "Entendi, senhor."

Viro a cabeça no travesseiro. A esperança de voltar para casa me foi oferecida por alguns instantes, e depois arrebatada. Quando fecho os olhos e volto a adormecer, começo a me perguntar se toda aquela cena chegou a acontecer; talvez tenha sido um sonho e agora eu estou acordando. Esta sensação confusa se estende ao longo do dia e da noite, mas, na manhã seguinte, quando desperto com o barulho da chuva martelando a lona da barraca em que ficam os feridos, sinto a névoa se dissipar na minha mente e compreendo que o mal que me afetara, fosse qual fosse, estava, se não totalmente sanado, pelo menos atenuado.

"Há quanto tempo eu estou aqui?"

"Hoje faz uma semana."

Eu suspiro e sacudo a cabeça, surpreso; se estou de cama há uma semana, por que ainda me sinto tão cansado?

"Acho que o pior já passou. E olhe que nós chegamos a pensar que íamos perdê-lo. Você é um lutador, não é?"

"Nunca fui. Em todo caso, o que há de novo?"

"Nada", sorri o médico. "A guerra continua, se é isso que o preocupa. Por quê? O que você esperava que tivesse acontecido?"

"Alguém morreu?", pergunto. "Quer dizer, alguém do meu regimento?"

Ele tira o termômetro da minha boca e o examina, depois olha para mim com uma expressão curiosa. "Alguém do seu regimento?", pergunta. "Não. Nenhum depois que você veio para cá. Não que eu saiba. Tudo muito calmo lá fora. Por quê?"

Eu sacudo a cabeça e fico olhando para o teto. Passei a maior parte dos últimos dois dias dormindo, no entanto, quero mais. Sinto que poderia dormir um mês inteiro se tivesse a oportunidade.

"Muito melhor", diz o médico alegremente. "A temperatura voltou ao normal. Pelo menos, ao que se pode considerar normal aqui."

"Vieram me visitar?"

"Por quê? Quem você esperava — o arcebispo de Canterbury?"

Ignoro seu sarcasmo e viro a cara. É possível que Will tenha vindo me visitar de vez em quando; afinal, esse médico não deve ter vigiado a minha cama vinte e quatro horas por dia.

"Bom, o que vai acontecer comigo agora?", pergunto.

"Você vai voltar para o trabalho ativo, espero. Vamos lhe dar mais um dia, quem sabe. Olhe, por que você não se levanta um pouco? Vá até a barraca do rancho e coma alguma coisa. Muito chá quente doce, se ainda houver. Depois volte para cá e a gente vê como está se saindo."

Eu deixo escapar outro suspiro e me arrasto para fora da cama, sentindo no abdômen a pressão da bexiga cheia, visto-me depressa e me dirijo à latrina. Quando abro a aba da barraca e saio à penumbra turva, miserável, uma boa quantidade de água que estava empoçada na lona cai em cima de mim, encharcando-me a cabeça, e eu me detenho ali por um ou dois segundos, todo molhado, desejando que os elementos me façam adoecer novamente para que eu possa voltar ao calor e ao conforto da barraca médica.

Mas, para a minha decepção, eu continuo melhorando e logo volto à ativa.

Nesse mesmo dia eu desenvolvo uma erupção no braço que parece estar pegando fogo e, depois de passar mais uma tarde na barraca médica à espera de uma consulta, finalmente passo por um exame sumário e me dizem que não tenho nada, é coisa da minha cabeça, e posso voltar para as trincheiras.

À noite, sozinho com o meu periscópio, o fuzil a tiracolo enquanto espreito a Terra de Ninguém, eu me convenço de que há um alemão da minha idade postado no outro lado, espreitando-me. Está cansado e amedrontado; passa toda noite rezando para que não nos veja trepando nos sacos de areia, porque o momento em que sairmos de nossas covas lamacentas é o momento em que ele será obrigado a dar o sinal aos camaradas e em que se iniciará o horrendo comércio da batalha.

Ninguém fala em Will, e eu estou ansioso por saber dele.

A maior parte do nosso regimento inicial morreu ou, no caso de Hobbs, foi parar num hospital de campanha, de modo que ninguém tem motivos para pensar em Will. A solidão me atormenta. Não o vejo desde que adoeci. Depois da minha recusa a denunciar Milton ao sargento Clayton, ele se empenhou em me evitar. Então eu fiquei doente e não soube de mais nada.

Quando o sargento Clayton destaca um grupo de doze homens para uma missão de reconhecimento na calada da noite, além dos sacos de areia e rumo às defesas alemãs, dos sessenta que saem, só dezoito voltam, um inegável desastre. Entre os mortos, está o cabo Moody, que levou um tiro no olho.

Naquela mesma noite, dou com o cabo Wells sentado sozinho com uma caneca de chá, a cabeça inclinada sobre a mesa, e sinto uma inesperada simpatia por ele. Não sei se é apropriado me aproximar — nunca nos demos especialmente bem —, mas me sinto sozinho e preciso de companhia, de modo que me decido, sirvo-me de chá e paro diante dele.

"Boa noite, senhor", digo com cautela.

Ele demora um pouco a erguer os olhos e, quando o faz, eu reparo nas suas olheiras. Pergunto-me há quanto tempo não dorme. "Sadler", diz. "De folga?"

"Sim, senhor", digo, apontando com o queixo para o banco em frente. "Posso me sentar, ou o senhor prefere ficar sozinho?"

Ele olha para o lugar vazio como se não soubesse ao certo o que convém responder, mas acaba sacudindo os ombros e sinalizando que eu posso me sentar.

"Lamento pelo que aconteceu ao cabo Moody", digo depois de uma adequada pausa. "Era um homem decente. Sempre me tratou com lealdade."

"Achei melhor escrever para a mulher dele", diz Wells, indicando o papel e a caneta à sua frente.

"Eu nem sabia que ele era casado."

"Por que haveria de saber? Mas, sim, ele tinha mulher e três filhas."

"O sargento Clayton não vai escrever para a esposa dele, senhor?", pergunto, pois é assim que as coisas geralmente funcionam.

"Sim, acho que sim. Só que eu conhecia Martin melhor do que qualquer um. Achei melhor escrever também."

"Claro", digo, balançando a cabeça novamente e, quando levanto a caneca, sinto uma inesperada fraqueza no braço e derrubo o chá na mesa.

"Porra, Sadler", diz ele, afastando o papel e a caneta antes que se molhem. "Não fique tão nervoso o tempo todo, que coisa irritante. Aliás, como você está? Melhorou?"

"Muito bem, obrigado", digo, enxugando o chá com a manga.

"Eu cheguei a pensar que íamos perdê-lo. A última coisa que precisamos é perder mais um homem. Não sobraram muitos da sua turma de Aldershot, não é?"

"Sete."

"Pela minha conta, seis."

"Seis?", pergunto, sentindo o sangue fugir do meu rosto. "Quem morreu?"

"Depois que você ficou doente? Que eu saiba, ninguém."

"Mas então são sete", insisto. "Robinson, Williams, Attling..."

"Você não vai dizer Hobbs, vai? Porque ele voltou para a Inglaterra. Está num hospício. Nós não contamos Hobbs."

"Eu não o contei, mas mesmo assim são sete: Robinson, Williams e Attling, como eu disse, e Sparks, Milton, Bancroft e eu."

O cabo Wells ri, sacudindo a cabeça. "Ora, se você não incluiu Hobbs, não pode ter incluído Bancroft", diz.

"Ele está bem, não?"

"Provavelmente melhor que qualquer um de nós. Pelo menos por enquanto. Mas diga uma coisa", acrescenta ele, espremendo um pouco os olhos como se quisesse me analisar. "Vocês dois eram unha e carne, não eram?"

"Nós tínhamos camas vizinhas em Aldershot. Por quê? Onde ele está? Eu o tenho procurado nas trincheiras desde que voltei à ativa, mas não vejo sinal dele."

"Então você não soube?"

Eu sacudo a cabeça, mas não digo nada.

"O soldado Bancroft", anunciou Wells, frisando todas as sílabas como se tivessem um peso enorme, "solicitou uma conversa com o sargento Clayton. Tornou a levantar toda aquela história do alemão. Você sabe do que se trata, imagino."

"Sim, senhor. Eu estava presente quando aconteceu."

"Ah, é verdade. Ele mencionou isso. Enfim, queria que Milton fosse acusado, exigiu isso explicitamente. O sargento se recusou pela terceira vez, e, nessa ocasião, a conversa entre os dois esquentou. Disso tudo resultou que Bancroft entregou as armas ao sargento Clayton e anunciou que não ia mais participar da campanha."

"O que isso quer dizer? O que vai acontecer?"

"O sargento Clayton lhe disse que ele era um homem alistado e não podia se recusar a lutar. Fazê-lo seria abandono do cumprimento do dever, e isso poderia levá-lo à corte marcial."

"E o que Will disse?"

"Quem é Will?", perguntou Wells estupidamente.

"Bancroft."

"Ah, quer dizer que ele tem nome de batismo, é? Eu sabia que vocês dois eram amigos."

"Eu já disse, nós éramos vizinhos no alojamento quando estávamos treinando, só isso. Olhe, o senhor vai me contar o que aconteceu com ele, ou não vai?"

"Vamos com calma, Sadler", diz Wells com cuidado. "Lembre com quem você está falando."

"Desculpe, senhor", digo, passando a mão nos olhos. "Eu só queria saber. Nós não podemos... não podemos nos dar ao luxo de perder mais um homem. O regimento..."

"Não, claro que não. Pois bem, o sargento Clayton disse que ele não tinha escolha, precisava lutar, mas Bancroft anunciou que já não acreditava na moral absoluta desta guerra, que sentia que o exército usava táticas contrárias ao bem comum e às leis de Deus. Alguma vez ele manifestou fervor religioso, Sadler? Eu me pergunto se isso explica o seu súbito arroubo de consciência."

"O pai dele é vigário. Mas eu nunca ouvi Bancroft falar muito nisso."

"Bom, seja como for, não vai lhe servir de nada. O sargento Clayton disse que aqui ele não podia se apresentar como opositor de consciência, era tarde demais para esse disparate. Mesmo porque não há tribunal militar para julgar o seu caso. Não, ele sabia para que se alistou e, se se recusasse a lutar, nós não teríamos alternativa. Você sabe do que se trata, Sadler. Eu não preciso lhe contar o que nós fazemos com os galinhas-brancas."

Eu engulo em seco e sinto o coração bater desgovernadamente. "Vocês vão mandá-lo para o outro lado dos sacos de areia?", pergunto. "Um padioleiro?"

"Essa era a intenção geral", responde ele, sacudindo os ombros como se isso fosse uma coisa perfeitamente normal. "Mas não, Bancroft tampouco aceitou isso. Foi às últimas consequências, entende? Declarou-se pacifista absoluto."

"Como?"

"Pacifista absoluto", explica ele. "Não conhece a expressão?"

"Não, senhor."

"É um passo além do opositor de consciência. A maioria desses homens se recusa a participar dos combates, a matar etc., mas se dispõem a ajudar de outras formas, fazendo o que julgam ser mais humanitário. Trabalham nos hospitais, no quartel-general ou onde for. Quer dizer, uma atitude terrivelmente covarde, é claro, mas eles fazem alguma coisa enquanto o resto de nós se arrisca a morrer ou ficar aleijado."

"E o pacifista absoluto?"

"Bem, ele é o extremo do espectro, Sadler. Não se dispõe

a fazer absolutamente nada para favorecer o esforço de guerra. Não luta, não ajuda os que estão lutando, não trabalha no hospital nem socorre os feridos. Não faz absolutamente nada, a não ser ficar sentado em cima das próprias mãos e reclamar que tudo é uma vergonha. É o caminho da perdição, Sadler, realmente é. A covardia no nível mais extremo."

"Will não é covarde", digo em voz baixa, sentindo os punhos se cerrarem debaixo da mesa.

"Oh, é sim. O pior dos covardes. Em todo caso, ele declarou o seu status, de modo que agora só resta decidir o que fazer com ele."

"E onde ele está agora?", pergunto. "Mandaram-no de volta à Inglaterra?"

"Para ficar na vida mansa? Era só o que faltava."

"Pois eu acho que lá ele seria encarcerado", observei. "E duvido que tivesse vida mansa na cadeia."

"É mesmo, Sadler?", diz ele com incredulidade. "Na próxima vez que você estiver se arrastando na Terra de Ninguém, as balas zunindo na sua orelha, perguntando-se quando será atingido como Martin Moody, lembre-se dessas palavras. Aposto que você trocaria um momento desses por alguns anos em Strangeways."

"Então foi para lá que o mandaram?", pergunto, sentindo-me já deprimido com a ideia de nunca mais voltar a vê-lo e de que, tal como no caso de Peter Wallis, Will e eu nos separamos como inimigos e que talvez eu morra sem que nos reconciliemos.

"Ainda não. Ele ainda está aqui no campo. Trancafiado, à disposição do sargento Clayton. Condenado pela corte marcial."

"Mas ainda não houve julgamento."

"Aqui ninguém precisa de julgamento, Sadler, você sabe disso. Ora, se ele depusesse a arma em pleno combate, seria fuzilado pela Polícia do Exército por covardia. Não, haverá um grande avanço nas próximas vinte e quatro horas e eu tenho certeza de que Bancroft vai criar juízo antes disso. Se ele concordar em voltar para o calor da batalha, nós esqueceremos tudo. Pelo menos por enquanto. Pode ser que ele tenha de responder por isso mais tarde, é claro, mas pelo menos vai viver para contar a sua versão da história. Pensando bem, Bancroft tem sorte. Se não fosse o fato de cada homem ser necessário para ajudar na ofensiva ou trabalhar no entrincheiramento, ele já teria sido fuzilado. Não, nós vamos deixá-lo lá onde está e soltá-lo quando a batalha começar. Ele anda falando muito em nunca mais lutar, é claro, mas nós vamos dobrá-lo quando chegar a hora. Anote as minhas palavras."

Eu aquiesço, mas fico calado. Não estou convencido de que alguém seja capaz de dobrar Will Bancroft quando ele põe uma ideia na cabeça, e quero dizer isso, mas fico calado. Passado um momento, Wells esvazia a caneca e se levanta.

"Bom, acho melhor eu ir", diz. "Você vem, Sadler?"

"Ainda não."

"Então está bem." Ele começa a se afastar, mas se vira e me encara, estreitando os olhos novamente. "Tem certeza de que não é amigo de Bancroft?", pergunta. "Eu sempre achei que vocês dois eram unha e carne."

"É que as nossas camas ficavam próximas", digo, sem coragem de olhá-lo nos olhos. "Só isso. A verdade é que eu mal o conheço."

Para o meu assombro, vejo Will na tarde seguinte, sentado sozinho numa toca abandonada perto do quartel-general. Está com a barba por fazer e pálido; com ar perdido, remexe a terra com o bico da bota. Eu o observo um instante, sem que ele note a minha presença, para ver se sua aparência mudou agora que tomou a sua grande decisão. Só minutos depois ele levanta a cabeça abruptamente, mas relaxa ao ver que sou eu.

"Você está solto", digo, aproximando-me, sem me dar ao

trabalho de cumprimentá-lo, ainda que já faça algum tempo que não nos vemos. "Pensei que o tivessem trancafiado por aí."

"Trancafiaram. E logo me levarão de volta para lá, eu acho. Estão tendo uma espécie de reunião lá dentro e acho que não querem que eu os ouça. O cabo Wells me mandou esperar aqui até que venham me buscar."

"E eles não têm medo de que você fuja?"

"Ora, e para onde eu iria, Tristan?", sorri ele, olhando ao seu redor. Tem razão; não há para onde fugir. "Por acaso você tem cigarro? Eles tomaram os meus."

Vasculho o bolso do casaco e lhe dou um. Will se apressa a acendê-lo, fecha os olhos à primeira tragada, enchendo os pulmões de nicotina.

"É muito ruim?", pergunto.

"O quê?"

"Ficar preso assim. Wells me contou o que você anda fazendo. Devem estar lhe tratando muito mal."

Ele dá de ombros e desvia a vista. "É bom. Na maior parte do tempo, eles simplesmente me ignoram. Trazem-me comida, levam-me à latrina. Há até um catre lá, acredita? É muito mais confortável que ficar apodrecendo nas trincheiras, palavra."

"Mas não é por isso que você resolveu tomar essa atitude, é?"

"Não, claro que não. Quem você pensa que eu sou, afinal?"

"É por causa do alemão?"

"Em parte, sim", responde Will, olhando para as botas. "Mas também por causa de Wolf. Do que lhe aconteceu. Quer dizer, do seu assassinato. É como se todos nós tivéssemos ficado imunes à violência. Tenho a impressão de que o sargento Clayton cairia de joelhos e abriria o berreiro se lhe dissessem que a guerra acabou. Ele adora a guerra. Você não percebeu, Tristan?"

"Ele não adora a guerra", digo, sacudindo a cabeça.

"O sujeito é meio maluco. Qualquer um enxerga. Resmunga o dia inteiro. Grandes surtos de cólera, depois de choro. Tem de ir para o hospício. Mas olhe, eu nem perguntei como você vai."

"Vou bem", digo sem vontade de falar em mim.

"Esteve doente."

"Estive."

"Eu cheguei a pensar que você fosse bater as botas. Pelo menos, o médico não tinha muita esperança. Idiota. Eu lhe disse que você ia sair dessa. Que era muito mais forte do que ele imaginava."

Eu solto uma gargalhada, lisonjeado com isso, depois olho para ele, surpreso. "Você conversou com o médico?", pergunto.

"Rapidamente."

"Quando?"

"Quando eu o visitei, é claro."

"Mas disseram que ninguém foi me visitar. Eu perguntei, e eles deram a impressão de achar que eu era louco só de imaginar uma coisa dessas."

Ele dá de ombros. "Pois eu fui."

Aparecem três soldados, recrutas novos que eu nunca havia visto, e vacilam ao ver Will ali sentado. Encaram-no algum tempo, então um deles cospe na lama e os outros o imitam. Não dizem nada, pelo menos não na frente dele, mas posso ouvi-los murmurarem "covarde de merda" entre os dentes quando passam por mim. Acompanhando-os com os olhos, espero que desapareçam, então me volto para Will.

"Não tem importância", diz ele calmamente.

Eu lhe peço que abra um pouco de espaço para mim e me sento ao seu lado. Não consigo parar de pensar no fato de ele ter me visitado na barraca médica, no que isso significa.

"Você não acha melhor largar mão disso tudo por ora?", pergunto. "Essas suas preocupações. Só até a guerra acabar."

"Mas de que serviria? É preciso agir enquanto a luta continua. Do contrário, não adianta nada. Isso você tem de entender."

"Sim, mas se não o fuzilarem aqui mesmo por covardia, eles o mandarão de volta à Inglaterra. Eu sei o que acontece aos galinhas-brancas nas cadeias de lá. É preciso ter muita sorte para sobreviver. E depois disso, como acha que vai ser o resto da sua vida? Você não vai ser bem recebido na sociedade, pode ter certeza."

"Eu estou me lixando para a sociedade", retruca ele com um riso amargo. "Como não me lixar se é isso que ela representa? E eu não sou galinha-branca, Tristan. Isso não é um ato de covardia."

"Não, você é pacifista absoluto. E tenho certeza de que acha que qualquer coisa se justifica desde que você lhe possa dar um nome bonito. Mas não é verdade."

Will se vira e olha para mim enquanto tira o cigarro da boca e, com o polegar e o indicador, remove uma partícula de fumo que ficou presa entre os seus dentes da frente. Examina-a rapidamente antes de jogá-la no chão com um peteleco. "Por que você se importa tanto com isso?", pergunta. "De que serve vir falar comigo aqui?"

"Eu me importo pelo mesmo motivo que o levou a me visitar no hospital. Não quero que você cometa um erro terrível do qual vai se arrepender pelo resto da vida."

"E você acha que não vai se arrepender? Quando isto acabar e você estiver são e salvo em Londres, não acha que vai acordar com a imagem de todos os homens que você matou assombrando os seus sonhos? Por acaso está querendo me dizer que vai passar por tudo incólume? Duvido que você tenha pensado nisso uma única vez", acrescenta ele com voz mais fria. "Você fala em covardia, fala em galinhas-brancas, e no entanto dirige o seu desprezo unicamente a si mesmo. Não consegue enxergar isso, consegue? Como é possível que você seja o covarde, não eu? Eu não consigo dormir à noite, Tristan, de tanto pensar naquele garoto mijando na calça logo antes de

Milton encostar a arma na sua cabeça. Cada vez que fecho os olhos, vejo o seu cérebro espalhado na parede da trincheira. Se eu pudesse voltar no tempo, meteria uma bala na cabeça de Milton antes que ele matasse o alemão."

"Seria fuzilado se fizesse isso."

"Eu vou ser fuzilado de qualquer jeito. O que você pensa que eles estão discutindo lá dentro? A falta de um chá decente na barraca do rancho? Estão decidindo quando será a melhor ocasião para se livrarem de mim."

"Eles não vão fuzilá-lo", insisto. "Não podem. Têm de julgar o seu caso."

"Não, aqui não é preciso. No campo de batalha, não. E quem me denunciaria se eu tivesse matado Milton? Você?"

Antes que eu possa responder, ouço gritarem "Bancroft!" à minha esquerda. Viro-me e vejo Harding, o novo cabo enviado pelo quartel-general para substituir Moody. "O que você está fazendo aí? E quem é você afinal?", pergunta, e eu me levanto de um salto.

"Soldado Sadler", digo.

"E por que, diabo, está conversando com o prisioneiro?"

"Ora, só estava sentado aqui, senhor", respondo sem saber que crime posso ter cometido. "Eu estava passando, só isso. Não sabia que ele estava em isolamento."

Harding estreita os olhos e me mede da cabeça aos pés, como que tentando decidir se estou lhe desrespeitando. "Volte para a trincheira, Sadler", diz. "Tenho certeza de que estão à sua procura por lá."

"Sim, senhor", digo, dando meia-volta e acenando a cabeça para Will antes de ir embora. Ele não reage ao meu gesto, apenas fica me olhando com uma expressão curiosa enquanto me afasto.

É noite.

Uma bomba cai num lugar qualquer à minha esquerda e

me derruba. Caio e fico algum tempo no chão, ofegante, perguntando-me se chegou o meu fim. Minhas pernas foram arrancadas? Perdi os braços? Acaso os meus intestinos escaparam do ventre e estão se misturando à lama? Mas os segundos passam e não sinto dor. Apoio as mãos na terra e me levanto.

Estou bem. Estou ileso. Estou vivo.

Avanço na trincheira, olhando rapidamente para os lados a fim de avaliar a situação. Soldados passam correndo, posicionando-se em filas triplas ao longo da linha de defesa frontal, e o cabo Wells está no fim, gritando instruções. Levanta e abaixa o braço no ar como se estivesse cortando alguma coisa; quando o primeiro grupo recua, o segundo avança e o terceiro, em que estou, se alinha atrás do segundo.

É impossível ouvir o que dizem em meio ao barulho do bombardeio e da fuzilaria, mas eu observo, respirando em rápidas arfadas, e vejo que Wells está dando instruções apressadas a um grupo de quinze homens na linha de frente, que se entreolham antes de subir a escada e, de cabeça firmemente abaixada, lançam-se por cima dos sacos de areia na Terra de Ninguém, que está escura e se ilumina esporadicamente como um carnaval.

Wells puxa um periscópio de trincheira e olha através dele, e eu examino o seu rosto, notando que, nos momentos em que vê alguém ser atingido, uma repentina expressão de dor que se espalha em sua fisionomia; então ele empurra o periscópio para o lado enquanto a fila seguinte se adianta.

O sargento Clayton está entre nós, no lado oposto ao de Wells na fila, e grita instruções para os soldados. Eu fecho os olhos por um instante. Quanto vai demorar, pergunto-me, dois minutos, três, para que eu também transponha os sacos de areia? A minha vida vai acabar hoje? Já estive lá e sobrevivi, mas hoje... hoje parece diferente e eu não sei por quê.

Olho para a frente e vejo um garoto tremendo. É jovem, inexperiente, um recruta novo. Creio que chegou anteontem. Ele se vira e olha para mim como se eu pudesse ajudá-lo, e vejo que a sua expressão é de puro pavor. Não deve ser muito mais novo que eu, talvez seja mais velho, mas parece um menino, uma criança que nem sabe o que veio fazer aqui.

"Eu não consigo", diz com seu sotaque de Yorkshire, falando de forma baixa e suplicante, e eu estreito os olhos e o obrigo a fitá-los.

"Claro que consegue."

Ele sacode a cabeça. "Não. Não consigo."

Mais gritos de ambos os lados da fila, e agora um corpo cai do alto, quase do céu, e aterrissa entre nós. É outro recruta novo, um garoto em que reparei há menos de cinco minutos, com uma mecha de cabelo prematuramente grisalho, o buraco de bala na garganta jorrando sangue. O rapazinho à minha frente solta um grito e retrocede um passo, quase esbarrando em mim, e eu o empurro para a frente. Não posso cuidar dele, já que a minha própria vida está prestes a chegar ao fim. Não é justo.

"Por favor", pede, dirigindo-se a mim como se eu tivesse controle sobre o que está acontecendo.

"Cale a boca", digo, sem a menor disposição para bancar a mãe dele. "Cale essa boca de merda e avance, entendeu? Cumpra o seu dever."

Ele chora e eu torno a empurrá-lo para junto das escadas, enfileirando-o com os outros dez ou doze.

"A próxima fila!", grita o sargento Clayton, e os soldados, nervosos, põem o pé no primeiro degrau das escadas, mantendo a cabeça abaixada para que não avultem ao topo antes do necessário. O meu garoto, o que está à minha frente, também se encolhe, mas não faz menção de subir, mantendo o pé direito firmemente cravado na lama.

"Aquele homem!", berra o sargento Clayton, apontando para ele. "Suba! Suba! Suba já!"

"Eu não consigo!", grita o menino com o rosto banhado de lágrimas, e, por Deus, eu estou farto, farto de tudo isto, se for para morrer, então que morra logo, mas isso só vai acontecer quando anunciarem a minha vez, de modo que ponho as mãos debaixo de suas nádegas e o empurro escada acima, sentindo-lhe o peso fazer força contra mim. "Não!", grita, implorando-me, já sem controlar o corpo. "Não, por favor!"

"Para cima com esse homem!", urra Clayton, correndo ao nosso encontro. "Sadler, empurre-o para cima!"

Eu obedeço sem pensar nas consequências do meu ato, mas Clayton e eu juntos empurramos o garoto para o alto da escada, e não lhe resta opção a não ser ir para o outro lado, e cai de barriga, sem a menor possibilidade de voltar à trincheira. Vejo-o avançar deslizando, suas botas já fora do meu campo visual, e me volto para Clayton, que me encara com insanidade no olhar. Nós nos entreolhamos, e eu penso: *Veja o que acabamos de fazer*. Então ele volta para o lado das filas enquanto Wells ordena que o resto de nós suba, e eu não titubeio, subo a escada, me atiro para o outro lado e fico aprumado, não levanto o fuzil, limito-me a observar o caos à minha volta e penso: *Aqui estou, agora me peguem, por que não me pegam? Matem-me.*

Ainda estou vivo.

O silêncio é assombroso. O sargento Clayton se dirige a nós, quarenta soldados em formação deplorável, em nada parecida com as filas que aprendemos a fazer em Aldershot. Conheço apenas alguns desses homens; estão imundos e exaustos, alguns gravemente feridos, alguns meio loucos. Para minha surpresa, Will está presente, postado entre Wells e Harding, cada qual segurando um dos seus braços como se houvesse a possibilidade de ele fugir. Will parece angustiado, não tira os olhos do chão; só o faz uma vez, quando olha para mim, mas parece não me reconhecer. Está com olheiras fundas e um inchaço na face esquerda.

Clayton não para de gritar, diz que fomos bravíssimos nas

últimas oito horas e, a seguir, acusa-nos de não passarmos de um punhado de camundongos medrosos. Ele nunca foi inteiramente lúcido, mas agora parece ter perdido o juízo de vez. Continua tagarelando sobre a moral e sobre como vamos ganhar a guerra, porém, em mais de uma ocasião, refere-se aos gregos, não aos alemães, e perde reiteradamente a linha de raciocínio. É óbvio que não devia estar aqui.

Olho para Wells, o segundo homem mais graduado, para ver se ele tem consciência do quanto o nosso sargento está afetado, mas não está prestando muita atenção. Ademais, não pode fazer nada. O motim é impossível.

"E este homem, este aqui!", berra Clayton, avançando na direção de Will, que ergue os olhos, surpreso, como se mal se desse conta de que estava presente no momento. "Este homem que se recusa a lutar este covarde filho da puta o que vocês acham dele homens ele não é como vocês mais bem treinado muito mais bem treinado eu sei fui que o treinei começa a fazer as propostas mais vergonhosas depois afunda a cabeça no travesseiro da cela enquanto vocês garotos valentes estão aqui para treinar porque só faltam umas semanas para que a gente vá para a França lutar e este homem este aqui diz que não está com vontade de matar mas antigamente ele era caçador clandestino ou foi o que eu ouvi dizer..."

E continua, continua interminavelmente, dizendo coisas sem sentido, não frases, apenas uma sequência de palavras desconexas, amontoadas e arremessadas a nós enquanto ele cospe e vomita ódio.

Afasta-se, mas logo depois volta, tira uma luva e bate com ela no rosto de Will. Somos imunes à violência, é claro, mas o ato pega cada um de nós um pouco de surpresa. É ao mesmo tempo insípido e feroz.

"Eu não tolero covardes", diz Clayton, batendo outra vez, com força, e Will se esquiva do golpe. "Não tolero comer com eles, não tolero falar com eles, não tolero comandá-los."

Harding olha para Wells como que perguntando se não

convém interferir, mas Clayton para e se volta para os soldados, apontando para Will.

"Este homem", declara, "se recusou a combater no ataque de ontem à noite. Em decorrência disso, foi devidamente submetido à corte marcial e condenado por covardia. Será fuzilado amanhã cedo às seis horas. É assim que nós punimos os covardes."

Will levanta os olhos, mas parece não se importar. Fico olhando fixamente para ele, desejando que se volte para mim, mas isso não acontece. Mesmo agora, mesmo neste momento, não me aceita.

É noite já, escura, surpreendentemente tranquila. Vou à retaguarda, onde um grupo de paramédicos está colocando os mortos em padiolas para transportá-los à Inglaterra. Olho rapidamente para eles e vejo Attling, Williams e Robinson, cuja cabeça foi partida por uma bala alemã. Na padiola ao seu lado jaz o corpo de Milton, o assassino do soldado alemão, agora também morto. Somos só três os que restamos, Sparks, Will e eu.

Como sobrevivi por tanto tempo?

Dirijo-me ao alojamento do sargento e dou com Wells do lado de fora, fumando. Está pálido e nervoso. Dá uma longa tragada no cigarro, absorvendo a nicotina nos pulmões enquanto estreita as pálpebras ao ver que me aproximo.

"Preciso falar com o sargento Clayton", digo.

"Preciso falar com o sargento Clayton, *senhor*", corrige ele.

"É importante."

"Agora não, Sadler. O sargento está dormindo. E manda fuzilar nós três se o acordarmos antes da hora."

"Senhor, é preciso fazer alguma coisa com o sargento."

"Alguma coisa? Como assim?"

"Posso falar com franqueza, senhor?"

Wells exala um suspiro. "Desembuche logo, porra."

"O velho enlouqueceu. O senhor está vendo, não está? O

jeito como bateu em Bancroft hoje? E aquela corte marcial fajuta? Não devia acontecer aqui, o senhor sabe. Ele tinha de ser levado de volta ao quartel-general, julgado por um júri dos seus pares..."

"Ele foi, Sadler. Você estava doente, esqueceu?"

"Mas o julgaram aqui."

"É lícito. Nós estamos em plena frente de batalha. São circunstâncias excepcionais. O manual militar deixa claro que em tais condições..."

"Eu sei o que ele diz. Mas, tenha paciência, senhor. Bancroft vai ser fuzilado daqui a...", consultei o relógio. "Daqui a menos de seis horas. Não está certo, senhor. O senhor sabe disso."

"Sinceramente, Sadler, eu não me importo. Embarcá-lo para a Inglaterra, mandá-lo para a Terra de Ninguém, fuzilá-lo amanhã cedo, para mim, tanto faz. Será que você consegue entender? A única coisa que importa é a próxima hora, e a próxima e a próxima e que nós continuemos vivos. Se Bancroft se recusa a lutar, ele que morra."

"Mas, senhor..."

"Chega, Sadler. Volte para a sua toca, está bem?"

Não consigo dormir, claro que não. As horas passam e eu olho para o horizonte, querendo que não amanheça. Por volta das três horas, estou perambulando pela trincheira, distraído, quase sem olhar por onde vou, quando tropeço em dois pés estendidos e trato de me equilibrar para não cair de cara na lama.

Furioso, olho para trás e vejo um dos recrutas novos, um rapaz alto e ruivo chamado Marshall, endireitar o corpo, ainda sentado, e arrumar o capacete com que cobrira os olhos para dormir.

"Porra, Marshall", digo. "Deixe de ser folgado."

"E o que você tem com isso?", pergunta ele sem sair do lugar, cruzando os braços em atitude desafiadora. É jovem, um desses garotos que ainda não viu a cabeça do amigo explodir diante dos seus olhos e provavelmente acredita que esta guerra não teve fim unicamente porque gente como ele ainda não participou.

"O que tenho com isso é que eu não quero tropeçar nos seus pés e quebrar o pescoço, porra. Você é um perigo para todo mundo esparramado desse jeito."

Marshall assobia pelos dentes, balança a cabeça, rindo, e me enxota com um gesto. É improvável que ele não reaja se o desafiarem desse modo, principalmente se outros recrutas novos estiverem observando, doidos por uma briga, ávidos por qualquer coisa que altere a sua enfadonha rotina.

"Que tal você tirar a cabeça das nuvens, Sadler, para não sofrer nenhum acidente?", sugere, voltando a tapar os olhos com o capacete e fingindo estar prestes a pegar no sono outra vez, embora eu saiba, naturalmente, que prefere ficar com o rosto coberto até saber como esse bate-boca vai acabar. Não é uma coisa planejada e, mesmo quando estendo o braço, quase fico surpreso com o que estou fazendo, mas tardo apenas um segundo para arrancar o capacete de sua cara e jogá-lo longe, fazendo com que descreva um arco perfeito no ar antes de aterrissar num monte de lama, afundando com a borda para baixo, de modo que Marshall terá de limpá-lo antes de voltar a usá-lo.

"Puta que pariu!", grita ele, levantando-se de um salto e olhando para mim com um misto de raiva e frustração. "Por que é que você faz uma coisa dessas?"

"Porque você é um idiota de merda", respondo.

"Vá buscar o meu capacete", diz Marshall com voz agora mais grave, mal dissimulando a cólera. Percebo que alguns homens se aglomeram e os ouço riscarem fósforos e acenderem cigarros, algo com que ocupar as mãos enquanto se preparam para assistir ao espetáculo.

"Pegue-o você, Marshall", digo. "E, da próxima vez, fique mais desperto quando um oficial superior passar."

"Um 'oficial superior'?", pergunta ele, soltando uma gargalhada. "E eu pensando que você não passava de um soldado raso como eu."

"Eu estou aqui há mais tempo", retruco, e tais palavras soam infames até mesmo para mim. "Sei muito mais do que você sobre quem é quem e o que é o quê."

"E se quiser continuar sabendo o que é o quê, eu o aconselho a ir pegar o meu capacete", sorri ele, exibindo os nojentos dentes amarelados.

Sinto os meus lábios se torcerem num sorriso sarcástico. Conheci muitos rapazes como ele, é claro. Valentões. Via-os na escola e desde então estou farto deles. O machucado no braço, o que o médico diz que nem sequer existe, está doendo muito e a minha frustração pelo que está acontecendo a Will é tão grande que eu mal consigo pensar direito.

"Vejo que você não dá sinais de lutar", diz ele depois de algum tempo, olhando para os homens que nos cercam em busca de apoio. "Você é um deles?"

"Deles quem?"

"Como aquele seu amiguinho, como se chama? Bancroft?"

"Isso mesmo", diz uma voz a pouca distância, mais um recruta novo. "Tem razão, Tom. Bancroft e Sadler são unha e carne desde o começo, pelo menos foi o que me contaram."

"E você é um galinha-branca como ele?", pergunta Marshall. "Tem medo de lutar?"

"Will não tem medo de lutar", digo, avançando até sentir o seu hálito fedorento.

"Oh, então é 'Will'?", ri ele com desprezo. "'Will' é um homem corajoso? É fácil ser corajoso estando trancado e em segurança, com três refeições por dia e cama para dormir. Talvez você queira juntar-se a ele, Sadler, é isso? Ou prefere 'Tristan'? Acha que tudo seria mais divertido se você e ele estivessem abraçadinhos, brincando de médico debaixo das cobertas?"

Marshall se vira para rir com os amigos e estes, por sua vez, caem na gargalhada por conta da piada idiota, mas para mim basta e num segundo meu punho atinge sua mandíbula e jogo-o no chão com a mesma precisão com que pouco antes fiz o capacete voar. Ao cair, ele bate a cabeça numa viga da parede da trincheira, mas não demora muito a se recompor, e se levanta e me ataca enquanto a gritaria dos homens se transforma em aclamações e vaias; eles berram quando um de nós encaixa um soco efetivo, riem quando tropeçamos ou acertamos uma pancada na lama. Aquilo se transforma numa espécie de rixa, Marshall e eu a nos engalfinhando no espaço exíguo com a graça de dois chimpanzés briguentos. Quase não sei o que está acontecendo, mas é como se meses de dor interiorizada começassem a se desafogar repentinamente e, sem me dar conta de que estou vencendo, dou comigo sentado em cima dele, esmurrando-o repetidamente, afundando-o cada vez mais na lama.

Ei-lo fugindo da sala de aula quando o beijei.

E ei-lo saindo de trás do seu balcão de açougueiro, passando o braço pelos meus ombros, dizendo que vai ser melhor para todos se os alemães me matarem, bem ali.

E ei-lo beijando-me à beira do córrego de Aldershot antes de pegar a sua roupa e fugir com ar de desprezo e asco.

E ei-lo uma vez mais, num lugar qualquer da retaguarda, dizendo que foi tudo um equívoco, os homens simplesmente procuravam alívio onde podiam encontrá-lo em tempos como este.

Eu esmurro cada um deles, e Marshall recebe as pancadas, e o mundo parece muito negro mesmo quando sinto me agarrarem por trás, arrastarem-me, separando-me do rapaz e colocando-me de pé enquanto os homens gritam: "Chega, chega, pelo amor de Deus, rapaz, chega! Você vai matá-lo se não tomar cuidado!".

"Você é uma vergonha mesmo, Sadler, e sabe disso, não sabe?", pergunta o sargento Clayton, contornando a escrivaninha e se aproximando de mim mais do que eu gostaria. O seu hálito é péssimo, e eu reparo que tem um tique no olho esquerdo e no fato de que parece ter barbeado apenas o lado esquerdo do rosto.

"Sim, senhor", digo. "Eu sei."

"Uma vergonha. Justo você, um homem de Aldershot. Um homem que *eu* treinei. Aliás, quantos de vocês sobraram?"

"Três, senhor."

"Dois, Sadler", corrige o sargento. "Não contamos Bancroft. O bastardo cagão. Sobraram só dois, e é assim que você se comporta? Como é que os recrutas novos vão combater o inimigo se você quase os mata de pancada?". Está vermelho, sua voz se torna mais furiosa a cada palavra.

"Sem dúvida, eu não fui sensato, senhor."

"Não foi sensato? *Não foi sensato?*", ruge ele. "Você está querendo fazer graça, Sadler? Porque eu garanto que, se você tentar uma besteira dessas comigo, eu ponho..."

"Eu não estou tentando fazer graça, senhor", digo, interrompendo-o. "Não sei o que aconteceu comigo. Fiquei meio louco, só isso. Marshall me ofendeu."

"Louco?", pergunta ele, inclinando-se e me olhando fixamente. "Você disse 'louco', Sadler?"

"Sim, senhor."

"Não venha me dizer agora que você está tentando dar o fora daqui por motivo espúrio de insanidade, porque isso eu também não vou tolerar."

"Dar o fora de onde, senhor?", pergunto. "Do seu escritório?"

"Dar o fora da França, seu idiota de merda!"

"Oh, não, senhor. De jeito nenhum. Não, foi um deslize temporário. Só posso pedir desculpas. Eu tropecei nele, nós discutimos, e a coisa esquentou um pouco. Um erro lamentável."

"Você o deixou fora de combate nas próximas vinte e quatro horas", diz ele, o mau humor começando a ceder.

"Sim, eu sei que o machuquei, senhor."

"Isso é um eufemismo de merda", responde ele, afastando-se, levando a mão à frente da calça e coçando o saco com força, sem o menor constrangimento; então se senta, solta um suspiro e passa a mesma mão na cara. "Eu também estou exausto, porra", murmura. "Ser acordado por causa disso? Enfim", acrescenta suavizando o tom de voz, "eu não sabia que você era assim, Sadler, francamente. E aquele palhaço bem que estava precisando que lhe mostrassem o lugar dele, disso eu sei. Eu mesmo teria feito isso, a dor de cabeça que ele me dá. Mas eu não posso, posso? Tenho de dar o exemplo aos homens. Aquele bastardinho ignorante só fez criar problemas desde o dia em que chegou."

Eu fico em posição de sentido, levemente surpreso com essa reviravolta. Nunca me passou pela cabeça ser considerado herói pelo sargento Clayton, embora ele seja um homem geralmente imprevisível. Provavelmente vai se voltar contra mim outra vez daqui a um segundo.

"Mas olhe aqui, Sadler. Eu não posso deixar esse tipo de coisa impune. Você entende, não? Senão ninguém mais segura isto aqui."

"Claro, senhor."

"Então o que eu faço com você?"

Fico olhando para ele, sem saber se isso é uma pergunta retórica ou não. *Mandar-me de volta para a Inglaterra?*, tenho vontade de dizer, mas resisto, ciente de que isso só serviria para reacender a sua raiva.

"Você vai passar as próximas horas no xadrez", diz enfim, balançando a cabeça. "E vai pedir desculpas a Marshall na frente dos homens quando ele voltar à ativa amanhã. Aperte a mão dele, diga que no amor e na guerra vale tudo, esse tipo de coisa. Os homens precisam ver que ninguém pode sair dando porrada nos outros sem que haja consequências."

Ele olha para a porta e chama o cabo Harding aos berros. Harding deve ter passado o tempo todo lá fora, ouvindo a conversa.

"Leve o soldado Sadler para o confinamento até o pôr do sol, sim?"

"Sim, senhor", diz Harding, e eu percebo pelo seu tom de voz que ele não sabe ao certo o que Clayton quer dizer com isso. "Onde eu devo colocá-lo?"

"No con-fi-na-men-to", repete o sargento, alongando as sílabas como se estivesse falando com uma criança ou um idiota. "Homem, você entende inglês ou não?"

"Só temos a cela em que Bancroft está preso, senhor", explica Harding. "Mas ele está em solitária."

"Ora, os dois podem ficar em solitária juntos", dispara Clayton, alheio à contradição óbvia e mandando-nos embora com um gesto. "Eles podem cuidar de seus ressentimentos e exorcizá-los. Agora saiam daqui, os dois. Eu tenho mais o que fazer."

"Você entendeu que está aqui para lutar contra os alemães, não contra os nossos homens, não?"

"Muito engraçado", digo, sentando-me num dos catres. Faz frio. As paredes de terra são úmidas e estão caindo aos pedaços; só uma luz fraca entra por uma abertura perto do teto e pela cavidade gradeada na porta.

"Confesso que estou meio surpreso", diz Will, pensando, parecendo divertido apesar das circunstâncias. "Nunca imaginei que você fosse brigão. Já era assim na escola?"

"Às vezes. Como todo mundo. E você, era?"

"Às vezes."

"No entanto, agora se recusa a lutar."

Ele sorri lentamente, os olhos tão cravados nos meus que sou obrigado a desviá-los. "E é para isso que você está aqui?", pergunta. "Foi tudo planejado para que fosse jogado aqui dentro e me convencesse a desistir?"

"Eu já contei por que estou aqui", digo, irritado com a

acusação. "Estou aqui porque o idiota do Marshall teve o que mereceu."

"Eu não o conheço, conheço?"

"Não, é novo. Mas, olhe, não vamos nos preocupar com ele. Clayton enlouqueceu, qualquer um enxerga isso. Acho que nós podemos dar um jeito se tentarmos. Basta conversar com Wells e Harding e..."

"Dar um jeito no quê?"

"Ora, nisto aqui, é claro", respondo, surpreso, olhando à minha volta como se qualquer outra explicação fosse desnecessária. "Do que você acha que eu estou falando? Da sua sentença."

Ele sacode a cabeça, e eu noto que está tremendo um pouco. Quer dizer que está com medo, afinal. Quer viver. Passa um bom tempo sem dizer nada, eu também me calo; não quero afobá-lo. Quero esperar que ele decida por conta própria.

"O velho esteve aqui algumas vezes", diz enfim, estendendo as mãos, virando-as para examinar as palmas como se nelas pudesse encontrar resposta. "Tentando me convencer a desistir. Tentando fazer com que volte a empunhar o fuzil. Não adianta, eu lhe disse, mas ele não aceita. Acho que toma isto como uma ofensa pessoal."

"Provavelmente, não quer ter de comunicar ao general Fielding que um dos seus homens se recusa a lutar."

"E ainda por cima um homem de Aldershot", acrescenta Will, a cabeça levemente inclinada para o lado, sorrindo para mim. "Que vergonha!"

"As coisas mudaram. Mesmo porque Milton morreu", digo, perguntando-me se essa notícia chegou até Will. "Portanto, não tem mais importância. Você não pode fazer com que ele seja punido, por mais que queira. Pode desistir de tudo."

Ele reflete por um momento, avalia e rejeita o meu argumento. "Lamento saber que ele morreu", diz. "Mas isso não muda nada. O que importa é o princípio."

"Não, não é. O que importa é a vida e a morte."

"Então talvez eu discuta isso com Milton daqui a algumas horas."

"Não, Will, por favor", digo, horrorizado com as suas palavras.

"Espero que não haja guerra no céu."

"Will..."

"Já pensou, Tristan? Dar o fora disto aqui e acabar descobrindo que a guerra entre Deus e Lúcifer continua lá em cima? Não ia ser nada fácil rejeitá-Lo, hein?"

"Pare de ser tão leviano, porra. Se você se dispuser a voltar imediatamente para a frente de batalha, o velho o perdoa. Ele precisa de todo e qualquer soldado à sua disposição. Sim, pode ser que você seja processado quando a guerra terminar, mas pelo menos vai estar vivo."

"Não posso fazer isso, Tris. Eu gostaria, juro que gostaria. Não quero morrer. Tenho dezenove anos, tenho a vida inteira pela frente."

"Então não morra", digo, aproximando-me. "Não morra, Will."

Ele enruga um pouco a testa e olha para mim. "Você não tem princípios, Tristan? Ou seja, princípios pelos quais daria a vida?"

"Não", respondo, sacudindo a cabeça. "Pessoas, talvez. Mas não princípios. De que servem?"

"É por isso que as coisas sempre foram complicadas entre nós, entende? Nós somos muito diferentes, essa é a verdade. Você não acredita em nada mesmo, não é? Ao passo que eu..."

Eu desvio a vista. "Não, Will."

"Não o digo para magoá-lo, Tristan, não mesmo. Só estou dizendo que você foge das coisas. Da sua família, por exemplo. Dos amigos. Do certo e errado. Mas eu não, sabe? Não posso. Eu gostaria de ser mais como você, é claro. Se fosse, teria uma chance de sair vivo desta maldita confusão."

Sinto a raiva fervilhar dentro de mim. Mesmo agora, mesmo neste momento, Will prefere me tratar com condescendência. Isso me faz perguntar por que eu senti algo por ele.

"Por favor", digo, tentando não deixar que o ressentimento me domine, "diga o que você quer que eu faça para pôr fim a esta maluquice. Faço o que você quiser."

"Quero que você procure o sargento Clayton e diga que Milton matou aquele garoto a sangue-frio. Faça isso, se o que você acabou de dizer é mesmo verdade. E aproveite para lhe contar o que você sabe sobre o assassinato de Wolf."

"Mas Milton morreu. E Wolf também. O que nós vamos ganhar com isso?"

"Eu sabia que você não o faria."

"Mas não serviria de nada", insisto. "Ninguém ganharia nada."

"Percebe a ironia, Tristan?"

Eu o encaro e balanço a cabeça. Ele parece decidido a não voltar a falar enquanto eu não o fizer. "Que ironia?", pergunto enfim, as palavras se amontoando atropeladamente.

"Que eu vou ser fuzilado por covardia e você vai ficar vivo por covardia."

Eu me levanto e me afasto dele, vou para o canto mais distante da cela. "Agora você simplesmente está sendo cruel", digo em voz baixa.

"Eu? Pensei que estivesse sendo sincero."

"Por que você é sempre tão cruel?"

"Foi o que aprendi aqui. Você também aprendeu. Só que não percebe."

"Mas eles também estão tentando nos matar", protesto, levantado-me novamente. "Você esteve nas trincheiras. Sentiu as balas zunindo perto da sua cabeça. Esteve na Terra de Ninguém, arrastando-se entre cadáveres."

"Sim, e nós fazemos a mesma coisa, portanto, isso não nos torna tão maus quanto eles? Estou falando a sério, Tristan. Tenho interesse em saber. Dê uma resposta. Ajude-me a entender."

"É impossível conversar com você."

"Por quê?", pergunta ele com genuína perplexidade.

"Porque você acredita no que quer acreditar e não dá ouvidos a nenhum argumento contra ou a favor. Tem tantas opiniões que o ajudam a se definir como um homem melhor que os outros, mas onde estão os seus altos princípios quando se trata do resto da sua vida?"

Will sacode a cabeça. "Eu não me acho melhor que você, Tristan." Consulta o relógio e engole em seco, nervoso. "Está chegando a hora."

"Nós podemos evitar isso."

"O que você quer dizer com 'o resto da minha vida'?", pergunta ele, olhando para mim, a irritação franzindo-lhe a testa.

"Você não precisa que eu lhe explique."

"Preciso, sim. Diga. Se você tem algo a dizer, diga. Pode ser que não tenha outra oportunidade, portanto, desembuche, pelo amor de Deus."

"Desde o começo", digo eu sem hesitação. "Desde o começo, você se comportou mal comigo."

"É mesmo?"

"Não vamos fingir que não. Nós ficamos amigos lá em Aldershot, você e eu. Pelo menos eu pensei que fôssemos amigos."

"Mas nós *somos* amigos, Tristan. Por que você acha que não?"

"Eu pensei que talvez nós fôssemos mais do que isso."

"E o que lhe deu essa impressão?"

"Será que eu preciso mesmo dizer?"

Will suspira, esfrega os olhos. "Tristan. Por favor, não me venha com essa história outra vez. Agora não."

"Você fala como se não tivesse significado nada."

"Mas não significou nada, Tristan. Meu Deus. O que há com você afinal? Está tão debilitado emocionalmente que não consegue entender o que é o alívio quando ele aparece na sua frente? Não passou disso."

"Alívio?", pergunto, assombrado.

"Você precisa retomar isso sempre, sem parar", irrita-se ele. "Você é pior que mulher, sabe?"

"Vá à merda", digo sem muita convicção.

"É verdade. E, se você continuar falando nisso, eu chamo o cabo Moody e lhe peço para trancá-lo em outro lugar."

"O cabo Moody morreu, Will. E, se você estivesse participando do que anda acontecendo por aqui e não ficasse escondido nesta sua biboca tão providencial, já estaria sabendo."

Ele hesita. Desvia o olhar e morde o lábio.

"Quando?"

"Uma noite dessas", digo com pouco caso, como se não tivesse a menor importância. Como eu fiquei imune à realidade da morte! "Olhe, não importa. Ele morreu. Williams e Attling morreram. Milton morreu. Todo mundo morreu."

"Todo mundo não, Tristan. Não exagere. Você está vivo, eu estou vivo."

"Mas você vai ser fuzilado", digo, quase rindo do absurdo da situação. "É o que acontece aos galinhas-brancas."

"Eu não sou galinha-branca", insiste ele, levantando-se, enfurecido. "Os galinhas-brancas são covardes. Eu não sou covarde, simplesmente tenho princípios. Essa é a diferença."

"É o que você acredita. Sabe, se tivesse sido só uma vez, talvez eu entendesse. Talvez pensasse: *Ora, era o fim do treinamento. Nós estávamos angustiados, apavorados com o que nos aguardava. Você procurou alívio onde foi possível.* Mas foi você, Will. Foi você que tomou a iniciativa na segunda vez. E depois olhou para mim como se eu lhe causasse asco."

"Às vezes você me dá asco mesmo", admite ele com naturalidade. "Quando penso no que você é. E percebo que você pensa que também sou, mas eu sei que não. Tem razão. Nesses momentos você me dá nojo. Talvez seja a sua vida. Talvez seja a forma como o seu destino será moldado, mas não o meu. Não é o que eu queria. Nunca foi."

"Porque você é um mentiroso."

Will estreita os olhos. "Acho melhor você tomar cuidado com o que diz. Nós somos amigos, Tristan; pelo menos, eu gosto de pensar que somos. E não queria que brigássemos. Agora não. Não neste estágio."

"Eu também não quero. Você é o melhor amigo que tenho, Will. Você é... Bom, olhe" — eu preciso dizê-lo; nosso tempo está acabando — "interessa-lhe saber que eu amo você?"

"Pelo amor de Deus, homem", ele diz entre os dentes, um fio de baba escorrendo da boca. "Não fale assim. E se alguém ouvir?"

"Tanto faz", digo, aproximando-me dele. "Ouça-me só desta vez. Quando isto tudo acabar..."

"Saia de perto de mim", ele pede, empurrando-me com mais força do que pretendia, pois eu perco o equilíbrio, caio sobre o ombro, e uma fisgada de dor me percorre o corpo todo.

Will olha para mim e morde o lábio como se tivesse se arrependido momentaneamente, mas a frieza volta a se estampar em seu rosto.

"Olhe, por que você não consegue simplesmente se afastar de mim?", pergunta. Por que está sempre à minha volta? Sempre nos meus ouvidos. Ouvir o que você acabou de dizer me revira o estômago. Eu não amo você, Tristan. Aliás, nem gosto mais de você. Você estava lá, só isso. Estava lá. Eu não sinto nada por você, só desprezo. Você bateu em Marshall só para ficar preso aqui junto comigo?"

Avança um passo e me dá um tapa; não um soco, como daria em outro homem, mas um tapa. A minha cabeça gira com o impacto, mas o atordoamento me deixa calado e inerte.

"Você espera alguma coisa de mim, Tristan? É isso?", prossegue ele. "Pois saiba que não vai recebê-la. Consegue entender?"

E torna a me estapear, e eu deixo.

"Acha que eu ia querer ter alguma coisa com um sujeitinho como você?"

Bem diante de mim, ele me bate pela terceira vez; minha

bochecha direita está ardendo de dor, mas eu não consigo revidar.

"Meu Deus! Eu fico enjoado quando penso no que nós dois fizemos. Você percebe? Fico com vontade de vomitar."

No quarto tapa eu arremeto contra ele, cego de raiva, disposto a esmurrá-lo, mas ele entende mal o meu gesto e me empurra, e eu torno a cair sobre o ombro machucado, que desta vez dói como o diabo.

"Saia de perto de mim!", grita. "Puxa vida, Tristan, eu vou morrer daqui a pouco e você quer tirar uma casquinha de mim pela última vez em nome dos bons tempos, é isso? Que tipo de homem é você, afinal?"

"Não era o que eu...", começo a dizer, levantando-me com dificuldade.

"Puta que pariu!", dispara ele, debruçando-se sobre mim. "Eu vou morrer! Você não pode me deixar cinco minutos em paz, porra, para pôr a cabeça em ordem?"

"Por favor, Will", digo, lágrimas de ódio escorrendo pela minha face quando estendo as mãos para ele. "Desculpe-me, está bem? Nós somos amigos..."

"Não somos amigos porra nenhuma. Nunca fomos! Você não consegue entender, seu maluco?". Ele se dirige até a porta e bate nela repetidamente, gritando através das grades. "Tirem-no daqui!", urra, empurrando-me para a porta. "Quero alguns minutos de paz antes de morrer."

"Will", digo, mas ele sacode a cabeça; mesmo assim, puxa-me para junto dele pela última vez.

"Escute", sussurra em meu ouvido. "E não esqueça o que vou lhe dizer: eu não sou como você. Queria nunca tê-lo conhecido. Wolf me contou tudo sobre você, contou o que você era, e eu fiz amizade com você porque tive pena. Porque sabia que ninguém mais seria seu amigo. Eu tenho desprezo por você, Tristan."

Sinto tontura. Nunca acreditei que Will fosse capaz de tanta crueldade, mas cada palavra sua parece sincera. Sinto as lágrimas brotarem. Abro a boca, mas descubro que não tenho palavras. Quero me deitar no meu catre, a cara virada para a parede, fingindo que ele não existe, mas, nesse momento, ouço passos apressados aproximando-se da porta, uma chave na fechadura. Ela se abre. E dois homens entram e nos encaram.

Estou no pátio há séculos, sentindo que a minha cabeça vai explodir. Dentro de mim corre uma chama de ódio. Eu o odeio. Tudo o que ele me fez fazer, tudo o que me disse. O modo como me seduziu. Sinto uma dor lancinante no ombro devido aos dois tombos que me provocou, e o meu rosto está inchado pelos tapas. Olho para trás, para o lugar em que ele está trancafiado, agora com o cabo Harding e o capelão. Quero voltar para lá, agarrar-lhe o pescoço e bater sua cabeça no chão de pedra até lhe arrancar os miolos. Quero que o filho da puta morra. Eu o amo, mas quero que morra. Não posso viver num mundo em que ele exista.

"Eu preciso de mais um!", grita o sargento Clayton para Wells.

Mas Wells sacode a cabeça. "Eu não", diz.

Olho para o pelotão de fuzilamento já reunido à minha frente — o sol nasceu, são seis horas —, cinco homens enfileirados, um espaço para o sexto.

"O senhor sabe que eu não posso", explica Wells. "Tem de ser um homem alistado."

"Então eu mesmo vou!", rosna Clayton.

"Não pode, senhor", insiste Wells. "É contra o regulamento. Espere um pouco. Eu vou à trincheira arranjar alguém. Um dos garotos novos, um que não o conheça."

Não reconheço os cinco rapazes enfileirados para fuzilar Will. Parecem em pânico. Parecem limpos. Dois deles estão tremendo visivelmente.

Eu me aproximo deles e Clayton olha para mim, surpreso. "O senhor precisa de um sexto homem?", pergunto.

"Não, Sadler", diz Wells, olhando para mim com assombro. "Você não. Volte para as trincheiras. Procure Morton. Mande-o para cá, entendeu?"

"O senhor precisa de um sexto homem?", repito.

"Eu já disse, você não, Sadler."

"E eu disse que vou participar", insisto, pegando o sexto fuzil, o ódio correndo nas veias. Movimento o maxilar para aliviar a dor na bochecha, mas, cada vez que o faço, sinto como se ele me estivesse estapeando outra vez.

"Muito bem então", dispara o sargento Clayton, fazendo sinal para que os guardas abram a porta. "Tragam-no. Está na hora."

"Sadler, pense no que está fazendo, pelo amor de Deus", sussurra Wells, agarrando-me o braço, mas eu me livro dele com um safanão e vou para o meu lugar na fila. Quero a cabeça do filho da puta numa bandeja. Examino a bala, coloco-a no lugar. Estou entre dois rapazes, alheio a ambos.

"Cabo Wells, saia da frente", grita o sargento Clayton, e então eu o vejo, vejo Will sendo conduzido pelos guardas, uma venda preta nos olhos, um pedaço de pano vermelho preso na altura do coração. Anda com hesitação até se postar no alto da escada. Eu olho fixamente para ele, lembro-me de tudo, ouço as suas palavras e é com muito custo que não me precipito em sua direção para despedaçá-lo.

O sargento Clayton dá ordem para que tomemos posição de sentido, e nós obedecemos, seis homens lado a lado, fuzis erguidos.

O que você está fazendo?, penso, a voz da razão na minha cabeça, uma voz que implora que eu pense no que estou fazendo. Uma voz que decido ignorar.

"Apontar!", berra Clayton, e, nesse momento, Will, valente até o fim, livra-se da venda, querendo ver seus matadores atirarem. Sua expressão é de medo, mas também de força, resistência. Então ele me vê na fila e sua expressão se transforma. Fica chocado. Olha para mim. Seu rosto despenca.

"Tristan", diz, sua última palavra.

E chega a ordem e o indicador da minha mão direita aperta o gatilho e, num piscar de olhos, seis fuzis disparam, o meu tão rápido quanto qualquer outro, e o meu amigo está estendido no chão, imóvel. A sua guerra acabou.

A minha está prestes a começar.

A VERGONHA DOS MEUS ATOS

LONDRES, OUTUBRO DE 1979

Eu a vi outra vez.

Foi quase sessenta anos depois, no outono de 1979. Meses antes, a sra. Thatcher havia chegado ao poder e reinava um sentimento de que a civilização, tal como a conhecíamos, estava chegando ao fim. Os jornais noticiaram o meu octogésimo primeiro aniversáro, e eu recebi uma carta de uma sociedade literária informando-me que seria presenteado com uma peça de bronze fundida num bloco de madeira e coroada por uma pena de prata, mas só teria direito a ela se me dispusesse a vestir um smoking, comparecer a um banquete, fazer um breve discurso e uma leitura mais breve ainda, além de ficar um ou dois dias à disposição da imprensa.

"Mas *por que* eu não posso recusar?", perguntei a Leavitt, o meu editor de trinta anos de idade, todo suspensórios e brilhantina no cabelo, que fazia questão de que eu aceitasse o convite; anteriormente, quando Davies, o meu editor e amigo de toda a vida, faleceu, Leavitt ficou encarregado de dois livros meus.

"Ora, antes de mais nada porque seria uma grosseria", disse ele, falando como se eu fosse uma criança que merecia castigo por se recusar a descer para cumprimentar a visita ou por fazer graça. "Raramente dão o prêmio. Aliás, você vai ser o quarto laureado."

"E os outros três já morreram", observei, lendo os nomes dos escritores — dois poetas e um romancista — que o haviam recebido antes de mim. "É o que acontece com quem aceita prêmios como esse. Não resta mais motivo para escrever. E aí o coitado bate as botas."

"Você não vai bater as botas, Tristan."

"Tenho oitenta e um anos", lembrei. "Admiro muito o seu otimismo, mas até você, Leavitt, tem de reconhecer que a possibilidade é muito real."

Mas os pedidos persistiram e eu estava muito cansado para dizer não — a própria resistência me teria matado —, de modo que fui, sentei-me numa mesa redonda, cercado de jovens talentos que me lisonjearam com suas palavras, disseram que me admiravam muito, mas estavam em busca de efeitos bem diferentes na sua obra, embora, é claro, fosse vital para a nova geração continuar lendo os predecessores.

A sociedade me deu sete ingressos para o evento, o que me pareceu um tanto descortês, já que todos sabiam que eu era um solteirão inveterado e não tinha filhos, nem mesmo sobrinho ou sobrinha que me fizesse companhia ou se encarregasse de receber a minha correspondência quando eu morresse. Pensei em devolvê-los ou distribuí-los numa universidade próxima, onde ministro palestras ocasionais, mas preferi oferecê-los a certas pessoas leais que passaram anos cuidando dos meus interesses financeiros — agentes, editores etc., muitos dos quais estavam aposentados havia tempos —, e eles se alegraram em sacrificar uma noite para me homenagear, um súbito retorno ao tempo em que nós todos estávamos na moda.

"Ao lado de quem o senhor quer sentar-se no banquete?", perguntou uma secretária, telefonando-me de manhã; um grande incômodo, já que eu escrevo entre as oito e as duas.

"Do príncipe Charles", respondi sem pensar. Eu o tinha conhecido numa festa ao ar livre, e ele me impressionou com alguns comentários improvisados a respeito de Orwell e a pobreza, mas o nosso contato não foi além disso.

"Oh", disse a secretária com certa irritação. "Não creio que ele esteja na lista de convidados."

"Neste caso, deixo isso nas suas capabilíssimas mãos",

respondi, desligando e deixando o fone fora do gancho pelo resto do dia.

No fim, colocaram um rapazinho ao meu lado — recentemente, havia sido nomeado o melhor escritor jovem do mundo, ou coisa que o valha, com base numa novela curta e numa coletânea de contos. Tinha vaporosas mechas loiras e me lembrava um pouco Sylvia Carter na juventude. Enquanto falava, agitava o cigarro e soprava fumaça na minha cara. Eu o achei quase insuportável.

"Espero que o senhor não se incomode", disse, tirando de baixo da mesa um embrulho da livraria Foyles of Charing Cross Road. "Eu comprei alguns livros seus. O senhor pode autografá-los?"

"Naturalmente. A quem devo dedicá-los?"

"Ora essa, a mim, é claro", sorriu ele, orgulhoso. Tive certeza de que aquela noite dedicada a mim não passava de uma artimanha para garantir a presença dele na festa.

"O seu nome, por favor?", perguntei educadamente.

Os livros devidamente autografados, o embrulho de volta ao devido lugar debaixo da mesa, e ele piscou para mim, pousando a mão no meu antebraço.

"Eu o li na universidade", confidenciou com voz tão cautelosa que mais parecia estar confessando um sórdido interesse por menininhas em idade escolar. "Devo admitir que até então não tinha ouvido falar no senhor. Mas achei alguns dos seus livros bons pra caramba."

"Obrigado. E os outros? Não tão 'bons pra caramba'?"

Ele fez uma careta e pensou um pouco. "Olhe, não me cabe dizer", respondeu, derrubando cinzas no coquetel de camarão antes de discorrer sobre os diversos defeitos que eles continham, sobre o fato de tudo se situar em determinado contexto, *et cetera* e tal, mas, em meio à complicação em que se meteu, deixou o castelo de cartas desabar. "Mas olhe, nós não teríamos a literatura de hoje se a geração anterior não houvesse estabelecido fundamentos tão sólidos. O senhor merece todos os louvores."

"Mas eu continuo vivo", lembrei, um fantasma à minha própria mesa.

"*Claro* que sim", disse ele como se estivesse confirmado o fato para mim; como se eu tivesse feito a pergunta a fim de me assegurar de mim mesmo, como se sofresse de uma demência, de uma dúvida quanto à minha própria existência.

Em todo caso, o importante é que segui em frente, e discursos foram feitos, fotografias foram tiradas e livros foram autografados. Recebi um telegrama de Harold Wilson, que afirmava ser meu admirador, mas escreveu errado o meu nome. (Chamou-me de "sr. Sandler".) Outro de John Lennon.

"O senhor lutou na Grande Guerra?", perguntou-me um jornalista do *Guardian* numa longa entrevista que devia coincidir com a apresentação do prêmio.

"Não a achei tão grandiosa assim", respondi. "Aliás, se não me falha a memória, foi horrorosa."

O jornalista riu, sem jeito. "Sim, claro. Mas o senhor nunca escreveu sobre ela."

"Não?"

"Pelo menos, não explicitamente", disse ele com expressão de pânico, como se acabasse de perceber que talvez tivesse esquecido uma obra importantíssima.

"Creio que depende do que se entende por explícito. Tenho certeza de que escrevi inúmeras vezes sobre ela. Ocasionalmente, na superfície. Outras vezes, um pouco enterrada. Mas ela está presente, não? O senhor concorda? Ou eu estou enganado?"

"Não, claro que não. Eu só queria..."

"A não ser que eu tenha fracassado absolutamente no meu trabalho. Talvez eu não tenha conseguido deixar claras as minhas intenções. Talvez toda a minha carreira de escritor tenha sido uma jogada totalmente errada."

"Não, senhor Sadler, claro que não. Acho que o senhor

não me entendeu bem. É óbvio que a Grande Guerra teve um papel importantíssimo na sua..."

Aos oitenta e um anos, a gente se diverte como pode.

Na noite do banquete, fiquei num hotel em Londres, pois tinha deixado a cidade uns quinze anos antes para, como dizem, viver recluso no interior. Apesar dos numerosos convites dos velhos amigos para juntar-me a eles nos bares londrinos até o amanhecer, colocando em perigo a minha saúde e expectativa de vida, despedi-me numa hora sensata e voltei a West End, ansioso por uma boa noite de sono e um trem que me levasse para casa na manhã seguinte. De modo que não foi sem surpresa que ouvi um dos porteiros me chamar quando eu estava passando pelo balcão de recepção.

"Sadler", anunciei, agitando a chave no ar, imaginando que ele tivesse me tomado por um intruso octogenário. "Mil cento e sete."

"Claro, senhor", disse ele, aproximando-se e me interceptando antes que eu entrasse no elevador. "É que há uma senhora à sua espera. Faz mais ou menos uma hora que está no bar."

Eu franzi a testa. "Uma senhora? A esta hora? Deve ser um engano."

"Não, senhor. Ela disse o seu nome. E que o senhor a conhecia."

"Muito bem, quem é ela?", perguntei com impaciência. A última coisa que eu queria era ser molestado por mais uma jornalista ou uma leitora àquela hora. "Está com um monte de livros debaixo do braço?"

"Não vi, senhor, não."

Olhei para os lados, refletindo. "Olhe, você me faz um favor? Diga a ela que eu já fui dormir. Peça desculpas e tudo o mais. Mande-a entrar em contato com o meu agente — ele há de saber o que fazer com ela. Espere, eu estou com o cartão dele."

Tirei do bolso um punhado de cartões de visita, examinando-os com uma sensação de esgotamento. Tantos nomes, tantas caras para lembrar. Nunca fui bom nisso.

"Senhor, acho que não é uma fã. Alguém da família, talvez? Ela já é idosa, com o perdão da palavra."

"Se for mesmo, você está perdoado. Mas não, é impossível que seja da minha família. Ela deixou um recado, afinal?"

"Não, senhor. Mandou-me dizer que veio de Norwich para vê-lo. Disse que o senhor saberia do que se tratava."

Eu o encarei. Era um rapaz bonito e, naturalmente, o fogo nunca se apaga.

"Senhor Sadler! Senhor Sadler, o senhor está passando bem?"

Fui nervosamente para o saguão às escuras, afrouxando um pouco a gravata, e procurei a sala. Estava surpreendentemente lotada para aquela hora da noite, mas não havia como confundi-la. Mesmo porque era a única mulher de idade avançada no recinto. Apesar dos muitos anos decorridos, nunca deixei de pensar nela. Estava lendo um livro, o qual não reconheci, e ao me perceber observando-a (suponho), levantou os olhos, mas não na minha direção, e creio que uma sombra passou por seu rosto. Levou a taça de vinho aos lábios, mas, mudando de ideia, recolocou-a na mesa sem beber. Eu passei um bom tempo imóvel no centro do salão; só quando ela se voltou e me ofereceu uma leve inclinação da cabeça foi que avancei e me sentei à sua frente. Ela havia feito uma boa escolha; um compartimento pequeno, afastado dos outros. Iluminação escassa. Boa para nós dois.

"Soube da sua premiação pelo jornal", disse sem preâmbulo quando me sentei. "E acontece que estava em Londres para o casamento do meu neto, que foi ontem. Não sei bem por quê, mas pensei em visitá-lo. Foi uma decisão de última hora. Espero que você não se importe."

"Que bom que fez isso", respondi, o que me pareceu educado dizer, embora eu não soubesse ao certo o que sentia ao vê-la.

Ela esboçou um sorriso. "Então se lembra de mim?"

"Sim, me lembro."

"Eu sabia que ia se lembrar."

"O casamento", disse eu, esforçando-me para encontrar um assunto seguro enquanto recompunha as ideias. "Foi agradável?"

"Tanto quanto sempre são essas coisas", respondeu ela, encolhendo os ombros, fazendo que sim quando o garçom se ofereceu para reabastecer o copo; eu pedi um uísque pequeno, mas, mudando de ideia, aumentei a dose. "Nós sempre comemos e bebemos juntos, Tristan. Curioso, não? Enfim, sim, foi bom, suponho, embora eu não goste muito da moça. É uma vaca; pronto, disse. Henry vai sofrer nas mãos dela, é o que prevejo."

"Henry é o seu neto?"

"É. O caçula da minha filha mais velha. Eu tenho oito netos, você acredita? E seis bisnetos."

"Parabéns."

"Obrigada. Imagino que você esteja se perguntando por que eu vim aqui."

"Não tive tempo de me perguntar nada", disse eu, agradecendo ao garçom quando serviu a bebida. "Você me pegou um pouco de surpresa, Marian. Vai ter de me perdoar, mas eu não estou na minha melhor forma."

"Ora, você é velho como as montanhas", sorriu ela. "E eu mais velha ainda. O fato de ainda estarmos lúcidos é um triunfo da boa alimentação e da vida saudável, espero."

Eu sorri e tomei um gole vagaroso do uísque. Ela não tinha mudado. Conservava a fala rápida e disparatada, a sua urgente sagacidade e fluência.

"Acho que devo felicitá-lo", disse depois de algum tempo.

"Felicitar-me?"

"Pelo prêmio. Ouvi dizer que é muito prestigioso."

"Sim, eu ouvi dizer a mesma coisa", respondi. "Embora seja bem feio, sinceramente. Eles bem que podiam ter encomendado coisa mais bonita."

"Onde está? Lá em cima no seu quarto?"

"Não, eu o deixei com o meu agente. É muito pesado. Vão enviá-lo para casa, espero."

"O seu retrato saiu na primeira página do *Times*. Eu estava lendo sobre você quando tomei o trem segunda-feira passada. Até nas palavras cruzadas aparecia o seu nome. Você se saiu muito bem na vida."

"Tive sorte", concordei. "Pude viver a vida que queria. Pelo menos até certo ponto."

"Lembro que, naquele dia, pouco antes de nos despedirmos, você disse que estava se arriscando a escrever pouco a pouco, mas que pretendia levar isso mais a sério quando voltasse a Londres. Pelo jeito, foi o que fez, não? É impressionante o número de livros de sua autoria. Nunca li nenhum, confesso. Fui rude?"

"Não, de jeito nenhum. Eu não esperava que os tivesse lido. Você não gosta de romances, se me lembro bem."

"Na verdade, acabei lendo alguns. Mas não os seus. Via-os nas livrarias o tempo todo, é claro. E, na biblioteca que frequento, eles são grandes fãs seus. Mas nunca li nenhum. Você pensa em mim às vezes, Tristan?"

"Quase sempre", reconheci sem hesitação.

"E no meu irmão?", perguntou ela, aparentemente sem se surpreender com a minha confissão.

"Quase sempre", repeti.

"Sei."

Marian desviou a vista e tomou um gole de vinho, fechando os olhos enquanto a uva penetrava a sua corrente sanguínea.

"Não sei o que vim fazer aqui", disse pouco depois, olhando para mim e abrindo um sorriso meio nervoso. "Queria vê-lo, mas agora não sei por quê. Devo parecer louca. Não vim para atacá-lo, se é isso que o preocupa."

"Fale da sua vida, Marian", pedi, interessado no que talvez tivesse a dizer. Na última imagem sua que eu guardava, ela estava sentada na plataforma da estação Thorpe, enquanto um grupo de pessoas olhava para aquela mulher aflita, em prantos; quando o trem partiu da estação, ela investiu contra o vidro da minha janela. Eu me assustei, temendo que se atirasse sob as rodas, mas não, simplesmente queria me agredir. Se tivesse posto as mãos em mim, era capaz de me matar. E eu teria permitido.

"Meu Deus. Não queira saber da minha vida, Tristan. Seria horrivelmente enfadonha comparada à sua."

"A minha é muito mais chata do que as pessoas imaginam", disse eu. "Por favor, eu gostaria de saber."

"Bem, a versão condensada talvez. Vejamos. Eu sou professora. Quer dizer, era. Estou aposentada, obviamente. Mas fiz o magistério logo depois que o meu casamento terminou e fiquei, santo Deus, mais de trinta anos na mesma escola."

"Gostava de lá?"

"Muito. Crianças pequenas, Tristan. As únicas com que eu conseguia lidar. É pôr uma em cima da outra e, se no fim você continuar sendo mais alto que elas, está em segurança. Essa sempre foi a minha lei. Garotos de quatro e cinco anos. Eu os adorava. Eles eram um grande prazer para mim. Alguns, verdadeiramente maravilhosos." Um sorriso radiante lhe iluminou o rosto.

"Ainda tem saudade?", perguntei.

"Oh, todo dia. Deve ser tão bom ter uma profissão como a sua, na qual ninguém vem lhe dizer que chegou a hora de parar. Parece que à medida que envelhecem os romancistas só melhoram, não é?"

"Alguns."

"Você melhorou?"

"Acho que não. Acho que cheguei ao auge na meia-idade

e parei, fiquei chapinhando a mesma água desde então. Lamento saber que o seu casamento tenha acabado mal."

"Sim, ora, era inevitável que acabasse assim. Eu não devia ter me casado com ele, essa é a verdade. Acho que estava louca."

"No entanto, vocês tiveram filhos?"

"Três. Alice é veterinária, tem três filhos e está muito bem. Helen é psicóloga e tem cinco, imagine. Não sei como consegue. Em breve, as duas vão se aposentar, é claro, e eu me sinto mais velha que Matusalém. E então há o meu filho."

"O mais novo."

"Sim. Bem, ele já tem cinquenta e poucos anos, não é tão novo assim."

Continuei olhando para ela, sem dizer uma palavra, pensando no que ia me contar sobre ele.

"O quê?", perguntou-me depois de algum tempo.

"Bem, ele tem nome?"

"Claro que tem nome", disse Marian, desviando o olhar, e eu me dei conta subitamente de que nome era e me envergonhei de ter perguntado. Procurei o copo, o meu escudo.

"Para ser franca, o meu filho vive se digladiando com a vida. Não sei bem por quê. Teve a mesma educação que as irmãs, quase exatamente a mesma, mas, onde elas se destacavam, ele fracassava repetidamente."

"Que pena."

"Pois é. Eu faço o que posso por ele, é claro. Mas nunca é suficiente. Não sei o que vai acontecer quando eu morrer. As irmãs o acham dificílimo."

"E o pai dele?"

"Oh, Leonard morreu há muito tempo. Na década de cinquenta. Casou-se com outra, emigrou para a Austrália e morreu num incêndio doméstico."

Eu a encarei, recordando imediatamente o nome. "Leonard?", perguntei. "Leonard Legg, por acaso?"

"Sim, sim", disse ela, franzindo a testa ao olhar para mim.

"Como você...? Ah, sim, claro. Eu tinha esquecido completamente. Você o conheceu naquele dia, não?"

"Ele me deu um soco na cara."

"Pensou que nós estávamos namorando."

"Você se casou com ele?", perguntei, estarrecido.

"Sim, Tristan, casei com ele. Mas, como lhe contei, o casamento terminou em uma década. Um fazia o outro sofrer. Você parece surpreso."

"Estou mesmo. Olhe, eu não o conhecia, é claro. Só me lembro das coisas que você disse naquele dia. Estava tão incomodada com ele. Tinha-a decepcionado tanto."

"Nós casamos pouco depois disso. Não quero dizer que foi a pior decisão da minha vida porque tenho três filhos desse casamento, mas certamente mostrou que eu tinha muito pouco discernimento. Voltei para Leonard no dia seguinte. Ao da sua partida. Eu precisava de alguém, e ele estava lá. Não posso explicar. Sei que deve parecer... idiota."

"Não parece nada. Não me cabe julgá-la."

Ela olhou para mim com ar ofendido. "Não, não lhe cabe mesmo. Olhe, ele estava lá e eu queria alguém que cuidasse de mim naquele momento. Deixei-o voltar à minha vida, mas no fim ele partiu novamente e assim tudo acabou. Vamos parar de falar em mim. Eu estou farta de mim. E você, Tristan? Não se casou? Os jornais não diziam nada."

"Não", respondi, olhando para o outro lado. "Mas você sabia que eu não podia. Eu lhe expliquei."

"Eu sabia que você não *devia*. Mas quem sabe o quanto você pode ter sido insincero? Na verdade, eu esperava que acabasse se casando. As pessoas faziam isso naquele tempo. Ainda o fazem, imagino. Mas você não fez."

"Não, Marian", disse eu, sacudindo a cabeça, assimilando o golpe. "Não."

"Nunca existiu — não sei que nome as pessoas dão a isso, eu não sou moderna, Tristan — um parceiro? É essa a palavra certa?"

"Não."

"Nunca houve ninguém?", perguntou ela, surpresa, e eu ri um pouco, surpreso com a sua surpresa.

"Não. Ninguém. Nem uma vez. Nenhum tipo de ligação com ninguém."

"Puxa. Não era solitária? A sua vida, digo."

"Era."

"Você está sozinho?"

"Estou."

"Mora sozinho?"

"Eu sou inteiramente só, Marian", repeti tranquilamente.

"Puxa", disse ela, desviando a vista um instante, com a expressão endurecida.

Ficamos algum tempo assim e, enfim, ela voltou a olhar para mim. "Em todo caso, você está com boa aparência."

"Estou?"

"Não, nem tanto. Está velho. E parece cansado. Eu também estou velha e cansada, não quis ofendê-lo."

"Bem, eu estou velho e cansado", admiti. "Foi uma longa jornada."

"Sorte sua", disse ela com amargura. "Mas você foi feliz?"

Fiquei pensando. Essa era uma das perguntas mais difíceis da vida, senti. "Não fui infeliz", respondi. "Mas não tenha certeza de que seja a mesma coisa. Eu gostava muito do meu trabalho. Trouxe-me muita satisfação. Mas, é claro, às vezes me digladiei, como o seu filho."

"Com o quê?"

"Posso dizer o nome dele?"

"Não", rosnou Marian, inclinando-se. "Não pode."

Eu assenti e me reclinei na cadeira. "Pode ser que signifique alguma coisa para você, ou pode ser que não", disse eu, "mas há sessenta e três anos eu convivo com a vergonha dos meus atos. Não passou um dia sem que tenha pensado nisso."

"Surpreende-me que não tenha escrito a respeito disso, já que o sente com tanta intensidade."

"Na verdade, eu escrevi." Uma expressão consternada

estampou-se em seu rosto, e eu me apressei a sacudir a cabeça. "Deixe-me esclarecer. Eu escrevi a respeito, mas nunca publiquei. Pensei em deixar para depois da minha morte."

Intrigada, Marian aproximou o rosto do meu. "E o que você escreveu, Tristan?"

"A história toda. A nossa vida em Aldershot, o que eu sentia por ele, as coisas que aconteceram. O nosso período na França. Um pouco sobre a minha vida antes disso, umas coisas que me aconteceram na infância. E então o problema, as decisões que o seu irmão tomou. E o que eu lhe fiz no fim."

"Assassiná-lo?"

"Sim. Isso."

"Porque não pôde tê-lo."

Eu engoli em seco e olhei para o chão, acenando a cabeça. Não conseguia fitá-la nos olhos, assim como, tantos anos antes, não pude olhar para os pais dela.

"Mais alguma coisa? Conte. Eu tenho o direito de saber."

"Escrevi sobre o dia que passamos juntos. A minha tentativa de explicar as coisas a você. O meu fracasso."

"Escreveu sobre mim?"

"Escrevi."

"Então por que não publicou nada? Todo mundo o elogia tanto. Por que não lhes presentear com esse livro também?"

Eu refleti um pouco, fingindo tentar decifrar o motivo, muito embora o conhecesse bem. "Imagino que não suportaria a vergonha", disse. "De saberem o que eu fiz. Eu não conseguiria viver com o modo como as pessoas olhariam para mim. Isso não vai importar quando eu tiver morrido. Então poderão lê-lo."

"Você é um covarde, Tristan. Covarde até o fim."

Eu a encarei; não havia muito o que ela pudesse dizer para me magoar. Mas encontrou algo. Uma verdade.

"Sim. Acho que sou."

Marian suspirou e desviou a vista, sua expressão sugerindo que seria capaz de gritar se não tomasse cuidado. "Não sei por que eu vim aqui. Mas agora é tarde. Preciso ir. Adeus, Tristan." Levantou-se. "Nós não vamos nos reencontrar."

"Não."

E assim ela se foi.

Tinha razão, é claro. Eu era um covarde. Devia ter entregado este manuscrito anos antes. Talvez estivesse esperando que a história chegasse a uma conclusão qualquer, por certo isso aconteceria cedo ou tarde. E enfim aconteceu naquela noite.

Voltei para o quarto pouco depois. Erguendo a mão direita, constatei que o meu indicador espasmódico estava perfeitamente imóvel; o dedo que tinha puxado o gatilho que meteu uma bala no coração do meu amante estava enfim satisfeito. Tirei o manuscrito da pasta; levo-o comigo sempre que viajo, sabe? Gosto de tê-lo à mão. E agora escrevo sobre a nossa conversa, o breve encontro final entre Marian e mim, e espero que ele lhe tenha dado alguma satisfação, embora eu tenha certeza de que, onde quer que esteja agora, ela não consegue dormir e, se dormir, será assombrada por pesadelos do passado.

E então abro a pasta em busca de outra coisa, algo que também tenho sempre à mão para o momento em que me parecer certo utilizá-lo.

Logo me encontrarão aqui neste quarto, num hotel desconhecido, e chamarão a polícia, a ambulância, e me levarão a um frio necrotério no coração de Londres. E, amanhã, os jornais publicarão o meu obituário e dirão que eu fui o último dessa geração a morrer e, que pena, mais um vínculo com o passado se foi, mas vejam o que ele deixou para nós, meu Deus, vejam o legado que deixou para honrar a sua memória. E pouco depois este manuscrito virá à tona, o meu último livro, publicado em capa dura, editado por Leavitt. Haverá ultraje e indignação, as pessoas me atacarão enfim, terão ódio de mim, a minha reputação ficará destruída para sempre, o meu castigo será recebido, autoinfligido como este buraco de bala, e o mundo finalmente saberá que eu fui o maior galinha-branca de todos.

#LIT53680
O pacifista

ESTA OBRA FOI COMPOSTA EM PALATINO PELO ESTÚDIO O.L.M./ FLAVIO PERALTA
E IMPRESSA EM OFSETE PELA GEOGRÁFICA SOBRE PAPEL PÓLEN SOFT DA
SUZANO PAPEL E CELULOSE PARA A EDITORA SCHWARCZ EM DEZEMBRO DE 2012

FSC
www.fsc.org
MISTO
Papel produzido a partir de fontes responsáveis
FSC® C019498

A marca FSC® é a garantia de que a madeira utilizada na fabricação do papel deste livro provém de florestas que foram gerenciadas de maneira ambientalmente correta, socialmente justa e economicamente viável, além de outras fontes de origem controlada.